P9-BJX-656

MAURICE DRUON | La Ley de los Varones
Los Reyes Malditos IV

byblos

Título original: *La Loi des Mâles*

Traducción: Mª Guadalupe Orozco Bravo

3.ª reimpresión: septiembre 2008

© 1966 by Maurice Druon, Librairie Plon et Editions Mondiales

© Ediciones B, S.A., 2004
    Bailén, 84 - 08009 Barcelona (España)
    www.edicionesb.com
    www.edicionesb.com.mx

ISBN: 84-666-1746-9
Impreso por Quebecor World.

MAURICE DRUON | La Ley de los Varones
Los Reyes Malditos IV

Quiero expresar de nuevo mi más sincero agradecimiento a mis colaboradores, Pierre de Lacretelle, Georges Kessel, Christiane Grémillon, Madeleine Marignac y Edmonde Charles-Roux, por la inestimable ayuda que me han prestado durante la redacción de este volumen. Asimismo quiero dar las gracias a los servicios de la Biblioteca Nacional, de los Archivos Nacionales, de la biblioteca Méjanes de Aix-en-Provence y de la biblioteca de Florencia, que tanto nos han ayudado en nuestras investigaciones.

M. D.

Prólogo

Durante los tres siglos y cuarto transcurridos desde la elección de Hugo Capeto hasta la muerte de Felipe el Hermoso, solamente once reyes ciñeron la corona de Francia, y todos ellos dejaron un heredero a quien legarla.

¡Prodigiosa dinastía, ésta de los Capetos! Parecía que el destino la había marcado con el signo de la perpetuación. De los once reinados, solamente dos habían durado menos de quince años.

A pesar de la mediocridad de algunos reyes, esta extraordinaria continuidad en el ejercicio del poder había contribuido a la formación de la unidad nacional.

El vínculo feudal, puramente personal, de vasallo a señor, de más débil a más fuerte, iba siendo sustituido progresivamente por este otro vínculo, este otro contrato que une a los miembros de una amplia comunidad humana sometida durante largo tiempo a las mismas vicisitudes y a la misma ley.

Aunque la idea de nación no se había plasmado todavía, su esencia y su encarnación existían ya en la persona del rey, fuente permanente de autoridad. Quien pensaba en «el rey» pensaba también en «Francia».

Retomando los objetivos y métodos de Luis VI y de Felipe Augusto, sus más notables antepasados, Felipe el Hermoso se había dedicado durante casi treinta años a construir esta naciente unidad. Pero los cimientos todavía no estaban consolidados.

A la muerte del Rey de Hierro siguió, muy poco

tiempo después, la de su hijo Luis X. El pueblo veía en estas muertes tan próximas un signo de fatalidad.

El duodécimo rey había reinado dieciocho meses, seis días y diez horas, tiempo suficiente para que aquel mezquino monarca destruyera gran parte de la obra de su padre.

Durante su paso por el trono, Luis X destacó principalmente por haber ordenado el asesinato de su primera esposa, Margarita de Borgoña, por enviar a la horca al ministro de Felipe el Hermoso, Enguerrando de Marigny, y por hundir a todo un ejército en los barrizales de Flandes. Mientras el pueblo era diezmado por el hambre, se sublevaron dos provincias por instigación de los barones. La alta nobleza ganaba terreno a la monarquía de manera imparable y el Tesoro estaba vacío.

Luis X había subido al trono en un mundo sin Papa que dejaba sin que existiera acuerdo sobre su elección.

Y ahora Francia se quedaba sin rey. De su primer matrimonio, Luis X sólo dejaba una hija de cinco años, Juana de Navarra, a la que muchos consideraban bastarda. En cuanto al fruto de su segundo matrimonio, no era por entonces más que una débil esperanza: la reina Clemencia estaba encinta, pero tardaría aún cinco meses en dar a luz. Además se decía que Luis el Obstinado había sido envenenado.

En tal situación, ¿quién sería el próximo rey? Nada estaba previsto sobre la regencia. En París, el conde de Valois intentaba hacerse proclamar regente. En Dijon, el duque de Borgoña, hermano de la reina estrangulada y jefe de una poderosa liga de barones, no dudaría en defender los derechos de su sobrina, Juana de Navarra. En Lyon, el conde de Poitiers, primer hermano de Luis X, estaba ocupado en desentrañar las intrigas de los cardenales y se esforzaba vanamente en obtener una decisión del cónclave. Los flamencos sólo esperaban la ocasión para tomar de nuevo las armas, y los señores del Artois continuaban su guerra civil.

¿Se necesitaba algo más para recordar al pueblo la maldición lanzada dos años antes por el gran maestre de los templarios desde la hoguera? En una época tendente a la credulidad, aquella primera semana de junio de 1316, el pueblo de Francia se preguntaba si el linaje de los Capetos no estaría marcado para siempre por la maldición.

PRIMERA PARTE

FELIPE *PUERTAS CERRADAS*

1

La reina blanca

Las reinas guardaban luto vistiéndose de blanco. Blanca era la toca de fina tela que rodeaba el cuello, cubría la barbilla hasta el labio y dejaba asomar sólo el centro del rostro; blanco el gran velo que cubría la frente y las cejas; blanco el vestido cerrado en las muñecas y que caía hasta los pies. Tal era el aspecto, casi monacal, que acababa de adoptar a los veintitrés años, y sin duda para el resto de su vida, Clemencia de Hungría, viuda de Luis X.

De ahora en adelante nadie volvería a ver su admirable cabellera dorada, ni el óvalo perfecto de sus mejillas, ni aquel brillo, aquel tranquilo esplendor que había impresionado a cuantos la conocieron y celebraron su belleza. La reina Clemencia había adquirido ya el aspecto que tendría en la tumba.

Sin embargo, bajo los pliegues de su vestido se estaba formando una nueva vida, y Clemencia estaba obsesionada por la idea de que su marido no conocería jamás al hijo que esperaba.

«¡Si al menos Luis hubiera vivido lo bastante para verlo nacer! —se decía—. ¡Cinco meses, sólo cinco meses más! ¡Qué alegría habría tenido, sobre todo si es un niño! ¡Si hubiera quedado embarazada la misma noche de bodas!»

La reina volvió la cabeza con desmayo hacia el conde de Valois, que, con paso de gallo cebado, deambulaba por la habitación.

—Pero ¿por qué, tío, por qué habían de envenenarlo tan vilmente? —preguntó—. ¿No hacía todo el bien que podía? ¿Por qué buscáis siempre la perfidia de los hombres donde sin duda sólo se manifiesta la voluntad de Dios?

—Sois la única en atribuir a Dios lo que más bien parece deberse a los manejos del diablo —respondió Carlos de Valois.

Con su gorro empenachado cuyas plumas le caían hasta los hombros, la gran nariz, las mejillas anchas y coloradas, el vientre prominente y vestido con el mismo traje de terciopelo negro adornado con colas de armiño y broches de plata que había lucido dieciocho meses antes, en el entierro de su hermano Felipe el Hermoso, Carlos de Valois llegaba de Saint-Denis, donde acababa de asistir a la inhumación de Luis. La ceremonia le había planteado ciertos problemas, ya que por primera vez desde que fue instaurado el ritual de las exequias reales, los oficiales de la Casa Real, después de gritar «¡El rey ha muerto!», no habían podido agregar «¡Viva el rey!». Y no habían sabido ante quién rendir el homenaje debido al nuevo soberano.

—¡Bien! Romperéis vuestro bastón ante mí —había dicho Carlos de Valois al gran chambelán Mateo de Trye—. Yo soy el más viejo de la familia.

Pero su hermanastro, el conde de Evreux, protestó contra esta extraña pretensión.

—Si de ser el mayor se trata —dijo el conde de Evreux—, no lo sois vos, Carlos, sino nuestro tío Roberto de Clermont, hijo de san Luis. ¿Olvidáis que vive todavía?

—Sabéis bien que el pobre Roberto está loco y que no se puede confiar en aquella mente perdida —replicó el conde de Valois, encogiéndose de hombros.

Finalmente, a la salida del banquete fúnebre, servido en la abadía, el gran chambelán había roto el emblema de sus funciones ante una silla vacía.

16

Clemencia continuó:

—¿No daba Luis limosna a los pobres? ¿No conmutaba la pena a muchos encarcelados? Yo puedo dar fe de la generosidad de su alma y de su piedad. Si antes había pecado, estaba arrepentido.

Evidentemente, era mal momento para discutir las virtudes con que la reina adornaba la memoria, viva aún, de su esposo. Sin embargo, Carlos de Valois no pudo contener un gesto de impaciencia.

—Sobrina —respondió—, sé que habéis ejercido sobre él una influencia muy piadosa, y que él se mostró muy generoso... con vos. Pero no se gobierna solamente con oraciones, ni llenando de favores a quienes se ama. Y el arrepentimiento no basta para desarmar los más enconados odios que se han sembrado.

Clemencia pensó: «He aquí... a quien se atribuía todos los méritos del poder cuando vivía Luis y que ya reniega de él. En cuanto a mí, pronto me reprocharán todos los regalos que Luis me ha hecho. Me he convertido en la extranjera...»

Demasiado débil y demasiado cansada por las noches de insomnio y los días de lágrimas como para encontrar fuerzas para discutir, Clemencia añadió solamente:

—No puedo creer que hayan odiado a Luis hasta el punto de querer matarlo.

—¡Pues bien, no lo creáis sobrina, pero ésa es la verdad! —exclamó Carlos de Valois—. La prueba la tenemos en ese perro que lamió uno de los paños empleados para extraer las entrañas durante el embalsamamiento y que reventó acto seguido.

Clemencia se aferró con fuerza a los brazos de su asiento para no desfallecer oyendo aquella descripción. Su rostro, chupado y patético, con los ojos cerrados, se puso tan pálido como la toca y el velo que lo encuadraban. El cadáver, el embalsamamiento, el perro errante que lamía los paños ensangrentados... ¿Podía tratarse todo aquello de Luis, del hombre que había dormido a su lado durante diez meses?

El conde de Valois continuaba exponiendo sus macabras conclusiones. ¿Cuándo se callaría aquel hombre gordo, agitado, autoritario y vanidoso que, vestido de azul, de rojo o de negro, aparecía en cada momento importante o trágico, desde que ella había llegado a Francia, para sermonearla, aturdirla con palabras y hacerla actuar contra su voluntad? Desde la mañana de la boda... y Clemencia se acordó del día de su matrimonio, en Saint-Lye, volvió a ver la ruta de Troyes, la iglesia del pueblo, la habitación del pequeño castillo acondicionada apresuradamente como cámara nupcial... «¿He sabido disfrutar bastante de mi felicidad? No, no quiero llorar delante de él», se dijo.

—Todavía no sabemos quién es el autor de este horrible acto —continuó Valois— pero lo descubriremos, sobrina; os lo prometo solemnemente... Si se me dan los medios necesarios, claro está. Nosotros, los reyes... —Valois no perdía nunca la ocasión de recordar que había llevado dos coronas, de forma puramente nominal, pero que no obstante, lo colocaban en pie de igualdad con los príncipes soberanos—. Nosotros los reyes tenemos enemigos que no lo son tanto de nuestra persona como de las decisiones de nuestro cargo, y no falta gente que podía tener interés en haceros enviudar. En primer lugar, los templarios, cuya orden fue una gran equivocación destruir, y los cuales se juramentaron secretamente para causar la perdición de nuestro linaje. ¡Mi hermano ha muerto y ahora le sigue su primogénito! Después, los cardenales romanos. Recordad que el cardenal Caetani trató de hechizar a Luis y a vuestro cuñado Felipe con la declarada intención de sacar a los dos con los pies por delante. Caetani bien pudo pretender dar el golpe por otro medio. ¡Qué le vamos a hacer! No se echa al Papa del trono de san Pedro, como hizo mi hermano, sin sembrar inextinguibles resentimientos. Lo cierto es que Luis está muerto... Tampoco podemos dejar de sospechar de nuestros parientes de Borgoña, que no vieron con buenos ojos la reclusión de Margarita... y menos todavía que vos la hayáis reemplazado. Sobre este particular, sospechan mil villanías...

Clemencia le miró fijamente a los ojos, y Carlos de Valois se ruborizó ligeramente. Comprendió que ella sabía algo. Pero Clemencia nada dijo; siempre evitaría ese tema. Se sentía involuntariamente culpable. Porque aquel esposo cuya virtuosa alma enaltecía, había hecho estrangular a su primera mujer, con la complicidad de los condes de Valois y de Artois, para contraer matrimonio con ella, la sobrina del rey de Nápoles.

—Y luego está también la condesa Mahaut, vuestra vecina —se apresuró a añadir Valois—, que no es mujer que retroceda ante el crimen.

«¿En qué se diferencia ella de vos? —pensó Clemencia, sin osar responderle—. Parece que en esta corte nadie vacila en matar.»

—Y Luis, un mes antes, acababa de confiscarle su condado de Artois para obligarla a someterse.

Por un instante, Clemencia se preguntó si, al proponer tantos posibles culpables, no intentaba despistar, y si no era él mismo el autor del asesinato. Este pensamiento, que no podía basar en nada concreto, la horrorizó. No quería sospechar de nadie; quería que Luis hubiera fallecido de muerte natural... No obstante, la mirada de Clemencia se dirigió inconscientemente, por la ventana abierta sobre la fronda del bosque de Vincennes, hacia el sur, en dirección al castillo de Conflans, residencia de la condesa Mahaut... Días antes de la muerte de Luis, Mahaut, en compañía de su hija, había hecho una visita a Clemencia; una visita muy amable. Habían estado admirando los tapices de la habitación... «Nada envilece tanto como imaginarse rodeada de traidores —pensaba Clemencia— y buscar la traición en cada rostro...»

—Por esto, mi querida sobrina —prosiguió el conde de Valois—, es preciso que volváis a París en cuanto yo os lo pida. Vos sabéis en cuánta estima os tengo. Vuestro padre era mi cuñado. Escuchadme como lo escucharíais a él, si Dios nos lo hubiera conservado. La mano que ha abatido a Luis puede querer proseguir su venganza con vos y el fruto que lleváis. No podría dejaros aquí, en medio del bosque, expuesta a las asechanzas de los malvados, y no estaré tranquilo hasta que estéis instalada cerca de mí.

Desde hacía una hora, Carlos de Valois se esforzaba en que Clemencia volviera al palacio de la Cité, ya que él mismo había decidido trasladarse allí. Esto formaba parte de su plan para imponerse como regente. Quien dominaba en palacio adquiría porte real. Pero si se instalaba allí solo, se arriesgaba a que sus enemigos lo acusaran de golpe de Estado y de usurpación. Si, por el contrario, entraba en la Cité detrás de su sobrina, como su protector y pariente más próximo, nadie podía oponerse, y el Consejo de los Pares se encontraría ante un hecho consumado.

En aquel momento, el vientre de la reina era la mejor garantía y el más eficaz instrumento de gobierno.

Clemencia levantó los ojos, como para pedir ayuda, hacia un tercer personaje, un hombre ventrudo y canoso que se mantenía en pie junto a ella y que seguía la conversación con las manos cruzadas sobre la guarnición de su espada, inmóvil.

—Señor de Bouville, ¿qué debo hacer? —murmuró.

Hugo de Bouville, antiguo gran chambelán de Felipe el Hermoso, nombrado curador del vientre inmediatamente después de la muerte de Luis el Obstinado, se había tomado su nueva misión mucho más que en serio, de forma trágica. Aquel valeroso señor, servidor ejemplar de palacio, había formado una guardia de veinticuatro hidalgos cuidadosamente elegidos, que se relevaban por grupos de seis ante la puerta de la reina. Él mismo iba vestido de batalla y, debido al calor de junio, sudaba a mares bajo su cota de malla. Murallas, patios y accesos de Vincennes estaban llenos de arqueros. Cada criado de la cocina iba escoltado permanentemente por un sargento. Incluso las damas de compañía eran registradas antes de entrar en las habitaciones. Nunca ninguna vida humana había sido protegida tan estrechamente como la que dormitaba en el seno de la reina de Francia. Hugo de Bouville compartía su carga con el viejo señor de Joinville. Pero el senescal hereditario de Champaña, compañero de san Luis, tenía noventa y dos años, lo cual lo hacía probablemente el decano de la más alta nobleza francesa. Estaba medio ciego y, como cada verano, aspiraba a volver a su castillo de Wassy, junto al Marne, donde vivía suntuosamente de las asignaciones que le habían concedido tres reyes. En realidad pasaba la mayor parte del tiempo dormitando y todo recaía sobre Hugo de Bouville.

Para la reina de Francia, éste encarnaba sus recuerdos felices. Primero, había sido el embajador que solicitó su mano; luego la escoltó a Francia desde Nápoles. Era su confidente y, probablemente, el único amigo verdadero que tenía en la corte.

El señor de Bouville comprendió perfectamente que Clemencia no quería moverse de Vincennes.

—Mi señor —dijo a Carlos de Valois—, puedo garantizar mejor la seguridad de la reina en esta mansión estrechamente cercada de murallas que en el gran palacio de la Cité, abierto a todo el que llega. Y si lo que teméis es la proximidad de la condesa Mahaut, puedo deciros, porque se me tiene informado de todos los movimientos de los aledaños, que en este momento la señora Mahaut hace cargar sus carretas para marchar a París.

Valois estaba bastante molesto por la importancia adquirida por Hugo de Bouville desde que era curador, así como por su insistencia en permanecer allí plantado, con su espada, al lado de la reina.

—Señor Hugo —dijo con altanería—, habéis sido encargado de velar por el vientre de la reina y no de decidir la residencia de la familia real, ni de defender vos solo el reino.

Sin turbarse, Hugo de Bouville respondió:

—Mi señor, ¿también debo recordaros que la reina no puede mostrarse antes de que hayan pasado los cuarenta días de duelo?

—¡Conozco tan bien como vos las costumbres, amigo mío! ¿Quién os dice que la reina haya de mostrarse? La haremos viajar en carruaje cerrado... En fin, sobrina —exclamó Valois volviéndose hacia Clemencia—, no os quiero enviar más allá de los mares, ni Vincennes está a mil leguas de París.

—Comprended, tío —respondió débilmente Clemencia—, que Vincennes es el último regalo que recibí de Luis. Me donó esta casa antes de su muerte... Me parece que todavía no se ha ido de verdad. Comprended... es aquí donde hemos tenido...

Pero el conde de Valois no comprendía las exigencias del recuerdo ni las exigencias del dolor.

—Vuestro esposo, por quien todos rogamos, mi querida sobrina, pertenece desde ahora al pasado del reino. Pero vos lleváis su porvenir... Exponiendo vuestra vida, exponéis la de vuestro hijo. Luis, que os ve desde lo alto, no os lo perdonaría.

La había tocado en lo más vivo, y Clemencia, sin decir ni una palabra, se hundió un poco más en su asiento.

Pero Hugo de Bouville declaró que no podía decidir nada sino de acuerdo con el señor de Joinville, a quien mandó a buscar inmediatamente. Transcurrieron unos minutos; luego se abrió la puerta y esperaron un poco más; al fin, vestido con un traje de seda como en tiempo de las Cruzadas, con las piernas temblorosas, la piel manchada y semejante a corteza de árbol, los párpados húmedos y las pupilas pálidas, apareció el último compañero de san Luis, arrastrando los pies y sostenido por un escudero casi tan viejo como él. Lo sentaron con todo el cuidado debido, y el conde de Valois se encargó de explicarle sus planes con respecto a la reina. El anciano escuchaba, meneando compungido la cabeza y visiblemente satisfecho de tener todavía un papel que desempeñar. Cuando Carlos concluyó, el senescal se sumió en una meditación que todos se guardaron de turbar. Esperaban el oráculo que iba a salir de su boca. Y, de repente, preguntó:

—Entonces, ¿dónde está el rey?

Carlos de Valois adquirió una expresión desolada. ¡Tanto esfuerzo en vano con la prisa que tenía! ¿Comprendería el senescal lo que se le iba a decir?

—Veamos, el rey ha muerto, señor de Joinville —dijo Carlos de Valois—, y lo hemos enterrado esta mañana. Vos sabéis que se os ha nombrado curador...

El senescal frunció el entrecejo y pareció reflexionar con gran esfuerzo. Perdía cada vez más el recuerdo de lo inmediato. Hacía mucho que eso le sucedía. Cuando dictaba su famosa *Historia*, cerca de los ochenta años, no se había dado cuenta de que repetía casi textualmente hacia el fin de la segunda parte el contenido de la primera...

—Sí, nuestro joven Luis —dijo al fin— ha muerto... Fue a él a quien le presenté mi gran libro.[1] ¿Sabéis que éste es el cuarto rey que veo morir? —Manifestó esto como si se tratara de una verdadera hazaña—. Entonces, si el rey ha muerto, la reina es regente —declaró.

El conde de Valois enrojeció. Conociendo la decrepitud de uno y la naturaleza servicial del otro, había creído que manejaría a su antojo a los dos curadores; sus cálculos se volvían contra él. La extrema vejez y la extrema escrupulosidad parecían sumarse para crearle dificultades.

23

—La reina no es regente, señor senescal; ¡está embarazada! —exclamó—. Fijaos en su estado y ved si está en condiciones de cumplir con los deberes del reino.

—Ya sabéis que no veo nada —respondió el anciano.

Con la mano en la frente, Clemencia sólo pensaba: «¿Pero cuándo acabarán? ¿Cuándo me dejarán en paz?» Joinville empezó a explicar en qué condiciones, a la muerte del rey Luis VIII, la reina Blanca de Castilla había asumido la regencia, para gran satisfacción de todos.

—La señora Blanca de Castilla..., y esto se decía en voz baja..., no era toda pureza como han querido pintarla. Y parece que el conde Thibaud de Champaña, de quien mi padre era compañero, la sirvió hasta en el lecho... —No hubo más remedio que dejarlo hablar. El senescal, que olvidaba fácilmente los sucesos de la víspera, conservaba una gran memoria para las maledicencias que corrían en su primera juventud. Había encontrado un auditorio y lo aprovechaba. Sus manos, agitadas por el temblor senil, raspaban sin descanso la seda de su vestido en las rodillas—. E incluso cuando nuestro santo rey partió para la Cruzada, en la que lo acompañé...

—La reina residía en París durante ese tiempo, ¿no es verdad? —lo interrumpió Carlos de Valois.

—Sí... sí... —repuso el senescal.

—¡Pues bien, sea, tío! —intervino Clemencia—. Voy a hacer vuestra voluntad: volveré a la Cité.

—¡Ah! He aquí por fin una sabia decisión, que seguramente aprueba el señor de Joinville.

—Sí..., sí... —dijo el senescal.

—Voy a tomar todas las medidas necesarias. Al mando de vuestra escolta irán mi hijo Felipe y nuestro primo Roberto de Artois...

—Muchas gracias, tío, muchas gracias —dijo Clemencia—; pero ahora os suplico que me dejéis rezar.

Una hora más tarde, en cumplimiento de las órdenes del conde de Valois, en el castillo de Vincennes reinaba la confusión. Sacaban los carros de las cocheras, restallaban los látigos sobre la grupa de los corpulentos caballos percherones, pasaban corriendo los servidores y los arqueros habían dejado sus armas para echar una mano a los caballerizos. Desde el duelo todo el mundo se había impuesto hablar en voz baja y ahora encontraba la ocasión de gritar.

En el interior de la mansión los tapiceros descolgaban los tapices, desmontaban los muebles, transportaban los aparadores, estantes y cofres. Los oficiales de la casa de la reina y las damas de compañía se afanaban también en hacer su equipaje. Se contaba con una primera caravana de veinte carros y, sin duda, serían precisos otros dos viajes para llevarlo todo.

Clemencia de Hungría, con su largo vestido blanco al que todavía no estaba acostumbrada, vagaba de pieza en pieza, escoltada siempre por Hugo de Bouville. Por todas partes reinaban el polvo, el sudor, la agitación y la sensación de saqueo que acompañan siempre las mudanzas. El tesorero, inventario en mano, vigilaba la expedición de la vajilla y de los objetos preciosos, que estaban agrupados y cubrían todo el enlosado de una sala; las fuentes, los jarros, los doce vasos de plata sobredorada que Luis había encargado para Clemencia, el gran relicario de oro que contenía un fragmento de la Vera-Cruz, tan pesado que el hombre que lo llevaba jadeaba penosamente...

En la habitación de la reina, la primera lencera, Eudelina, que había sido la amante de Luis X cuando éste aún no se había casado con Margarita, dirigía el embalaje de los vestidos.

—¡Para qué... llevar todos esos vestidos, si ya no me han de servir de nada! —dijo Clemencia.

También las joyas cuyos estuches se amontonaban en pesadas cajas de hierro, todos los broches, los anillos y las piedras preciosas con los que la había cubierto Luis durante su breve matrimonio, le parecerían en adelante objetos inútiles. Incluso las tres coronas, recargadas de esmeraldas, rubíes y perlas, eran demasiado ostentosas para una viuda. Un sencillo aro de oro de pequeñas flores de lis, colocado por encima del velo, sería la única joya a la que tendría derecho a partir de entonces.

«Me he convertido en una reina blanca, como mi abuela María de Hungría, y debo adaptarme a ello —pensaba—. Pero mi abuela tenía entonces sesenta años y había dado a luz a trece hijos... Mi esposo ni siquiera verá al suyo...»

—Señora —preguntó Eudelina—, ¿debo ir con vos a palacio? Nadie me ha dado órdenes...

Clemencia miró a aquella mujer rubia que, olvidando los celos, le había prestado tan solícita ayuda los últimos meses y sobre todo durante la agonía de Luis. «Tuvo una hija de ella, que le arrancó y confinó en un claustro...» Se sentía heredera de todas las faltas cometidas por Luis antes de conocerla. Dedicaría su vida entera a pagar a Dios, con lágrimas, plegarias y limosnas, el gran precio del alma de Luis.

—No —murmuró—, Eudelina, no me acompañes. Es preciso que alguien que lo haya amado se quede aquí.

Y luego, alejándose incluso de Hugo de Bouville, fue a refugiarse en la única pieza tranquila, la única que habían respetado: la habitación en que Luis había muerto.

Las cortinas envolvían la pieza en sombras. Clemencia se arrodilló junto al lecho y puso los labios sobre la colcha de brocado.

De repente oyó que una uña arañaba tela. Experimentó una sensación de angustia que le recordó su deseo de seguir viva. Permaneció un momento inmóvil, conteniendo la respiración. Tras de ella continuaba el arañar. Lentamente volvió la cabeza. Era el senescal de Joinville, que dormitaba en una silla de alto respaldo esperando el momento de partir.

NOTAS

1. El senescal de Joinville contaba alrededor de los setenta y cinco años cuando inició la redacción de su *Historia de san Luis* a petición de la reina Juana de Navarra, mujer de Felipe el Hermoso, que quería tener un libro de «las santas palabras y de las buenas acciones» del rey cruzado.

La obra ocupó a Joinville una decena de años. Muerta entretanto la reina Juana, fue a su hijo, Luis de Navarra, futuro Luis X el Obstinado, a quien el autor dedicó su obra («A mi buen señor Luis, hijo del rey de Francia») y se la presentó como una miniatura de la época.

2

Un cardenal que no creía en el infierno

La noche de junio terminaba. Clareaba ya y, por el este, una tenue franja gris en el horizonte anunciaba la aurora que pronto iluminaría la ciudad de Lyon.

Era la hora en que los carros se ponían en marcha en los campos vecinos para llevar a la ciudad las legumbres y la fruta; la hora en que enmudecían los mochuelos y los pájaros todavía no cantaban. Era también la hora en que, tras las estrechas ventanas de uno de los aposentos de honor de la abadía de Ainay, el cardenal Jacobo Duèze meditaba sobre la muerte.

El cardenal nunca había tenido gran necesidad de dormir, y con la edad tal necesidad no dejaba de menguar. Con tres horas de sueño tenía más que suficiente. Poco después de medianoche se levantaba y se instalaba ante su escritorio. Hombre de inteligencia viva y de saber prodigioso, versado en todas las disciplinas del pensamiento, había compuesto tratados de teología, de derecho, de medicina y de alquimia que sentaban cátedra entre los entendidos y doctores de su tiempo.

En aquella época en que la gran esperanza tanto del pobre como del príncipe era la obtención de oro, se hacía constante referencia a las doctrinas de Duèze sobre los elixires destinados a la transmutación de los metales. En su obra *El elixir de los filósofos* podían leerse algunas definiciones que daban que pensar:

Las cosas de las que se puede obtener un elixir son tres: los siete metales, los siete espíritus y las otras cosas... Los siete metales son el sol, la luna, el cobre, el estaño, el plomo, el hierro y el azogue; los siete espíritus son el mercurio, el azufre, el amoníaco, el oropimente, el óxido de cinc, la magnesia y la marcasita, y las otras cosas son el mercurio, la sangre de hombre, la sangre de cabellos y de orina, y la orina es del hombre...

Y también curiosas recetas, como ésta para «depurar» la orina del niño:

Tómese y póngase en una vasija y déjese reposar durante tres o cuatro días; luego cuélese ligeramente. Vuélvase a dejar reposar hasta que las impurezas se posen en el fondo. Póngase a cocer y espúmese hasta que se reduzca a su tercera parte; luego fíltrese y guárdese en una vasija bien tapada para evitar su corrupción por el aire.

A los sesenta y dos años, el cardenal descubría todavía materias religiosas y profanas que no había tratado, y completaba su obra mientras sus semejantes dormían. Gastaba él solo tantos cirios como una comunidad entera de monjes.

De noche trabajaba también en la abultada correspondencia que mantenía con gran número de prelados, abades, juristas, sabios, cancilleres y príncipes de toda Europa. Su secretario y sus copistas hallaban por la mañana labor preparada para la jornada entera.

Se dedicaba asimismo a estudiar la carta astral de sus rivales, las comparaba con la suya y consultaba los planetas para saber si llegaría a Papa. Según los astros, su mejor oportunidad se situaba entre principios de agosto y septiembre del año en curso. Pero era ya 10 de junio y nada indicaba tal cosa...

Luego llegaba el momento penoso de antes del alba. Como si tuviera la certeza de que dejaría el mundo precisamente a aquella hora, el cardenal experimentaba una angustia difusa, un vago malestar físico espiritual. Influido por la fatiga, se interrogaba sobre su pasado. Sus recuerdos le mostraban el desarrollo de un extraordinario destino... Nacido de una familia burguesa de Cahors, siguió la carrera eclesiástica y fue nombrado arcipreste a los cuarenta y cuatro años. Parecía haber llegado entonces a la cima a que podía aspirar razonablemente. Pero en realidad su aventura no había empezado todavía. Se le presentó la ocasión de ir a Nápoles con uno de sus tíos, que iba allí a comerciar. El viaje, el cambio de país y el descubrimiento de Italia actuaron sobre él de extraña manera. Días después de haber desembarcado entabló amistad con el preceptor de los infantes reales; se convirtió en su discípulo y se enfrascó en los estudios con una pasión, una agilidad mental y una capacidad de memoria que habrían sido la envidia de los adolescentes mejor dotados. No sentía el hambre, así como tampoco la necesidad de dormir. Nombrado al cabo de poco tiempo doctor en derecho canónico y luego en derecho civil, su nombre había comenzado a difundirse. La corte de Nápoles solicitaba la opinión del clérigo de Cahors.

Tras el ansia de saber, le vino la de poder. Fue consejero del rey Carlos II el Cojo (abuelo de la reina Clemencia), luego secretario de los consejos privados con numerosos beneficios eclesiásticos. A los diez años de su llegada lo nombraron obispo de Fréjus y, un poco más tarde, canciller del reino de Nápoles, es decir, primer ministro de un Estado que comprendía a la vez la Italia meridional y el condado de Provenza.

Una ascensión tan fabulosa, entre las intrigas de la corte, no se debía solamente a su talento como jurista y teólogo. Un hecho conocido por muy pocos, ya que era al mismo tiempo secreto de la Iglesia y del Estado, demostraba claramente la astucia y el aplomo con que Duèze era capaz de actuar.

Meses después de la muerte de Carlos II, Duèze había sido enviado en misión a la corte papal, cuando el obispado de Aviñón —el más importante de toda la cristiandad como residencia de la Santa Sede— se encontraba vacante.

Siendo canciller, y por lo tanto guardasellos, redactó tranquilamente una carta en la que el nuevo rey de Nápoles, Roberto, solicitaba para él, Jacobo Duèze, el obispado de Aviñón. Esto ocurría en 1310. Clemente V, deseoso de ganarse el apoyo de Nápoles en un momento en que sus relaciones con Francia eran muy difíciles, accedió enseguida a la solicitud. La superchería se descubrió al cabo de poco, cuando el papa Clemente recibió la visita del rey Roberto. Ambos se manifestaron mutuamente su sorpresa: el primero por no haber recibido las calurosas gracias por la concesión de tamaño favor y, el segundo, por no haber sido consultado sobre aquel imprevisto nombramiento que lo privaba de su canciller. Antes de provocar un escándalo inútil, ambos prefirieron aceptarlo como un hecho consumado. Y todos salieron ganando. Ahora Duèze era cardenal de curia y en todas las universidades se estudiaban sus obras.

Sin embargo, por asombrosa que parezca una vida, sólo la ven así quienes son ajenos a ella. Los días vividos, pletóricos o vacíos, tranquilos o agitados, son todos por igual días pasados, y la ceniza del pasado pesa lo mismo en todas las manos.

¿Tenían sentido tanto ardor, ambición y energía cuando todo tendía ineludiblemente hacia ese más allá del que las más agudas inteligencias y las más difíciles ciencias humanas no llegaban a captar más que indescifrables fragmentos? ¿Por qué ser Papa? ¿No habría sido más cuerdo quedarse en el fondo del claustro y desentenderse del mundo exterior? Despojarse al mismo tiempo del orgullo del conocimiento y de la vanidad de dominar, adquirir la humildad de la fe más simple, prepararse para desaparecer...

Pero incluso este género de meditación adquiría en el cardenal Duèze un giro de especulación abstracta, y su ansiedad de morir se transformaba al momento en debate jurídico con la divinidad.

«Los doctores nos aseguran —pensaba aquella mañana— que, después de la muerte, las almas de los justos gozan inmediatamente de la visión beatífica de Dios, que es su recompensa. De acuerdo... Pero las Escrituras nos dicen también que, llegado el fin del mundo, cuando los cuerpos resucitados se hayan reunido con sus almas, seremos juzgados en el Juicio Final. Hay en esto una gran contradicción. ¿Cómo puede Dios, omnipotente, omnisciente y perfecto, juzgar dos veces el mismo caso en su propio tribunal y apelar su propia sentencia? Dios es infalible, e imaginar una doble sentencia por su parte, lo que implica revisión y posibilidad de error, es a la vez impío y hereje... Además, ¿no conviene que el alma no entre en posesión del goce de su Señor hasta el momento en que, reunida con el cuerpo, ella misma sea perfecta en su naturaleza? Luego... luego los doctores se equivocan. Luego no puede haber beatitud propiamente dicha ni visión beatífica antes del fin de los tiempos y Dios sólo se dejará contemplar después del Juicio Final. Pero hasta entonces, ¿dónde se encuentran las almas de los muertos? ¿No iremos a esperar *sub altare Dei*, bajo ese altar de Dios del que nos habla san Juan en el Apocalipsis?»

El trote de un caballo, un ruido desacostumbrado a semejante hora, sobre los pequeños guijarros redondos que pavimentaban las mejores calles de Lyon, retumbó a lo largo de las paredes de la abadía. El cardenal prestó atención un instante y luego volvió a su razonamiento, producto de su formación jurídica y cuyas consecuencias iban a sorprenderle incluso a él mismo. «Porque si el paraíso está vacío —se decía— eso cambia singularmente la situación de los que declaramos santos o bienaventurados... pero lo que es cierto para las almas de los justos, forzosamente lo es también para las almas de los pecadores. Dios no podría castigar a los malos antes de haber recompensado a los buenos. El obrero recibe su salario al final de la jornada; en la última hora del mundo el buen grano y la cizaña serán separados definitivamente. Actualmente ningún alma habita en el infierno, puesto que no se ha pronunciado la condena. Esto quiere decir que, de momento, el infierno no existe...»

Esta postura era más bien tranquilizadora para cualquiera que pensara en la muerte; retrasaba el vencimiento del plazo del supremo proceso sin eliminar la perspectiva de la vida eterna, y concordaba con la intuición, común a la mayoría de los hombres, de que la muerte es una caída en un gran silencio oscuro, una inconsciencia indefinida... una espera *sub altare Dei*.

Desde luego, la difusión de semejante doctrina levantaría ampollas tanto entre los doctores de la Iglesia como en la gente común y, para un candidato a la Santa Sede, no era el momento propicio para ir a predicar la inexistencia o la vanidad del paraíso y del infierno.[1]

«Esperemos que acabe el cónclave», se decía el cardenal. Fue interrumpido por un hermano tornero que llamó a la puerta y le anunció la llegada de un jinete de París.

—¿Quién lo envía? —preguntó el cardenal. Duèze tenía una voz ahogada, apagada y monocorde, aunque muy clara.

—El conde de Bouville —respondió el hermano tornero. Debe de haber galopado sin descanso, porque su aspecto denota fatiga; en el tiempo que he tardado en abrirle lo he encontrado dormitando, apoyado contra la puerta.

—Hacedlo pasar. —Y el cardenal, que minutos antes meditaba sobre la vanidad de la ambición, pensó enseguida: «¿Se tratará de la elección? ¿Apoyará abiertamente la corte de Francia mi nombramiento? ¿Me propondrán un arreglo?»

Se sentía agitado, lleno de curiosidad y de esperanza, y recorría la habitación a pequeños pasos rápidos. Duèze tenía la estatura de un niño de quince años, hocico de ratón, grandes cejas blancas y frágil osamenta.

Detrás de la vidriera, alboreaba; todavía eran necesarios los cirios, pero ya el amanecer disolvía las sombras. La hora fatídica había pasado...

Entró el jinete; al primer vistazo, el cardenal se dio cuenta de que no se trataba de un correo profesional. En primer lugar, un verdadero correo hubiera hincado enseguida la rodilla en tierra y hubiera tendido su mensaje, en lugar de permanecer erguido, inclinar la cabeza y decir: «Monseñor...» Además, la corte de Francia, para enviar sus pliegos, utilizaba a caballeros fuertes, de anchas espaldas, muy aguerridos, como el gran Robin–Qui-Se-Maria que hacía con frecuencia el trayecto entre París y Aviñón, y no a un jovencito como aquél, de nariz puntiaguda, que apenas conseguía mantener los párpados abiertos y sostenerse en pie.

«Huele a farsa —se dijo Duèze—; por otra parte, he visto esa cara en otro lugar...»

Con su mano corta y menuda hizo saltar los sellos de la carta, y enseguida quedó decepcionado. No se trataba de la elección, sino de una solicitud de protección para el mensajero. No obstante Duèze quiso ver en ello un indicio favorable; cuando París quería obtener un servicio de las autoridades eclesiásticas, se dirigía a él.

—¿Así que os llamáis Guccio Baglioni? —dijo cuando hubo terminado la lectura. El joven se sobresaltó.

—Sí, sí, Monseñor.

—El conde de Bouville os recomienda a mí para que os tome bajo mi protección y os esconda de la persecución de vuestros enemigos.

—¡Si aceptáis concederme esta gracia, Monseñor!

—Parece que habéis tenido una mala aventura que os ha obligado a huir bajo esa librea —continuó el cardenal con su voz rápida y opaca. Contádmelo. Bouville me dice que vos formabais parte de su escolta cuando condujo a la reina Clemencia a Francia. En efecto, ahora me acuerdo. Os vi junto a él... y vos sois el sobrino de maese Tolomei, capitán general de los lombardos de París. Muy bien, muy bien. Exponedme vuestro caso.

Se había sentado y jugaba maquinalmente con un gran pupitre giratorio sobre el que estaban colocados los libros que le servían para sus trabajos. Ahora se encontraba distendido, tranquilo, presto a distraer su espíritu con los pequeños problemas del prójimo.

Guccio Baglioni había recorrido ciento veinte leguas en cuatro días y medio. Apenas sentía su propio cuerpo; una densa niebla le llenaba la cabeza, y hubiera dado cualquier cosa por tumbarse allí, incluso en el suelo, y dormir... dormir...

Logró recobrarse; su seguridad, su amor, su porvenir, todo exigía que soportase un momento más su fatiga.

—Monseñor, me he casado con una hija de la nobleza —respondió él.

Le pareció que sus palabras habían salido de la boca de otro, pues hubiera querido empezar de otra manera. Hubiera querido explicar al cardenal que una desgracia sin precedentes se había abatido sobre él; que era el hombre más desgraciado y desgarrado del universo; que su vida estaba amenazada; que había tenido que huir, para siempre quizá, de la mujer sin la cual no podía vivir; que esta mujer iba a ser encerrada; que los acontecimientos habían caído sobre ellos desde hacía una semana con tal violencia y rapidez, que el tiempo parecía haber perdido sus condiciones habituales, y que él mismo se sentía como un guijarro arrastrado por un torrente... y sin embargo, cuando fue preciso expresarlo, su drama se resumió en esta corta frase: «Monseñor, me he casado con una hija de la nobleza.»

—¡Ah, vaya! —dijo el cardenal—. ¿Cómo se llama?

—María de Cressay.

—¡Ah! Cressay... No la conozco.

—Tuve que casarme a escondidas, Monseñor. La familia se oponía.

—¿Por ser vos lombardo? Seguramente. Todavía son un poco anticuados en Francia. La verdad es que en Italia... Entonces, ¿queréis la anulación? ¡Bah! Si el matrimonio ha sido en secreto...

—Monseñor, la quiero y ella me quiere —dijo Guccio—, pero su familia ha descubierto que está encinta y sus hermanos me han perseguido para matarme.

—Pueden hacerlo; los asiste el derecho consuetudinario. Vos estáis considerado un raptor. ¿Quién os ha casado?

—El hermano Vicenzo, de los agustinos.

—Fray Vicenzo... No lo conozco.

—Lo peor, Monseñor, es que ese monje ha muerto. Por lo tanto, ni siquiera puedo demostrar que verdaderamente nos hemos casado... No creáis que soy cobarde, Monseñor. Yo quería batirme. Pero mi tío se dirigió al señor de Bouville...

—Quien muy sabiamente os ha aconsejado que os alejéis.

—¡Pero van a encerrar a María en un convento! ¿Creéis, Monseñor, que podréis sacarla de allí? ¿Creéis que la recobraré?

—¡Ah! Una cosa tras otra, mi querido hijo —respondió el cardenal, mientras continuaba haciendo girar el pupitre—. ¿Un convento? Bien, ¿dónde podía estar mejor por ahora? Confiad en la infinita bondad de Dios de la que todos tenemos gran necesidad...

Guccio bajó la cabeza con aire desolado. Sus negros cabellos estaban cubiertos de polvo.

—¿Está vuestro tío en buenas relaciones comerciales con los Bardi? —prosiguió el cardenal.

—Ciertamente, Monseñor, ciertamente. Creo que los Bardi son vuestros banqueros.

—Sí, son mis banqueros. Pero últimamente los encuentro menos fáciles en el trato que antaño. ¡Forman una compañía tan poderosa! Tienen sucursales en todas partes. Y la menor solicitud que se les hace han de remitirla a Florencia. Son tan lentos como el tribunal eclesiástico... ¿Cuenta vuestro tío con muchos prelados entre sus clientes?

Las preocupaciones de Guccio se hallaban bien lejos de la banca. La niebla se espesaba en su frente, los párpados le quemaban.

—No, principalmente son grandes barones. El conde de Valois, el conde de Artois... Estaríamos muy honrados, Monseñor... —dijo con maquinal cortesía.

—Ya hablaremos de ellos más tarde. Por el momento estáis seguro en este monasterio. Pasaréis por un hombre a mi servicio; tal vez tengáis que poneros ropa de clérigo... trataré esto con mi capellán. Podéis quitaros esa librea e ir a dormir en paz. Creo que lo necesitáis.

Guccio saludó, balbuceó unas palabras de gratitud e hizo un movimiento hacia la puerta. Luego, deteniéndose, dijo:

—Todavía no puedo ir a dormir, Monseñor. Debo entregar otro mensaje.

—¿A quién? —preguntó Duèze en tono de sospecha.

—Al conde de Poitiers.

—Confiadme la carta; la haré llevar enseguida por un hermano.

—Es que, Monseñor, el señor de Bouville me ordenó...

—¿Sabéis si ese mensaje se relaciona con el cónclave?

—¡Oh, no, Monseñor! Se refiere a la muerte del rey.

El cardenal se puso de pie de un salto.

—¿Ha muerto el rey Luis? ¡Cómo no me lo habéis dicho enseguida...!

—¿Aún no se sabe aquí? Creía que estabais al corriente, Monseñor.

La verdad es que no había pensado en ello. Sus desgracias y su fatiga le habían hecho olvidar aquel acontecimiento capital. Había galopado directamente desde París, cambiando de caballo en los monasterios que le habían indicado como parada, comiendo deprisa, hablando lo menos posible, y sin saberlo se había adelantado a los jinetes oficiales.

—¿De qué ha muerto?

—Eso es precisamente lo que el señor de Bouville quiere hacer saber al conde de Poitiers.

—¿Asesinado? —susurró Duèze.

—Según el conde de Bouville, parece que el rey ha sido envenenado.

El cardenal reflexionó por un instante.

—He aquí algo que puede cambiar mucho las cosas —murmuró—. ¿Ha sido designado un regente?

—No lo sé, Monseñor. Cuando salí se mencionaba mucho al conde de Valois...

—Muy bien, mi querido hijo; id a descansar.

—Pero, Monseñor... ¿Y el conde de Poitiers?

Los delgados labios del prelado se curvaron en una sonrisa que podía pasar por expresión de benevolencia.

—No sería prudente que os mostrarais y, además, os caéis de cansancio —dijo—. Dadme ese pliego; para evitaros todo reproche, yo mismo iré a entregarlo.

Minutos más tarde, precedido de un criado y seguido de un secretario, el cardenal de curia salía de la abadía de Ainay, situada entre el Ródano y el Saona, y se metía en callejuelas oscuras, obstaculizadas frecuentemente por montones de inmundicias. Delgado, endeble, avanzaba con paso saltarín, llevando casi corriendo sus setenta y dos años. Su ropa púrpura parecía danzar entre las paredes.

Las campanas de las veinte iglesias y de los cuarenta y dos conventos de Lyon anunciaban los primeros oficios. Las distancias eran cortas en aquella ciudad de casas apretujadas, la mitad de cuyos veinte mil habitantes se dedicaba a la religión y la otra mitad al comercio. El cardenal llegó enseguida a la residencia del cónsul Varay donde se alojaba el conde de Poitiers.

NOTAS

1. Tras ser elegido en las extrañas circunstancias descritas en este volumen —de forma novelada pero en modo alguno inventada—, Jacobo Duèze (Juan XXII) sostuvo hacia la mitad de su pontificado, en diversos sermones y estudios, su tesis sobre la visión beatífica.

3

Las puertas de Lyon

El conde de Poitiers acababa de terminar su aseo cuando el chambelán le anunció la visita del cardenal.

Muy alto, muy delgado, de nariz prominente, con los cabellos echados sobre la frente en mechones cortos que le caían en rizos a lo largo de las mejillas y la piel fresca como sólo se puede tener a los veintitrés años, el joven príncipe, vestido con bata de casa de camocán jaspeado,[1] salió a recibir al cardenal Duèze y le besó el anillo con deferencia.

Hubiera sido difícil hallar mayor contraste, más irónica ausencia de parecido que la existente entre aquellos dos personajes, uno de los cuales recordaba un viejo hurón salido de su madriguera y el otro una garza altanera de los pantanos.

—A pesar de que es muy temprano, mi señor —dijo el cardenal—, no he querido retrasar el momento de ofreceros mis plegarias en el duelo que os aflige.

—¿Duelo? —dijo Felipe de Poitiers con un ligero sobresalto.

Su primer pensamiento fue para la esposa que había dejado en París, embarazada de ocho meses.

—Veo que he hecho bien en venir a notificároslo —continuó Duèze—. El rey, vuestro hermano, murió hace cinco días.

Felipe permaneció inexpresivo; apenas una inspiración más profunda levantó su pecho. En su rostro no se advirtió sorpresa ni emoción, ni siquiera la impaciencia de conocer más detalles.

—Os agradezco vuestra diligencia, Monseñor —respondió—. ¿Pero cómo habéis sabido tal noticia... antes que yo?

—Por el señor de Bouville, cuyo mensajero ha corrido con gran prisa para que yo os entregara esta carta en secreto.

El conde de Poitiers abrió el pliego y lo leyó acercando la nariz, ya que era muy miope. Tampoco durante la lectura traicionó sus sentimientos; simplemente leyó la carta, la volvió a pegar y la deslizó entre sus ropas. Luego permaneció silencioso.

El cardenal guardó silencio también, simulando respetar el dolor del príncipe, aunque éste no daba grandes muestras de aflicción.

—Dios lo salve de las penas del infierno —dijo al fin el conde de Poitiers en respuesta a la devota actitud del prelado.

—¡Oh! El infierno... —murmuró Duèze—. En fin, roguemos a Dios. Pienso también en la infortunada reina Clemencia, a quien vi crecer cuando me encontraba junto al rey de Nápoles. Una princesa tan dulce, tan perfecta...

—Sí, es una verdadera desgracia para mi cuñada —dijo Felipe de Poitiers. Y al mismo tiempo pensaba: «Luis no ha dejado ninguna disposición testamentaria para la regencia. Por lo que me escribe Bouville, mi tío Valois ya se vale de derechos ilusorios...»

—¿Qué vais a hacer, mi señor? ¿Regresaréis a París? —preguntó el cardenal.

—No lo sé todavía, no lo sé —respondió Felipe—. Espero una información más pormenorizada. Me atendré a las necesidades del reino.

Bouville no le ocultaba en su carta que deseaba que regresara. Como hermano mayor del difunto rey, y como par del reino, el lugar del conde de Poitiers estaba en París en el momento en que se debatía la regencia.

Cualquier otro ya habría dado orden de ensillar los caballos.

Pero Felipe de Poitiers lamentaba, le repugnaba incluso, dejar Lyon antes de acabar la tarea emprendida.

En primer lugar, tenía que firmar el contrato de esponsales entre su tercera hija, Isabel, que apenas contaba cinco años de edad, y el delfín de Vienne, el pequeño Guigues, que tenía seis. Acababa de negociar aquel matrimonio en la misma Vienne con el delfín Juan II de La Tour du Pin y la delfina Beatriz, hermana de la reina Clemencia.

Esa alianza permitiría a la corona de Francia contrapesar en aquella región la influencia de los Anjou-Sicilia. La firma iba a tener lugar al cabo de unos días.

Y luego, sobre todo, estaba el asunto de la elección del Papa. Durante semanas, Felipe de Poitiers había recorrido las comarcas de Provenza, Vienne y Lyon para ver uno tras otro los veinticuatro cardenales dispersos y asegurarles que no volvería a producirse la agresión de Carpentras y que no serían objeto de violencia alguna, dando a entender a muchos que podían tener su oportunidad, abogando en favor del prestigio de la fe, la dignidad de la Iglesia y el interés de los Estados.[2] Por fin, a costa de esfuerzos, de palabras y a veces de dinero, había logrado reunirlos en la ciudad de Lyon, desde hacía mucho tiempo sometida a la autoridad eclesiástica, pero que en los últimos años de Felipe el Hermoso había pasado a poder del rey de Francia.

El conde de Poitiers se creía muy cerca de alcanzar su objetivo. Pero si se marchaba, ¿no se corría el riesgo de que todo comenzara de nuevo, de que otra vez se encendieran los odios personales, de que se dejara sentir la influencia de la nobleza romana o la del rey de Nápoles en perjuicio de la de Francia y de que los diversos partidos se acusaran mutuamente de traición y herejía? Y después de tantas discusiones, ¿no volvería el papado a

Roma? «Precisamente lo que mi padre quería evitar... —se decía Felipe de Poitiers—. Su obra, ya muy desvirtuada por Luis y por nuestro tío Carlos de Valois, ¿se va a desmoronar por completo?»

El cardenal Duèze tuvo la momentánea impresión de que el joven se había olvidado de su presencia. Y de repente, Felipe le preguntó:

—¿Mantendrá el partido gascón la candidatura del cardenal Pelagrue? ¿Creéis que vuestros piadosos colegas están dispuestos al fin a reunirse? Sentaos aquí, Monseñor, y decidme cuál es vuestra opinión. ¿En qué situación nos encontramos?

Durante el tercio de siglo que había participado en los asuntos de los reinos, el cardenal había conocido a muchos soberanos y gobernantes. Pero no había encontrado a ninguno con tanto dominio de sí mismo. He aquí un príncipe de veintitrés años a quien se acababa de anunciar la muerte de su hermano y que el trono estaba vacante, y que parecía no tener preocupación más urgente que los embrollos del cónclave. Era algo digno de ser tenido en consideración.

Sentados uno al lado del otro, cerca de una ventana, sobre un arcón tapizado de damasco, los pies del cardenal tocando apenas el suelo y el tobillo del conde de Poitiers balanceándose lentamente en el aire, los dos hombres sostuvieron una larga conversación.

En realidad, según la exposición que hizo Duèze, a los dos años de la muerte de Clemente V se enfrentaban a las mismas dificultades que ya había expuesto anteriormente a Hugo de Bouville en un campo de los alrededores de Aviñón.

El partido de los diez cardenales gascones, también conocido como partido francés, seguía siendo el más numeroso, pero insuficiente por sí solo para reunir la mayoría requerida de los dos tercios del Sagrado Colegio, es decir, dieciséis votos. Los gascones, considerándose depositarios del pensamiento del difunto Papa, a quien todos ellos debían la púrpura cardenalicia, apoyaban firmemente la sede de Aviñón y se mostraban muy unidos ante los otros partidos. Pero entre ellos existía una sorda competencia; las ambiciones de Arnaldo de Pelagrue crecían a la par que las de Arnaldo de Fougères y Arnaldo Nouvel. Se hacían mutuas promesas mientras disimuladamente se ponían la zancadilla.

—La guerra de los tres Arnaldos —susurró Duèze—. En cuanto al partido de los italianos...

No eran más que ocho, pero divididos en tres facciones. El bofetón de Anagny separó para siempre al temible cardenal Caetani, sobrino del papa Bonifacio VIII, de los cardenales Colonna. Entre estos adversarios fluctuaban los otros italianos. Stefaneschi, hostil a la política de Felipe el Hermoso, era partidario de Caetani, de quien, por otra parte, era pariente. Napoleón Orsini titubeaba. Los ocho sólo coincidían en un punto: el retorno del papado a la Ciudad Eterna. Y en esto su determinación era feroz.

—Bien sabéis, mi señor —prosiguió Duèze—, que por un momento la amenaza de un cisma fue real y que aún existe este peligro... Nuestros italianos se negaban a reunirse en Francia y nos hicieron saber, no hace mucho, que si se elegía un Papa gascón no lo reconocerían y nombrarían el suyo en Roma.

—No habrá cisma —dijo el conde de Poitiers con calma.

—Gracias a vos, mi señor, gracias a vos; me complazco en reconocerlo y lo digo en todas partes. Habéis ido de ciudad en ciudad llevando buenas palabras y, aunque no habéis encontrado al pastor, ya habéis reunido el rebaño.

—¡Costosas ovejas, Monseñor! ¿Sabéis que salí de París con dieciséis mil libras, y que la semana pasada tuve que hacerme enviar otras tantas? Jasón a mi lado sería un pobretón. Me gustaría que todos estos vellocinos de oro no se me escaparan de las manos —dijo el conde de Poitiers entornando ligeramente los párpados.

Duèze, que por vía indirecta se había beneficiado ampliamente de su largueza, no se dio por aludido, y respondió:

—Creo que Napoleón Orsini y Alberti de Prato, e incluso tal vez Guillermo de Longis, mi predecesor como canciller del rey de Nápoles, se decantarían fácilmente... Evitar un cisma bien vale ese precio.

«Ha utilizado el dinero que le hemos dado para lograr tres votos entre los italianos. No hay duda de que es hábil», pensó Poitiers.

En cuanto a Caetani, aunque continuaba haciéndose el irreductible, su situación no era tan firme desde que se habían descubierto sus prácticas de brujería y su tentativa de hechizar al rey de Francia y al propio conde de Poitiers.

El antiguo templario Everardo, un medio loco de quien se había servido Caetani para sus obras demoníacas, había hablado demasiado antes de entregarse a la gente del rey...

—Dejemos eso de momento —dijo el conde de Poitiers—. Llegado el momento, el perfume de la hoguera podría dar un poco de flexibilidad a monseñor Caetani.

La idea de ver arder a otro cardenal dibujó en los finos labios del viejo prelado una sonrisa muy tenue, muy furtiva.

—Por desgracia —prosiguió Felipe—, ese tal Everardo se ahorcó en la prisión donde lo hice encerrar, antes de que llegaran a interrogarlo en serio.

—¿Se ahorcó? Me sorprendéis, mi señor. Algunos de los míos, que lo conocen bien, me han asegurado haberlo visto hace menos de dos semanas rondando otra vez por Valence. Tendría que haber resucitado...

—O bien colgaron a otro de los barrotes de su calabozo.

—La Orden del Temple es poderosa todavía —comentó el cardenal.

—Veremos —dijo el conde de Poitiers, que anotó mentalmente enviar a uno de sus oficiales a indagar a Valence.

—Parece que Francesco Caetani ha vuelto la espalda a los asuntos de Dios para no ocuparse más que de los de Satán—. ¿No será él quien, tras fracasar en su hechicería, ha hecho ingerir el veneno a vuestro hermano?

El conde de Poitiers se encogió de hombros.

—Cada vez que muere un rey se afirma que ha sido envenenado —respondió—. Se dijo de mi abuelo Luis VIII; se dijo también de mi padre, que Dios tenga en su gloria... Mi hermano era muy enfermizo. No obstante, la cosa merece ser meditada.

—Queda por último —continuó Duèze— el tercer partido, llamado provenzal debido al más inquieto de nosotros, el cardenal de Mandagout...

Este partido estaba formado por seis cardenales de diverso origen: algunos meridionales, como los dos Berenguer Frédol; otros normandos, y uno de Quercy, que no era otro que el propio Duèze.

El oro distribuido por Felipe de Poitiers los había vuelto más sensibles a los argumentos de la política francesa.

—Somos los menos numerosos, los más débiles —dijo Duèze—, pero constituimos el apoyo indispensable para toda mayoría. Y puesto que gascones e italianos se niegan mutuamente un Papa que pudiera surgir de sus filas, entonces, mi señor...

—Entonces habrá que elegir un Papa de entre los vuestros, ¿no es ésa vuestra idea?

—Así lo creo, así lo creo firmemente. Lo dije desde la muerte de Clemente V. No me han escuchado; sin duda creían que predicaba en mi favor, ya que en efecto se pronunció mi nombre, sin que yo lo quisiera. Pero la corte de Francia nunca ha confiado mucho en mí.

—Es que, Monseñor, se os apoyaba demasiado abiertamente en la corte de Nápoles.

—Si no me hubiera apoyado nadie, mi señor, ¿quién se hubiera ocupado de mí? Creedme que no tengo otra ambición que la de ver un poco de orden en los asuntos de la cristiandad, asuntos que marchan muy mal; la tarea será muy pesada para el próximo sucesor de san Pedro.

El conde de Poitiers juntó sus largas manos ante el rostro y reflexionó unos segundos.

—¿Creéis, Monseñor —preguntó—, que los italianos, a cambio de la satisfacción de no tener un Papa gascón, aceptarían que la Santa Sede permaneciera en Aviñón, y que los gascones, por la garantía de Aviñón, podrían renunciar a su candidatura y unirse a vuestro tercer partido?

Lo cual claramente significaba: «Si vos, monseñor Duèze, llegáis a ser Papa con mi apoyo, ¿os comprometéis formalmente a conservar la actual sede del papado?»

Duèze lo comprendió perfectamente.

—Ésa sería, mi señor, la solución más sabia —respondió.

—Tendré en cuenta vuestra valiosa opinión —dijo Felipe de Poitiers levantándose para poner fin a la audiencia.

Acompañó al cardenal.

El instante en que dos hombres a los que aparentemente todo separa se dan cuenta de que tienen igual temple y adivinan que puede haber entre ellos colaboración y amistad... ese instante depende más de las misteriosas vueltas del destino que de las palabras intercambiadas.

En el momento en que Felipe se inclinó para besar el anillo del cardenal, éste murmuró:

—Vos seríais, mi señor, un excelente regente.

Felipe se sobresaltó. «¿Cómo sabía que todo el rato no pensaba en otra cosa?» Y respondió:

—¿No seríais también vos un excelente Papa?

Y ninguno de los dos pudo ocultar una discreta sonrisa, el anciano con una especie de afecto paternal, el joven con una amistosa deferencia.

—Os agradeceré —agregó Felipe— que guardéis en secreto la grave noticia que me habéis dado hasta que haya sido confirmada públicamente.

—Así lo haré, mi señor, para serviros.

En cuanto se quedó solo, el conde de Poitiers no invirtió más que unos segundos en su reflexión. Llamó a su primer chambelán.

—¿Ha llegado algún jinete de París? —preguntó a Adam Héron.

—No, mi señor.

—Entonces, haced que cierren todas las puertas de Lyon.

NOTAS

1. Las telas de seda más usadas en los vestidos eran: el jamete, muy parecido a nuestro raso; el cendal y el camocán, semejantes al tafetán, y los tejidos de oro o plata, pesados brocados con trama de seda.

Las telas de lana preferidas eran las jaspeadas, las rayadas, y el camelote, es decir, tejido de pelo de camello o sus imitaciones, y sobre todo la tela de escarlata. Esta última era la más rica y más apreciada para vestir en las ocasiones solemnes. Las mejores fábricas estaban en Flandes y en Inglaterra. La cochinilla, pequeño insecto abundante en el Languedoc que se vendía disecado, era la materia colorante. Había varios tonos de escarlata: rojo, rosado, violeta y sanguina.

2. La mayoría de los autores fija en 23 la cifra de cardenales asistentes al cónclave de 1314-1316.

Nosotros la elevamos a veinticuatro.

El partido de los romanos contaba con seis italianos: Giacomo Colonna, Pietro Colonna, Napoleón Orsini, Francesco Caetani, Jacobo Stefaneschi-Caetani, Nicolás Alberti (o Albertini) de Prato, un angevino de Nápoles, Guillermo de Longis y, por último, un español, Luca de Flisco (llamado a veces Fieschi), consanguíneo del rey de Aragón. Estos cardenales habían sido nombrados antes del pontificado de Clemente V y de la instalación del papado en Aviñón, entre 1278 y 1303, en los papados de Nicolás III, Nicolás IV, Celestino V, Bonifacio VIII y Benedicto XI.

Los restantes cardenales habían sido creados por Clemente V. El partido provenzal era el de Guillermo de Mandagout, Berenguer Frédol *el Mayor*, Berenguer Frédol *el Menor*, Jacobo Duèze y los normandos Nicolás de Fréauville y Miguel del Bec.

Por último, los gascones, diez en total, eran Arnaldo de Pelagrue, Arnaldo de Fougères, Arnaldo Nouvel, Arnaldo de Auch, Raimundo Guillermo de Farges, Bernardo de Garves, Guillermo Pedro Godin, Raimundo de Goth, Vital del Four y Guillermo Teste.

4

Enjuguémonos las lágrimas

Aquella mañana la población de Lyon se quedó sin verduras. Los carros de los hortelanos habían sido detenidos fuera de las murallas y las amas de casa protestaban en los mercados vacíos. El único puente, el del Saona, estaba cerrado por la tropa. Si no se podía entrar en Lyon, tampoco se podía salir. Mercaderes italianos, viajeros, monjes ambulantes, reforzados por los mirones y los desocupados, se aglomeraban ante las puertas y reclamaban explicaciones.

La guardia, invariablemente, respondía a las preguntas con ese aire distante de superioridad que adoptan los agentes de la autoridad cuando han de aplicar una medida cuya razón ignoran.

—Pero tengo a mi hija enferma en Fourvière...

—Mi granero de Saint-Just se quemó ayer a la hora de vísperas...

—El baile de Villefranche me va a detener si no le pago hoy mis tributos... —gritaba la gente.

—¡Órdenes del conde de Poitiers!

Y cuando la protesta arreciaba demasiado, los soldados reales amenazaban con sus mazas.

En la ciudad circulaban extraños rumores.

Unos aseguraban que iba a haber guerra. Pero, ¿contra quién? Nadie lo sabía. Otros afirmaban que se había producido una revuelta sangrienta durante la noche cerca del convento de los agustinos, entre los hombres del rey y la gente de los cardenales italianos. Se había oído

51

pasar caballos. Incluso se citaba el número de muertos. Sin embargo, en los agustinos todo estaba en calma.

El arzobispo Pedro de Saboya, muy inquieto, se preguntaba qué golpe de efecto se estaba preparando para obligarlo a ceder, en provecho del arzobispo de Sens, la primacía de las Galias, única prerrogativa que había podido conservar tras la anexión de Lyon a la corona en 1312.[1] Había enviado a uno de sus canónigos en busca de noticias; pero éste, al llegar a casa del conde de Poitiers, se encontró con un escudero cortés pero mudo. Y el arzobispo esperaba recibir un ultimátum.

Entre los cardenales alojados en diversos establecimientos religiosos, la angustia no era menor, y llegaba casi a la desesperación. Se acordaban del golpe de Carpentras. Pero, ¿cómo huir esta vez? Los emisarios corrían de los agustinos a los franciscanos y de los dominicos a los cartujos.

El cardenal Caetani había despachado a su hombre de confianza, el abad Pedro, a casa de los prelados Napoleón Orsini, Alberti de Prato y Flisco, el único español, para decirles: «¡Ya veis! Os habéis dejado engañar por el conde de Poitiers. Juró que no nos molestaría, que ni siquiera tendríamos que enclaustrarnos para votar y que permaneceríamos completamente libres. Y ahora nos encierra en Lyon.»

El propio Duèze recibió la visita de dos de sus colegas provenzales, el cardenal de Mondagout y Berenguer Frédol *el Mayor*. Pero Duèze fingió haber estado enfrascado en sus trabajos eruditos y no estar al corriente de nada. Durante todo este tiempo, en una celda próxima a sus habitaciones, Guccio Baglioni dormía como un tronco, completamente ajeno al hecho de que el origen de tal pánico era él.

Desde hacía una hora, el cónsul Varay y tres de sus colegas, llegados para exigir explicaciones en nombre del síndico de la ciudad, daban vueltas en la antecámara del conde de Poitiers.

Éste estaba reunido con las personas de su confianza y con los oficiales superiores que formaban parte de su comitiva.

Al fin se apartaron los cortinajes y apareció el conde de Poitiers, seguido de sus consejeros. Todos tenían la expresión grave.

—¡Ah! Señor Varay, ¿cómo estáis? Y todos ustedes, señores cónsules —dijo Felipe—. Podremos entregar en mano el mensaje que nos disponíamos a enviaros. Leed, señor Miles.

Miles de Noyers, que había sido consejero en el Parlamento y mariscal de los ejércitos de Felipe el Hermoso, desplegó un pergamino y leyó:

> A todos los bailes, senescales y consejeros de las ciudades de bien. Os hacemos saber la gran pena que nos aflige por la muerte de nuestro bien amado hermano, el rey nuestro señor Luis X, que Dios acaba de arrebatar del afecto de sus súbditos. Pero la naturaleza humana está hecha de tal forma que nadie puede sobrepasar el término que le es asignado. Así hemos decidido enjugar nuestras lágrimas, rogar con vosotros a Cristo por su alma, y acudir solícitos a gobernar el reino de Francia y el de Navarra con el fin de que sus derechos no se debiliten y que los súbditos de estos dos reinos vivan felices bajo el broquel de la justicia y la paz.
>
> El regente de los dos reinos,
> por la gracia de Dios.
> FELIPE

Pasada la primera emoción, Varay besó la mano del conde de Poitiers, y los otros cónsules lo imitaron sin vacilar.

El rey había muerto; y la noticia era en sí lo bastante pasmosa como para que nadie pensara, al menos por unos instantes, en plantearse pregunta alguna.

En ausencia de un heredero, parecía perfectamente normal que ocupase el trono el mayor de los hermanos del soberano. Los cónsules no dudaron ni un instante de que la decisión había sido tomada en París por la Cámara de los Pares.

—Pregonad este mensaje por la ciudad —ordenó Felipe de Poitiers—. Después se abrirán enseguida las puertas. —Tras una pausa, añadió—: Señor Varay, vos sois un gran comerciante en paños... Os agradecería que me proporcionarais veinte mantos negros para colocarlos en mi antecámara, con el fin de que se cubran con ellos cuantos vengan a manifestarme su pésame.

Acto seguido despidió a los cónsules.

Los dos primeros actos de su toma de poder estaban realizados. Se había hecho proclamar regente por los miembros de su séquito, que se convertían al mismo tiempo en su consejo de gobierno. Iba a ser reconocido por la ciudad de Lyon, donde residía. Ahora tenía prisa en que se extendiera este reconocimiento por todo el reino para que París se encontrara ante un hecho consumado. El éxito dependía de la rapidez.

Ya los copistas redactaban múltiples ejemplares de su proclamación y los jinetes ensillaban sus caballos para llevarlos a todas las provincias.

Apenas abiertas las puertas de Lyon, salieron al galope, cruzándose con tres correos que llevaban detenidos desde la mañana al otro lado del Saona. El primero de ellos llevaba una carta del conde de Valois: se consideraba regente designado por el consejo de la corona y solicitaba la conformidad de Felipe para que tal designación fuera efectiva. «Estoy seguro de que queréis colaborar en mi tarea, para el bien del reino, y que me daréis, lo más pronto posible, vuestra aceptación como bueno y bien amado sobrino que sois.»

El segundo mensaje procedía del duque de Borgoña, que también reclamaba la regencia en nombre de su sobrina, la pequeña Juana de Navarra.

Finalmente, el conde de Evreux informaba a Felipe de Poitiers de que los pares no se habían reunido según dictaban el uso y la costumbre, y que la prisa de Carlos de Valois por hacerse cargo del poder no se apoyaba en ningún texto ni en asamblea regular alguna.

Recibidas estas noticias, el conde de Poitiers se reunió de nuevo con su séquito. Aquel consejo estaba compuesto casi exclusivamente por hombres hostiles a la política seguida desde hacía dieciocho meses por Luis el Obstinado y el conde de Valois; Felipe de Poitiers, conocedor de sus méritos y de su capacidad, los había escogido para que lo acompañaran en las difíciles negociaciones que iba a mantener con la Iglesia. Tales eran el condestable de Francia, Gaucher de Châtillon, que no perdonaba la ridícula campaña del «ejército embarrado» que había tenido que dirigir en Flandes el verano anterior; su cuñado Miles de Noyers; Raúl de Presles, legista de Felipe el Hermoso, a quien Carlos de Valois había hecho arrestar al mismo tiempo que a Enguerrando de Marigny y que debía su libertad al conde de Poitiers.

Ninguno de ellos veía con buenos ojos las ambiciones del conde de Valois ni deseaba tampoco que el duque de Borgoña se mezclara en los asuntos de la corona. Admiraban la rapidez con que había actuado el joven príncipe, y en él tenían puestas sus esperanzas.

Poitiers escribió a Eudes de Borgoña y a Carlos de Valois, sin mencionar sus cartas, como si no las hubiera recibido, con el fin de comunicarles que se consideraba regente por derecho natural y que reuniría la asamblea de los pares para que sancionara esta situación tan pronto como le fuera posible.

Designó asimismo comisarios para que fueran a los principales centros del reino a tomar posesión del poder en su nombre. Con tal objeto partieron, durante la jornada, varios de sus caballeros, como Reinaldo de Lor, Tomás de Marfontaine y Guillermo Courteheuse. Retuvo a su lado a Ansel de Joinville, hijo del viejo senescal, y a Enrique de Sully.

Mientras sonaba el toque de difuntos en todos los campanarios, Felipe de Poitiers conferenció largamente a solas con Gaucher de Châtillon. El condestable de Francia se sentaba, por derecho, en todas las asambleas de gobierno: en la Cámara de los Pares, el gran consejo y el consejo privado. Felipe pidió pues a Gaucher que volviera a París para representarlo y contrarrestar, hasta su llegada, las intrigas de Carlos de Valois; el condestable, por otra parte, debía asegurarse el mando de las tropas a sueldo de la capital, y particularmente del cuerpo de ballesteros.

Porque el nuevo regente, primero con la sorpresa, luego con la aprobación de sus consejeros, había resuelto quedarse provisionalmente en Lyon. «No debemos volver la espalda a las tareas en curso —había declarado—. Lo más importante para el reino es tener un Papa, y seremos más fuertes cuando lo hayamos conseguido.»

Apresuró la firma del contrato de esponsales entre su hija y el pequeño delfín. El asunto, a primera vista, no guardaba relación con la elección pontificia; mas para Felipe, la alianza con el delfín de Vienne, que reinaba sobre todos los territorios al sur de Lyon, era una pieza de su juego. Si los cardenales intentaban escapársele de las manos no podrían refugiarse por aquel lado, y les cortaba la ruta de Italia. Además, aquellos esponsales consolidaban su posición de regente: el delfín se situaba en su campo.

El contrato, debido al duelo, fue firmado sin festejos en los días que siguieron.

Paralelamente, Felipe de Poitiers se reunió con el barón más poderoso de la región, el conde de Forez, cuñado además del delfín, el cual por sus posesiones dominaba la orilla derecha del Ródano.

Juan de Forez había hecho las campañas de Flandes, había representado varias veces a Felipe el Hermoso en la corte papal, y había trabajado muy útilmente en la anexión de Lyon a la corona. El conde de Poitiers, desde el momento en que retomaba la política paterna, sabía que podía contar con él.

El 16 de junio, el conde de Forez realizó un gesto espectacular. Rindió solemne homenaje a Felipe como señor de todos los señores de Francia, reconociéndolo como poseedor de la autoridad real.

Al día siguiente, el conde Bermond de La Voulte, cuyo feudo de Pierregourde se encontraba en la senescalía de Lyon, puso sus manos en las del conde de Poitiers y le prestó juramento en las mismas condiciones.

Poitiers solicitó del conde de Forez que tuviera dispuestos, discretamente, setecientos hombres de armas. En adelante los cardenales no se moverían de la ciudad.

Pero de eso a conseguir la elección había un abismo. Proseguían las negociaciones. Los italianos, advirtiendo que el regente tenía prisa por volver a París, endurecían su posición. «Él se cansará primero», decían. Poco les importaba el estado de trágica anarquía en que estaban sumidos los asuntos de la Iglesia.

Felipe de Poitiers tuvo varias entrevistas con el cardenal Duèze, quien le parecía el hombre más inteligente del cónclave, el experto más claro e imaginativo en materia religiosa y, decididamente, el administrador más deseable para la cristiandad en el difícil momento en que se encontraba.

—La herejía, mi señor, rebrota un poco por todas partes —decía el cardenal con su voz cascada e inquietante—. ¿Y cómo puede ser de otro modo con el ejemplo que damos? El demonio se aprovecha de nuestras discordias para sembrar su cizaña. Y es sobre todo en la diócesis de Tolosa donde crece más profundamente. ¡Vieja tierra de rebelión y de pesadillas! Convendría que el próximo Papa dividiera esa diócesis demasiado grande, difícil de gobernar, en cinco obispados, cada uno bajo mano firme.

—Lo que originaría —respondía el conde de Poitiers—, beneficios sobre los que, naturalmente, el Tesoro de Francia percibiría las anatas.

—Naturalmente, mi señor.

Se conocía como «anata» el derecho real de cobrar, el primer año, los impuestos de un nuevo beneficio eclesiástico. La falta de Papa impedía la creación de tales beneficios, y el Tesoro se resentía más que el clero en general; se aprovechaba que no había Papa y se inventaban toda clase de pretextos para no pagar los impuestos atrasados.

De hecho, cuando Felipe y Duèze pensaban en el porvenir, uno como regente y el otro como posible pontífice, su primera preocupación era de orden financiero.

A la muerte de Felipe el Hermoso, la tesorería francesa estaba en difícil situación, pero no endeudada; en dieciocho meses, por la expedición de Flandes, la rebelión del Artois y los privilegios concedidos a las ligas de los barones, Luis X y Carlos de Valois habían logrado endeudar el reino para varios años.

Después de dos años de cónclave errante, las arcas pontificias no se encontraban en mejor estado, y si los cardenales se vendían a tan alto precio a los príncipes de este mundo se debía a que muchos de ellos ya no tenían otro medio de subsistencia que el negocio de sus votos.

—Multas, mi señor, multas —aconsejó Duèze al joven regente—. Imponed multas a quienes obren mal y más altas cuanto más ricos sean. Si el que se salta la ley posee veinte libras, quitadle una; si posee mil, quitadle quinientas y, si su fortuna asciende a cien mil, sacadle todo. Con ello obtendréis tres ventajas: en primer lugar, el rendimiento será mayor; luego, el delincuente, privado de su poder, no podrá cometer abusos; por último, los pobres, que son mayoría, se pondrán de vuestro lado y confiarán en vuestra justicia.

Felipe de Poitiers sonrió.

—Esto que vos aconsejáis tan sabiamente, Monseñor, puede convenir a la justicia real, ejercida por el poder temporal —respondió—; sin embargo, para mejorar las finanzas de la Iglesia no veo...

—Multas, mi señor, multas —repitió Duèze—. Pongamos impuestos a los pecados; eso sería una fuente inagotable. El hombre es pecador por naturaleza, y más dispuesto a hacer penitencia de corazón que de bolsa. Lamentará más las faltas cometidas y se lo pensará mejor antes de caer en sus extravíos, si nuestra absolución va acompañada de una tasa. Quien se resista a enmendarse, tendrá que pagar.

«¿Estará bromeando?», se decía Poitiers, quien, cuanto más trataba a Duèze, más descubría la inclinación del cardenal de curia hacia la eutrapelia y la paradoja.

—¿Y qué pecados gravaríais, Monseñor?

—En primer lugar, los que comete el clero. Comencemos por reformarnos nosotros mismos antes de emprender la reforma de los demás. Nuestra Santa Madre es demasiado tolerante con las faltas y los abusos. Todo el mundo sabe que ni la clerecía ni el sacerdocio pueden conferirse a hombres lisiados o deformes. Ahora bien, el otro día me fijé en cierto sacerdote llamado Pedro, que pertenece al séquito del cardenal Caetani y que tiene dos pulgares en la mano izquierda.

«Una pequeña maldad contra nuestro viejo enemigo», se dijo Poitiers.

—En realidad —prosiguió Duèze—, son legión los cojos, mancos y eunucos que esconden su desgracia bajo un hábito y cobran beneficios eclesiásticos. ¿Vamos a echarlos de nuestro seno? Sin borrar sus faltas, esa medida los reduciría a la miseria y los empujaría tal vez a juntarse con los herejes de Tolosa o con otras cofradías espirituales. Permitámosles redimirse; ahora bien, quien dice redención, dice pago.

El anciano prelado hablaba con toda seriedad. Durante sus últimas noches en vela había dejado volar su imaginación y había preparado un sistema muy concreto sobre el que escribía una memoria que sometería, dijo modestamente, al examen del próximo Papa.

Se trataba de la institución de una Santa Penitenciaría, una especie de cancillería del pecado, que concedería bulas de absolución con tasas de registro en provecho de la Santa Sede. Los sacerdotes lisiados podían tener su perdón a razón de algunas libras por cada dedo que les faltase, del doble por la pérdida de un ojo y de otro tanto por la falta de uno o dos genitales. Quien se hubiera amputado a sí mismo su virilidad debería pagar un precio más elevado. De las enfermedades y defectos corporales, Duèze pasaba a las irregularidades morales. Los bastardos que hubieran ocultado su situación de nacimiento al ordenarse, los clérigos que hubieran tomado la tonsura estando casados, los que se hubieran casado secretamente después de la ordenación, los que vivieran, fuera del matrimonio, con una mujer, los bígamos, incestuosos o sodomitas, todos ellos debían tributar proporcionalmente a su falta. Las monjas que hubieran tenido relación con hombres, tanto dentro como fuera de su convento, quedarían sometidas a una rehabilitación particularmente costosa.[2]

—Si la institución de esta penitenciaría —declaró Duèze— no genera unos ingresos de doscientas mil libras el primer año, me dejo...

Iba a decir «me dejo quemar», pero se detuvo a tiempo.

«Al menos, si lo eligen, no tendré que preocuparme por las finanzas papales», pensó Felipe de Poitiers.

Pero a pesar de todas las maniobras de Duèze y del

apoyo que le prestaba el conde de Poitiers, el cónclave continuaba estancado.

Ahora bien, las noticias de París eran malas. Gaucher de Châtillon, haciendo causa común con el conde de Evreux y Mahaut de Artois, se esforzaba en acotar las ambiciones de Carlos de Valois. Sin embargo, éste vivía ya en el palacio de la Cité, donde tenía a la reina Clemencia bajo su tutela; administraba los asuntos a su manera y mandaba a las provincias instrucciones contrarias a las que Felipe de Poitiers despachaba desde Lyon. El duque de Borgoña, por su parte, sostenido por los vasallos de su inmenso ducado, había llegado a París el 16 de junio, once días después de la muerte de Luis X, para hacer valer sus derechos.

Francia tenía, pues, tres regentes. Aquella situación no podía durar y Gaucher instaba a Felipe a que regresara a París.

El 27 de junio, después de un consejo privado al que asistieron el conde de Forez y el de la Voulte, el joven príncipe decidió ponerse en camino y ordenó que se formase el convoy de su escolta. Al mismo tiempo, dándose cuenta de que aún no se había celebrado ningún oficio solemne por el descanso del alma de su hermano, mandó que se dijeran al día siguiente, antes de su partida, solemnes misas en todas las parroquias de la ciudad. Los miembros del alto y bajo clero debían asistir para unirse a las plegarias del regente.

Los cardenales, sobre todo los italianos, no cabían en sí de alegría. Felipe de Poitiers abandonaba Lyon sin haberlos doblegado.

—Disfraza su huida con la pompa del duelo —dijo Caetani—, pero lo cierto es que se va ese maldito. ¡Os aseguro que antes de un mes estaremos de vuelta en Roma!

NOTAS

1. Hasta mitad del siglo XII, la ciudad de Lyon estuvo en poder de los condes de Forez y Roannez, bajo la soberanía puramente nominal del emperador de Alemania.

A partir de 1173, habiendo reconocido el emperador al arzobispo de Lyon, primado de las Galias, los derechos soberanos, la región de Lyon quedó separada del Forez y el poder eclesiástico la gobernó con derecho a administrar justicia, acuñar moneda y hacer levas.

Este régimen disgustó a la poderosa comuna de Lyon, compuesta únicamente de burgueses y mercaderes, quienes durante más de un siglo lucharon por emanciparse. Después de varias revueltas desafortunadas apelaron al rey Felipe el Hermoso, que, en 1292, puso Lyon bajo su protección.

Veinte años después, el 10 de abril de 1312, un tratado firmado entre la comuna, el arzobispo y el rey unió definitivamente Lyon al reino de Francia.

A pesar de las reivindicaciones de Juan de Marigny, arzobispo de Sens que controlaba la diócesis de París, el arzobispo de Lyon conservó la primacía de las Galias, única prerrogativa que le quedó.

Al final de la Edad Media, Lyon contaba con 24 taberneros, 32 barberos, 48 tejedores, 56 sastres, 44 pescadores, 36 carniceros y abaceros, 57 zapateros, 36 panaderos, 25 hosteleros, 15 orfebres, 20 pañeros y 87 notarios.

La ciudad era administrada por la «comuna» constituida por los comerciantes burgueses que nombraban, cada 21 de diciembre, 12 cónsules, siempre personas notables elegidas entre las familias ricas; este cuerpo consular se llamaba «el sindical».

La familia de los Varay, pañeros y cambistas, era una de las más antiguas y respetadas de Lyon. Treinta y uno de sus miembros llevaron el título de cónsul; algunos fueron reelegidos, uno de ellos hasta diez veces. Había ocho Varay entre los cincuenta ciudadanos que los lioneses nombraron sus jefes, en 1285, para dirigir la lucha contra el arzobispo y obtener la anexión a Francia.

2. La Iglesia romana nunca ha vendido la absolución, como frecuentemente han pretendido sus adversarios. Pero ha hecho pagar a los culpables, lo que es muy diferente, el precio de las bulas recibidas para atestiguar que habían sido absueltos de su falta.

Estas bulas eran necesarias cuando, habiendo sido público el delito o el crimen, era preciso probar la absolución para poder recibir de nuevo los sacramentos.

El mismo principio se aplicaba en derecho civil en lo relativo a las cartas de gracia y de remisión concedidas por el rey; la entrega de estas cartas y su inscripción en los registros estaban sujetas a tasas. Esta costumbre se remontaba a la época de los francos, antes incluso de su conversión al cristianismo.

Jacobo Duèze (Juan XXII) quiso, con el libro de tasas y la institución de la Sacra Penitenciaría, codificar y generalizar esta costumbre de la Iglesia, idea que saneó sus finanzas.

No estaban ligados a estas bulas sólo los miembros del clero; igualmente había tasas para los laicos. Las tarifas se calculaban en *gros*, monedas cuyo valor oscilaba alrededor de las seis libras.

El parricidio, el fratricidio o el asesinato de un pariente entre laicos costaba entre cinco y siete *gros*, lo mismo que el incesto, la violación de una virgen o el robo de objetos sagrados. El marido que pegaba a su mujer o la hacía abortar debía pagar seis *gros*, y siete si le había arrancado los cabellos. La multa más fuerte, que era de 27 *gros*, se aplicaba a la falsificación de las cartas apostólicas, es decir, de la firma del Papa.

Las tasas subieron con el tiempo, paralelamente a la devaluación de la moneda. Pero repetimos que no se trataba de la venta de la absolución, sino del derecho de registro para tener pruebas materiales del perdón.

Los innumerables panfletos dedicados a esta cuestión que circularon a partir de la Reforma para desacreditar a la Iglesia romana se basaron en esta confusión voluntaria.

5

Las puertas del cónclave

Los cardenales son peces gordos a los que no hay que confundir con la morralla del clero. El conde de Poitiers había ordenado reservarles para los funerales de Luis X la iglesia del convento de los padres dominicos, llamada iglesia de los Jacobinos, la más hermosa y amplia después de la primada de San Juan, y también la mejor fortificada.[1] Los cardenales sólo vieron en esta elección un lógico homenaje rendido a su dignidad. Ninguno faltó a la ceremonia. Aunque no eran más que veinticuatro, la iglesia estaba llena, ya que cada cardenal iba escoltado por toda su casa: capellán, secretario, tesorero, clérigos, pajes, criados y portadores de antorchas; una multitud de medio millar de personas reunidas entre las pesadas columnas blancas.

Pocos funerales se habrán celebrado con tan escaso recogimiento. Por primera vez desde hacía muchos meses, los cardenales, que vivían por grupos en residencias separadas, se encontraban todos juntos. Algunos de ellos no se habían visto desde hacía casi dos años. Se vigilaban unos a otros, se espiaban y se estudiaban.

—¿Habéis visto? —se susurraban—. Orsino acaba de saludar al menor de los Frédol... Stefaneschi ha estado hablando un rato con Mandagout. ¿Se acercará a los provenzales? Duèze tiene mal aspecto, está muy envejecido...

En efecto, Jacobo Duèze, cuyo paso ligero y saltarín sorprendía habitualmente en un hombre de su edad, avanzaba a paso lento y cansino y respondía vagamente a los saludos, con aspecto de agotamiento.

Guccio Baglioni, vestido de paje, formaba parte de su séquito. Se dijo que sólo hablaba italiano y que había llegado directamente de Siena.

«Tal vez hubiera hecho mejor —se decía Guccio— colocándome bajo la protección del conde de Poitiers. Sin duda hoy volvería a París con él y podría saber de María, de la que estoy sin noticias desde hace mucho, mientras que ahora dependo en todo de este viejo zorro, a quien he prometido un préstamo de mi tío y que no hará nada por mí hasta que lo reciba. Y mi tío no me contesta... y se dice que París está revuelto. ¡María, María, mi hermosa María! ¿Creerá que la he abandonado? ¿Me estará odiando ya? ¿Qué le habrán hecho?»

La veía secuestrada por sus hermanos en Cressay o en algún convento para jóvenes arrepentidas. «Si pasa otra semana así, me escaparé a París», se decía Guccio.

Desde su silla del coro, en recogimiento aparente, Duèze vigilaba con disimulo a sus vecinos y volvía a veces su cansado rostro hacia el fondo de la iglesia. Dos sillas más allá, Francesco Caetani, con su cara delgada cortada por una larga nariz respingona y su cabello como llamas blancas alrededor del rojo solideo, no ocultaba su alegría, y sus miradas, que iban del catafalco a las gentes de su séquito, eran miradas de victoria. «Ved, Monseñores —parecía decir a la concurrencia—, lo que sucede a quienes atraen sobre sí la cólera de los Caetani, poderosos ya en tiempos de Julio César. El cielo favorece nuestra venganza.»

Los Colonna, con su prominente barbilla redonda, partida por un hoyuelo vertical, semejantes a dos guerreros disfrazados de prelados, lo miraban con hostilidad manifiesta.

Al ordenar los funerales, el conde de Poitiers no había escatimado cantores. Las voces de un buen centenar retumbaban sostenidas por los órganos, cuyos fuelles manejaban con ambos brazos cuatro hombres. Una música atronadora, majestuosa, resonaba en las bóvedas, saturaba el aire de vibraciones y envolvía a la muchedumbre. Los clérigos podían charlar impunemente entre sí, y los pajes reírse burlándose de sus dueños. Era imposible discernir lo que se decía a tres pasos, y menos aún lo que pasaba en las puertas.

Terminó la ceremonia. Enmudecieron los órganos y los cantores; se abrieron las hojas de la puerta principal. Pero en la iglesia no penetró luz alguna.

Hubo un instante de sobrecogimiento, como si durante la ceremonia, por algún milagro, se hubiera oscurecido el sol. Luego, los cardenales comprendieron y se levantó un clamor de indignación. Una recia pared, fresca aún, cegaba la puerta. El conde de Poitiers, durante los oficios, había hecho tapiar todas las salidas. Los cardenales estaban prisioneros.

Un movimiento de pánico se apoderó de toda la concurrencia; prelados, canónigos, sacerdotes y criados, olvidada toda dignidad y reverencia, entremezclados, corrían en todos los sentidos como ratas atrapadas en una trampa.

Los pajes, trepando unos en los hombros de otros, se habían encaramado hasta las vidrieras y gritaban:

—¡La iglesia está cercada por hombres armados!

—¿Qué vamos a hacer, qué vamos a hacer? —gemían los cardenales—. ¡El regente nos ha traicionado! ¡Por eso nos regalaba con tan ensordecedora música!

—¡Es un ataque contra la Iglesia! ¿Qué vamos a hacer?

—¡Excomulguémoslo!

—¡A buena hora! ¡Nos va a asesinar!

Ya los dos hermanos Colonna y la gente de su partido se habían armado de pesados candelabros de bronce, bancos y estandartes de procesión... Estaban dispuestos a vender cara su vida. Ya los italianos y los gascones comenzaban a cubrirse mutuamente de improperios.

—*Colpa vostra, colpa vostra* —gritaba un italiano dirigiéndose a los franceses—. Si os hubierais negado, como nosotros, a venir a Lyon... Nosotros bien sabíamos que nos jugarían una mala pasada.

—Si hubierais elegido a uno de los nuestros no nos encontraríamos en esta situación —replicaba un gascón—. ¡La culpa es vuestra, malos cristianos!

Sólo una puerta no había sido enteramente tapiada; por ella podía pasar un hombre, pero la estrecha abertura estaba erizada de picas sostenidas por guanteletes de hierro. Las lanzas se apartaron y el conde de Forez, vestido con su armadura, seguido de Bermond de La Voulte y de algunas otras corazas, entró en la iglesia. Fueron acogidos con un estallido de injurias.

Con los brazos cruzados sobre la empuñadura de su espada, el conde de Forez esperó a que se calmaran las aguas. Era hombre fuerte y valeroso, insensible a las amenazas y a las súplicas, y estaba profundamente ofendido por el ejemplo de desunión, venalidad e intriga que daban los cardenales desde hacía dos años. Por ello aprobaba plenamente al conde de Poitiers en su intento de poner fin a tan escandalosa situación. Su rudo rostro, surcado de arrugas, se veía por la abertura del yelmo.

Cuando los cardenales y sus gentes se hubieron desgañitado, su voz se elevó clara y segura propagándose por encima de las cabezas hasta el fondo de la nave.

—Monseñores, estoy aquí por orden del regente de Francia, para notificaros que, de ahora en adelante, tengáis a bien dedicaros únicamente a la elección de Papa y haceros saber que no saldréis de aquí hasta que hayáis cumplido esa tarea. Cada uno de los cardenales sólo conservará a su lado un capellán y dos pajes o clérigos de su elección para su servicio. Todos los demás pueden retirarse.

Esta declaración suscitó una indignación unánime.

—¡Es una felonía! —gritó el cardenal Pelagrue—. El conde de Poitiers nos había jurado que ni siquiera tendríamos que enclaustrarnos, y con esta promesa aceptamos volver a Lyon.

—El conde de Poitiers —respondió Juan de Forez— hablaba entonces en nombre del rey de Francia, pero el rey de Francia ya no existe y ahora os traigo la palabra del regente.

El furor unió entonces a los miembros de los tres partidos, cuyas invectivas se mezclaban en italiano, francés y provenzal. El cardenal Duèze se había refugiado en un confesionario, con la mano sobre el corazón, como si a su avanzada edad no pudiera soportar tal golpe, y fingía unirse a las protestas por medio de inaudibles murmullos. Arnaldo de Auch, cardenal de Albano, el mismo que había ido a París a condenar a los templarios, se acercó al conde de Forez y le dijo amenazador:

—Señor, no se puede elegir Papa en tales condiciones, ya que violáis la constitución de Gregorio X que obliga al cónclave a reunirse en la ciudad donde murió el Papa.

—Hace dos años os encontrabais allí, Monseñor, y os dispersasteis sin haber nombrado Papa, lo cual contraviene la constitución. Pero si deseáis por ventura ser conducidos de nuevo a Carpentras, os haremos llevar bajo buena escolta, en carros cerrados.

—¡No podemos reunirnos bajo amenaza!

—Precisamente por esto, fuera hay setecientos hombres armados, Monseñor, para vuestra custodia, proporcionados por las autoridades de la ciudad con el fin de asegurar vuestra protección y aislamiento... tal como exige dicha constitución. El señor de La Voulte, que está presente y que es de Lyon, es el encargado de la vigilancia. El regente os hace igualmente saber que, si al tercer día no habéis logrado poneros de acuerdo, sólo recibiréis un plato de comida diario, y a partir del noveno día estaréis a pan y agua... como igualmente establece en la constitución de Gregorio. Y, por último, que si la luz no os llega por el ayuno, hará quitar la techumbre para que descienda sobre vosotros directamente del cielo.

Berenguer Frédol *el Mayor* intervino:

—Señor, someternos a tal tratamiento equivale a convertiros en homicida, ya que entre nosotros hay quienes no lo podrán soportar. Ved a monseñor Duèze, que está desfallecido y necesita cuidados.

—¡Ah! Desde luego —dijo débilmente Duèze—, no lo podré soportar.

—Nos las habemos con bestias hediondas y feroces —exclamó entonces Caetani—, pero sabed, señor, que en lugar de nombrar Papa vamos a excomulgaros, a vos y a vuestro perjuro.

—Si celebráis sesión de excomunión, monseñor Caetani —dijo con calma el conde de Forez—, el regente podría dar a conocer al cónclave los nombres de algunos hechiceros y brujos que convendría llevar a la hoguera.

Caetani, batiéndose en retirada, dijo:

—No veo la relación que tiene la brujería con esto, pues lo que debemos tratar es lo referente al Papa.

—¡Ah, Monseñor! Veo que nos entendemos. Haced salir, pues, a la gente que no sea necesaria, porque no habría bastantes víveres para alimentar a tantos.

Los cardenales comprendieron que sería vana toda resistencia y que aquella coraza, que con voz cortante les transmitía las órdenes del conde de Poitiers, no iba a ceder. Tras Juan de Forez habían empezado a entrar uno a uno los hombres armados, pica en mano, y a desplegarse por el fondo de la iglesia.

—Procedamos con astucia, ya que no podemos ejercer la fuerza —dijo a media voz Caetani a los italianos—. Finjamos someternos, puesto que por ahora no podemos hacer otra cosa.

Cada cardenal eligió tres servidores de su escolta, los que creyeron más hábiles, más fieles o los más aptos para los servicios materiales en las difíciles condiciones en que iban a encontrarse. Caetani conservó a su lado al hermano Bost, al monje Andrieu y al padre Pedro, es decir, los hombres que habían participado en el hechizo de Luis X; prefería verlos encerrados con él a arriesgarse a que hablaran por dinero o bajo tortura. Los Colonna retuvieron a cuatro pajes capaces de matar a un buey con las manos.

Canónigos, clérigos y portadores de antorchas comenzaron a salir de uno en uno ante la fila de hombres armados. Sus dueños, al pasar, les susurraban recomendaciones: «Haced saber a mi hermano el obispo... Escribid en mi nombre a mi primo... Partid inmediatamente para Roma...»

En el momento en que Guccio Baglioni se disponía a unirse a los que salían, Jacobo Duèze sacó su delgada mano fuera del confesionario donde estaba hundido y, asiendo al joven italiano por la cota, le susurró:

—Quedaos, pequeño, quedaos conmigo. Estoy seguro de que me seréis de utilidad.

Duèze sabía que el poder del dinero no es despreciable en ninguna circunstancia y pensó que era interesante tener a su lado a un representante de las bancas lombardas.

Una hora después, sólo quedaban en la iglesia de los Jacobinos noventa y seis hombres obligados a permanecer allí tanto tiempo como les costase a veinticuatro de ellos ponerse de acuerdo para elegir a uno solo. Los hombres armados, antes de retirarse, habían echado brazadas de paja para formar, sobre el suelo de piedra, el lecho de los más poderosos prelados del mundo, y traído algunas bacías, así como jarras grandes llenas de agua. Luego, los albañiles, bajo la mirada atenta del conde de Forez, acabaron de tapiar la última salida, dejando sola-

71

mente a media altura un pequeño hueco cuadrado que permitía el paso de los platos pero por la que no podía colarse un hombre.

Alrededor de la iglesia, los soldados ocuparon sus puestos, de tres en tres y en dos filas, una adosada al muro y mirando hacia la ciudad, y la otra vuelta hacia la iglesia vigilando las vidrieras.

A mediodía, el conde de Poitiers partió hacia París. Llevaba en su séquito al delfín de Vienne y al pequeño delfín, quien en adelante viviría en la corte para familiarizarse con su prometida de cinco años.

A esa hora los cardenales recibieron su primera comida: como era día de abstinencia, no les dieron carne.

NOTAS

1. Los dominicos, u orden de Predicadores eran también conocidos como jacobinos debido a la iglesia de San Jacobo que les habían concedido en París, alrededor de la cual instalaron su comunidad.

El convento de Lyon donde se celebró el cónclave de 1316 había sido edificado en 1236 en terrenos situados detrás de la casa de los templarios. El conjunto conventual se extendía desde la actual plaza de los Jacobinos hasta la plaza de Bellecour.

6

De Neauphle a Saint-Marcel

Una mañana de primeros de julio, bastante antes del alba, Juan de Cressay entró en la habitación de su hermana. El joven llevaba una vela que humeaba; se había lavado la barba y lucía su mejor cota de montar.

—Levántate, María —dijo—. Partes esta mañana. Pedro y yo te acompañaremos.

La joven se incorporó en su cama.

—Partir... ¿Cómo es eso? ¿Debo partir esta mañana?

Medio dormida, miraba a su hermano con sus grandes ojos azules, fijamente, sin comprender. Maquinalmente se echó hacia la espalda su larga melena espesa y sedosa con reflejos dorados.

Juan de Cressay contemplaba con desprecio a su hermana, como si la belleza fuera la imagen misma del pecado.

—Haz un hatillo con tu ropa, porque no regresarás hasta dentro de una temporada.

—Pero, ¿adónde me lleváis? —preguntó María.

—Ya lo verás.

—Y ayer... ¿Por qué no me dijiste nada ayer?

—¿Para que nos hicieras otra de las tuyas? Vamos, date prisa; quiero estar en camino antes de que nos vean nuestros siervos. Ya nos has avergonzado bastante; no hay necesidad de darles más que hablar.

María no respondió. Desde hacía un mes su familia no la trataba de otra manera, ni se dirigía a ella en otro tono. Se levantó con ligera dificultad debido a su emba-

73

razo de cinco meses, cuyo peso, por poco que fuera, todavía la sorprendía al levantarse del lecho. Al resplandor de la vela dejada por Juan, se preparó, se pasó agua por la cara y el pecho y se recogió rápidamente el cabello. Notó que las manos le temblaban. ¿Adónde la llevaban? ¿A qué convento? Se ajustó al cuello el relicario de oro que le había dado Guccio y que provenía, según le había dicho éste, de la reina Clemencia. «Hasta hoy estas reliquias me han protegido bien poco —pensó—. ¿Habré rezado con poca devoción?» Lió en un solo hatillo su ropa interior, algunos vestidos, una sobretúnica y paños para lavarse.

—Te taparás con la capa de caperuza grande —le dijo Juan, que entró un instante en la habitación.

—¡Voy a morirme de calor! —objetó María—. Es para invierno.

—Nuestra madre quiere que hagas el camino con la cara tapada. Obedece y date prisa.

En el patio, el hermano segundo, Pedro, ensillaba él mismo los dos caballos.

María sabía bien que aquel día iba a llegar. Y en cierto sentido, a pesar de la angustia que le oprimía el corazón, no sufría realmente, pues casi había llegado a desear la partida. El convento más triste le sería más soportable que los agravios y los reproches que le dedicaban a diario. Al menos estaría a solas con su infortunio. No tendría que sufrir el furor de su madre, que guardaba cama desde que había estallado el drama, y que maldecía a su hija cada vez que ésta le llevaba una tisana. Después, la mujer sufría tales ahogos que era necesario llamar urgentemente al barbero de Neauphle para que le sacara sangre. En menos de dos semanas había sangrado dos veces a doña Eliabel, y no parecía que aquel tratamiento le hiciese recobrar la salud.

María era tratada por sus dos hermanos, sobre todo por Juan, como si hubiera cometido un crimen. «¡Ah!, desde luego, prefiero mil veces el claustro.» Pero en la soledad de la clausura, ¿podría recibir noticias de Guccio? Ésta era su obsesión, lo que más temía del futuro. Sus malvados hermanos le aseguraban que Guccio había huido al extranjero.

«No quieren confesármelo —se decía—, ¡pero lo han hecho encarcelar! ¡No es posible, no es posible que me haya abandonado! O tal vez ha vuelto para salvarme; por eso tienen tanta prisa por sacarme de aquí. Después lo matarán. ¡Ah! ¿Por qué no me fui con él?»

Su imaginación le sugería toda clase de catástrofes. A veces llegaba a desear que Guccio realmente se hubiera escapado, dejándola a su triste suerte. Sin nadie a quien pedir consejo o simplemente compasión, no tenía más compañía que la del hijo que iba a nacer; pero esa existencia no significaba más que un pequeño consuelo por el valor que le infundía.

En el momento de partir, María de Cressay preguntó si podía despedirse de su madre. Pedro subió a la habitación de doña Eliabel. Por los gritos de la viuda, a quien las sangrías no habían apagado la voz, comprendió María la inutilidad de su tentativa.

—Me ha respondido que ya no tiene hija —dijo Pedro al volver.

Y María pensó una vez más: «Hubiera hecho mejor escapándome con Guccio. Todo es por mi culpa; debí haberlo seguido.»

Los dos hermanos montaron en sus caballos y Juan de Cressay tomó en la grupa a su hermana, ya que su caballo era el mejor, o mejor dicho, el menos malo de los dos. Pedro cabalgaba la jaca sobre la que, el mes anterior, los dos hermanos habían hecho tan galana entrada en la capital.

María dirigió una postrera mirada a la pequeña mansión cuyos techos, a la tenue luz de la aurora todavía indecisa, se revestían ya de la incierta bruma del recuerdo. Todos los instantes de su vida, desde que había abierto los ojos, se habían desarrollado entre aquellas paredes y en aquel paisaje; sus juegos de niña, el sorprendente descubrimiento de sí misma y del mundo que cada uno se forma día tras día... la infinita diversidad de las hierbas del campo, la extraña forma de las flores y el maravilloso polvo que llevan en su corazón, la suavidad del plumón en el vientre de los patitos, los juegos del sol en las alas de las libélulas... Allí dejaba todas las horas pasadas viéndose crecer, escuchándose soñar, todos los cambios que solía contemplar en su rostro reflejado en el agua transparente del Mauldre, y aquel gran descubrimiento de vivir que experimentaba a veces, echada cara al cielo en la pradera, buscando presagios en la forma de las nubes, imaginando a Dios presente en el cielo infinito...

—Bájate la caperuza —le ordenó su hermano Juan.

Una vez vadeado el río, puso el caballo a paso rápido, y pronto el de Pedro empezó a resoplar.

—Juan, ¿no vamos demasiado deprisa? —dijo Pedro, señalando a María con un movimiento de la cabeza.

—¡Bah! El mal grano siempre está sólidamente enraizado —respondió el mayor, como si malignamente deseara un accidente.

Pero sus esperanzas fueron vanas. María, que era una joven robusta y hecha para la maternidad, recorrió las diez leguas de Neauphle a París sin dar muestras de la menor molestia. Tenía, eso sí, los riñones molidos y se asfixiaba de calor, pero no se quejaba. De París no vio, por debajo de su caperuza, más que el pavimento de las calles y los bajos de las casas. ¡Cuántas piernas! ¡Cuántos zapatos! Lo que más le sorprendía era el ruido, el constante rumor de la ciudad, las voces de los pregoneros, de los vendedores de toda clase de productos, y de los artesanos. En ciertos lugares, la muchedumbre era tan numerosa que las monturas tenían dificultad para abrirse camino. Los pies de María chocaban a veces con los codos o las espaldas de los transeúntes.

Por fin se detuvieron los caballos. Hicieron descender a la joven, que se encontraba cansada y cubierta de polvo. Sólo entonces la autorizaron a quitarse la capa.

—¿Dónde estamos? —preguntó, contemplando con sorpresa el patio de una hermosa residencia.

—En casa del tío de tu lombardo —respondió Juan de Cressay.

Instantes después, con un ojo cerrado y el otro abierto, maese Tolomei miraba a los tres hijos del difunto señor de Cressay sentados en fila ante él: Juan, el barbudo, Pedro, el barbilampiño y, a su lado, la hermana, un poco apartada, con la cabeza gacha.

—Recordad, maese Tolomei —dijo Juan—, que nos prometisteis...

—Cierto, cierto —respondió Tolomei—, y voy a cumplir, amigos míos, no lo dudéis.

—Comprended que es necesario que se cumpla enseguida. Después del escándalo motivado por esta deshonra, nuestra hermana no puede permanecer más tiempo con nosotros. No nos atrevemos a aparecer por las casas de nuestros vecinos, y hasta nuestros propios siervos se burlan de nosotros. Esta situación empeorará cuando nuestra hermana dé a luz el fruto de su pecado.

Tolomei tenía la respuesta en la punta de la lengua: «¡Pero, hijos míos, sois vosotros quienes habéis armado este escándalo! Nadie os obligaba a lanzaros como fieras contra Guccio, revolucionando a todo el burgo de Neauphle mejor que un pregonero público.»

—Además, nuestra madre no se repone de esta desgracia; ha maldecido a su hija y cuando la ve a su lado se le acrecienta la cólera de tal modo que tememos que reviente... Comprended...

«La manía de todos los necios: pedir comprensión... ¡Bah! Hasta que no se le seque la boca no se callará. Lo que comprendo muy bien —se decía el banquero— es que mi querido Guccio haya enloquecido por esta hermosa muchacha. Lo creía equivocado, pero desde que la he visto entrar he cambiado de opinión, y si mi edad permitiera que me ocurriese todavía una cosa semejante, sin duda me comportaría más alocadamente que él. ¡Hermosos ojos, hermosos cabellos, hermosa piel... un verdadero fruto de primavera! ¡Y con qué valor soporta su desgracia! Los otros dos gritan, se enfurecen, se dan importancia; pero es para ella, pobre muchacha, la pena más grande. Seguramente tiene un gran corazón. Es una lástima que haya nacido bajo el mismo techo que esos dos necios; me gustaría que Guccio hubiera podido casarse a pleno día y que ella viviera aquí, alegrando mi vejez.»

No dejaba de contemplarla. María levantó los ojos hacia él, los bajó enseguida y volvió a levantarlos, inquieta por aquel insistente estudio.

—Comprended, maese, que vuestro sobrino...

—¡Oh! ¡Reniego de él, lo he desheredado! Si no hubiera huido a Italia, creo que lo habría matado con mis propias manos. Si al menos supiera dónde se esconde... —dijo Tolomei, llevándose las manos a la frente con aire abatido.

Y al abrigo de la pequeña visera de sus manos, dejándose ver sólo por la joven, levantó dos veces su gran párpado, habitualmente cerrado. María supo entonces que tenía un aliado y no pudo contener un suspiro. Guccio vivía, Guccio estaba en lugar seguro y Tolomei sabía dónde. ¡Qué le importaba el claustro ya!

Había dejado de prestar atención al discurso de su hermano Juan. Por otra parte, le habría sido fácil repetirlo de memoria. El mismo Pedro de Cressay permanecía en silencio, con aire de cansancio. Se reprochaba, sin atreverse a decirlo, haber cedido él también a la cólera. Y dejaba a su hermano mayor hablar del honor de la sangre y de las leyes de la caballería para justificar su enorme tontería.

Viniendo de su pobre caserón arruinado y de su patio que olía a estiércol invierno y verano, cuando los hermanos Cressay veían la principesca residencia de Tolomei, cuando respiraban aquel aire de riqueza y de abundancia que saturaba toda la mansión, se veían obligados a reconocer que su hermana no hubiera salido tan mal parada de haber consentido su matrimonio. Pero mientras el hermano menor sentía, en el fondo, remordimientos en lo referente a su hermana, el mayor, testarudo y animado por un ruin sentimiento de envidia, pensaba: «¿Por qué había de tener derecho por su malvado pecado a tanta riqueza, cuando nosotros arrastramos una vida miserable?»

Tampoco María era insensible al lujo que la rodeaba; la deslumbraba y no hacía más que avivar su pesar.

«¡Si al menos Guccio hubiera sido un poquito noble —pensaba—, o si nosotros no lo hubiéramos sido! ¿Qué significa la caballería? ¿Puede ser bueno lo que hace sufrir tanto? Y la riqueza, ¿no es también una especie de nobleza?»

—No os preocupéis por nada, amigos míos —dijo al fin Tolomei—. Dejadlo todo en mis manos. El deber de los tíos repara las faltas de sus malos sobrinos. He conseguido, gracias a mis altas amistades, que acojan a vuestra hermana en el convento de Saint-Marcel para muchachas. ¿No estáis satisfechos?

Los dos hermanos Cressay se miraron y movieron la cabeza con gesto de aprobación. El convento de las clarisas del barrio de Saint-Marcel gozaba del más alto prestigio. Entraban en él únicamente las hijas de la nobleza, y allí era, a veces, donde se disimulaba bajo el velo a las bastardas de la familia real. El disgusto de Juan de Cressay desapareció de golpe, aplacado por la vanidad de casta. No había lugar donde un deshonor se pudiera encubrir con más honor. Y cuando los insignificantes barones de los alrededores de Neauphle preguntaran a los

Cressay dónde estaba María, no le sería desagradable responder en tono displicente: «Está en el convento de las hijas de Saint-Marcel.»

Pero Tolomei tenía que haber pagado o prometido mucho para que fuera admitida allí...

—Muy bien, está muy bien —dijo Juan—. Además, creo que la abadesa es algo pariente nuestra; nuestra madre nos la ha citado como ejemplo más de una vez.

—Así pues, todo es para bien —continuó Tolomei—. Voy a llevar a vuestra hermana al conde de Bouville, el antiguo gran chambelán... —Los dos hermanos se inclinaron ligeramente en el asiento como muestra de respeto—, de quien he conseguido este favor, y os prometo que esta tarde ella será confiada precisamente a la abadesa. Podéis, pues, regresar con toda tranquilidad; yo os haré llegar noticias.

Los dos hermanos no preguntaron más. Se desembarazaban de su hermana y estimaban haber hecho suficiente poniéndola en manos de otro.

—Que Dios te inspire el arrepentimiento —dijo Juan a María a manera de adiós. Puso más calor al despedirse de Tolomei.

—Dios te guarde, María —dijo Pedro emocionado. Inició un movimiento para abrazar a su hermana, pero la severa mirada del mayor lo contuvo.

Y María se quedó a solas con el grueso banquero de tez oscura, carnosa boca y ojo cerrado, quien, por extraño que le pareciera, era su tío.

Los dos caballos salieron del patio y, poco a poco, fue apagándose el resoplido del animal, aquejado de huélfago, último rumor de los Cressay, que se alejaba de María.

—Ahora vamos a la mesa, hija mía. Mientras se come no se llora —dijo Tolomei.

Ayudó a la joven a quitarse la capa bajo la que se asaba, y María lo miró con sorpresa y agradecimiento, ya que era la primera muestra de atención o simplemente de cortesía que tenían con ella desde hacía semanas.

«¡Vaya, una tela de las mías», se dijo Tolomei al ver el vestido que llevaba María.

Como el lombardo comerciaba con especias de Oriente además de ser banquero, los guisos en los que metía los dedos con elegancia, las carnes que separaba del hueso delicadamente, a trocitos, estaban impregnados de sabores exóticos, apetitosos. Pero María no parecía tener apetito y apenas se sirvió de los platos del primer servicio.

—Está en Lyon —le dijo entonces Tolomei, levantando el párpado izquierdo—. Por ahora no puede moverse, pero piensa en vos y os guarda toda su devoción.

—¿Está preso? —preguntó María.

—No, no precisamente. Se encuentra encerrado pero no por hechos delictivos, y comparte su cautividad con tan altos personajes que nada hemos de temer por su seguridad; todo me induce a creer que saldrá de la iglesia en que se halla más importante de lo que era al entrar.

—¿Una iglesia? —preguntó María.

—No puedo deciros nada más.

María no insistió. Guccio, encerrado en una iglesia, acompañado de gente importante que no se le podía decir... El misterio la sobrepasaba. Pero todo lo referente a Guccio estaba envuelto en misterio. La primera vez que lo vio, ¿no venía de una misión secreta ante la reina de Inglaterra? ¿No había estado dos veces en Nápoles, al servicio de la reina Clemencia? ¿No había recibido de ésta el relicario de san Juan Bautista que ahora llevaba al cuello? Si Guccio estaba encerrado en aquel momento, debía de ser para servir a alguna reina. Y María se maravillaba de que, entre tantas poderosas princesas, siguiera prefiriéndola a ella, una pueblerina. Guccio vivía, Guccio la quería; no necesitaba nada más para experimentar de nuevo el placer de vivir, y empezó a comer con el apetito de una joven de dieciocho años que ha estado viajando desde el alba.

Tolomei, aunque sabía tratar con soltura a los más altos barones, a los pares del reino, a los legistas y a los arzobispos, hacía tiempo que había perdido la costumbre de conversar con mujeres, sobre todo tan jóvenes. Hablaron poco. El viejo banquero miraba con alborozo a aquella sobrina que le caía del cielo y que por momentos le iba gustando más.

«¡Qué pena —pensaba— recluirla en un convento! Si Guccio no estuviera encerrado en el cónclave, enviaría a esta hermosa niña a Lyon; pero, ¿qué haría allí, sola y sin apoyo? Los cardenales, por lo que se sabe, no parecen próximos a ceder... ¿Y si la retuviera aquí en espera de mi sobrino? ¡Cómo me lo agradecería! No, no puedo hacerlo; pedí al conde de Bouville que intercediera en su favor. ¿Qué papel haría ahora, despreciando las molestias que se ha tomado? ¡Además, si la abadesa es prima de los Cressay y a esos bobos se les ocurre pedir noticias! ¡Vamos, no es cuestión de que también yo pierda la cabeza! Irá al convento.»

—Pero no para toda la vida —dijo, continuando su pensamiento en voz alta—. No se trata de haceros tomar el hábito. Aceptad sin demasiadas quejas estos meses de reclusión; os prometo, cuando nazca vuestro hijo, arreglar el asunto para que viváis feliz con mi sobrino.

María le tomó la mano y se la llevó a los labios. El banquero se turbó; la bondad no formaba parte de su carácter y su oficio no le había permitido acostumbrarse a las expresiones de gratitud.

—Ahora me es preciso entregaros al cuidado del conde de Bouville —dijo—. Voy a llevaros.

El camino de la calle Lombards al palacio de la Cité no era largo. María lo recorrió al lado de Tolomei en un estado de completo asombro. Nunca había visto una gran ciudad; el movimiento de la muchedumbre bajo el sol de julio, la belleza de las cosas, la profusión de tiendas, el centelleo de los escaparates de los orfebres... todo aquel espectáculo la transportaba a un país de magia. «¡Qué felicidad —se decía— vivir aquí, y qué hombre tan amable es el tío de Guccio! ¡Bendito sea por querer protegernos! ¡Oh, sí, soportaré sin quejarme los meses en el convento!» Pasaron el Pont-au-Change y entraron en la galería Mercière, repleta de puestos de vendedores.

Por el placer de escuchar nuevamente sus palabras de agradecimiento, Tolomei no pudo por menos de comprarle una bonita escarcela bordada con pequeñas perlas.

—Esto de parte de Guccio. ¡Alguien debe reemplazarlo!

Poco después llegaron a la escalinata de palacio. Así entraba María de Cressay en la residencia real, por haber cometido una falta con un joven lombardo.

Dentro del palacio reinaba aquel estado de agitación, aquel ajetreo, real o simulado, que caracterizaba los lugares en que se encontraba el conde de Valois. Tras atravesar galerías, salas y corredores por donde se apresuraban, se cruzaban y se interpelaban chambelanes, secretarios, oficiales y peticionarios, Tolomei y la joven llegaron a una parte un poco retirada, detrás de la Sainte-Chapelle, que daba sobre el Sena y el islote de los Judíos. Una guardia de hidalgos en cota de malla les cerró el paso. Nadie podía entrar en los aposentos privados de la reina Clemencia sin la autorización de los curadores. Mientras iban a buscar al conde de Bouville, Tolomei y María esperaron junto a una ventana.

—Mirad, allí quemaron a los templarios —dijo Tolomei, señalando el islote.

Llegó el grueso Bouville, con atuendo de guerra, la barriga enfundada en acero y paso decidido, como si se dispusiera a dirigir un asalto.

Ordenó abrir paso a la guardia. Tolomei y María atravesaron primero una pieza donde, sentado en un sillón, dormía un anciano enjuto, vestido con traje de seda y con la piel moteada como un pergamino. Era el senescal de Joinville. Junto a él, dos escuderos jugaban en silencio al ajedrez. Luego, los visitantes pasaron al alojamiento del conde de Bouville.

—¿Va recobrándose la señora Clemencia? —preguntó Tolomei a Bouville.

—Llora menos —respondió el curador—, o más bien muestra menos su llanto, como si se tragara sus lágrimas. Sin embargo, sigue como aturdida. Y luego el calor de aquí no le va nada bien a su estado, y tiene con frecuencia desfallecimientos y mareos.

«Así pues, la reina de Francia está aquí al lado —pensaba María con morbosa curiosidad—. ¿Le seré presentada? ¿Me atreveré a hablarle de Guccio?»

Luego asistió a una larga conversación entre el banquero y el antiguo gran chambelán de la que comprendió poco. Cuando pronunciaban ciertos nombres bajaban la voz y María evitaba oír sus susurros.

La llegada del conde de Poitiers desde Lyon estaba anunciada para el día siguiente. Hugo de Bouville, que había deseado tanto su regreso, no sabía ahora si debía alegrarse, ya que Carlos de Valois había decidido salir inmediatamente al encuentro de Felipe, en compañía del conde de La Marche, y el conde de Bouville mostró a Tolomei, por una ventana que daba a los patios, los preparativos de aquella marcha. Por su parte, el duque de Borgoña, llegado de Dijon, hacía montar guardia a sus propios hidalgos en torno a su sobrina, la pequeña Juana de Navarra. Sobre la ciudad soplaba un viento agorero de revuelta, y aquella rivalidad entre regentes sólo podía desencadenar las peores calamidades.

En opinión de Hugo de Bouville tendrían que haber nombrado regente a la reina Clemencia y haberla arropado con un consejo de la corona compuesto por Carlos de Valois, Felipe de Poitiers y Eudes de Borgoña.

Aunque Tolomei estaba muy interesado por los acontecimientos, intentó repetidas veces llevar al conde de Bouville al objeto de su entrevista.

—Desde luego, vamos a ayudar a esa joven —respondía Hugo de Bouville, que enseguida volvía a sus preocupaciones políticas.

¿Tenía Tolomei noticias de Lyon? El chambelán retenía familiarmente al banquero por el brazo y le hablaba casi al oído. ¿Cómo? ¿Guccio en el cónclave? ¿Encerrado con Duèze? ¡Ah! ¡Qué hábil muchacho! ¿Creía Tolomei poderse comunicar con su sobrino? Si acaso recibía noticias o tenía medios de hacérselas llegar que se lo dijera; aquel enlace podía ser precioso. En cuanto a María...

—Sí, sí —dijo el curador—. Mi mujer, que es persona inteligente y muy activa, lo ha dispuesto todo a vuestra conveniencia, estad tranquilo.

Llamaron a la señora de Bouville, mujer pequeña y delgada, autoritaria, de rostro surcado por arrugas verticales y cuyas manos sarmentosas no estaban nunca quietas. María, que hasta entonces se había sentido segura, experimentó inmediatamente una sensación de malestar e inquietud.

—¡Ah! Vos sois la que ha de ocultar su pecado —dijo la señora de Bouville examinándola con semblante poco benévolo—. Os esperan en el convento de las clarisas. La abadesa mostraba poca diligencia, y menos aún cuando le cité vuestro nombre, porque ella es, no sé en qué grado, de vuestra familia y vuestra conducta no le agrada. Pero, en fin, el favor de que goza mi esposo Hugo ha hecho sentir su peso. También yo he intervenido un poco, y os concederán alojamiento. Os llevaré allí antes de que caiga la noche.

Hablaba deprisa y no era fácil interrumpirla. Cuando calló, María, con gran deferencia, aunque con mucha dignidad en el tono, contestó:

—Señora, no estoy en pecado, ya que me he casado ante Dios.

—Vamos, vamos —replicó la señora de Bouville—, no hagáis que se arrepientan de la bondad que os dispensan. Sed agradecida con quienes se preocupan por ayudaros en lugar de venir con petulancias.

Fue Tolomei quien le dio las gracias en nombre de María. Cuando ésta vio que el banquero estaba a punto de irse, experimentó una sensación tan grande de pena que se lanzó en sus brazos como si hubiera sido su padre.

—Hacedme saber la suerte de Guccio —le murmuró al oído—, y decidle que desfallezco por él.

Tolomei se fue, y los Bouville desaparecieron igualmente. María permaneció en la antecámara durante toda la tarde, sin atreverse a moverse y sin otra distracción que asistir, apoyada en el alféizar de una ventana abierta, a la partida del conde de Valois y su escolta. El espectáculo le hizo olvidar por un momento su pesar. Jamás había visto tan hermosos caballos, tan hermosos arneses, tan hermosos vestidos y en tan gran número. Pensaba en los campesinos de Cressay, vestidos con harapos, con las piernas envueltas en bandas de tela, y se decía que era muy extraño que, teniendo todos cabeza y dos brazos, y habiendo sido creados por Dios a su imagen, pudieran pertenecer a razas tan diferentes si se los juzgaba por sus vestiduras.

Algunos escuderos jóvenes, al ver que una muchacha tan bella los observaba, le dirigieron sonrisas e incluso le tiraron besos. De pronto se colocaron alrededor de un personaje que llevaba un vestido bordado de plata. Parecía imponer mucho respeto y se daba aires de soberano. Luego la tropa se puso en marcha y el calor de la tarde se dejó sentir sobre los patios desiertos y los jardines del palacio.

Hacia el anochecer, la señora de Bouville fue a buscar a María. Acompañadas de algunos criados y montadas en mulas ensilladas *à la planchette*, es decir, sentadas de lado y con los pies apoyados en una pequeña plancha de madera, las dos mujeres atravesaron París. Había corrillos por todas partes y hasta vieron el final de una riña a la puerta de una taberna entre partidarios del conde de Valois y gente del duque de Borgoña. Los soldados de la ronda restablecían el orden a golpes de maza.

—La ciudad está que arde —dijo la señora de Bouville—. No me sorprendería que mañana hubiese una revuelta.

Salieron de París por el monte de Sainte-Geneviève y la puerta de Saint-Marcel. La noche caía sobre los arrabales.

—Cuando yo era joven —dijo la señora de Bouville—, no se veían aquí más de veinte casas. Pero la gente ya no sabe dónde meterse en la ciudad y se construye sin cesar en el campo.

El convento de las clarisas estaba cercado por un alto muro blanco que encerraba edificios, jardines y huertos.

En el muro había una puerta baja y, cerca de la puerta, un torno empotrado en el espesor de la piedra.

Una mujer que caminaba a lo largo del muro con la cabeza cubierta por una caperuza, se acercó al torno y dejó en él un paquete que sacó de debajo de la capa. Del paquete escapó un gemido; la mujer hizo girar el torno, tiró de la campanita y, viendo que alguien se acercaba, huyó corriendo.

—¿Qué ha hecho? —preguntó María.

—Acaba de abandonar a un niño sin padre —dijo la señora de Bouville mirando a María con aire severo—. Se los recoge de esta manera. Vamos, en marcha.

María espoleó su mula. Pensaba que también ella hubiera podido verse obligada en un día no muy lejano a dejar a su hijo en un torno, y consideró que su suerte era, a pesar de todo, envidiable.

—Os agradezco, señora, que os hayáis tomado por mí tantas molestias —murmuró con lágrimas en los ojos.

—¡Ah! Por fin os oigo decir algo amable —respondió la señora de Bouville.

7

Las puertas de palacio

Aquella misma tarde, el conde de Poitiers se encontraba en el castillo de Fontainebleau, donde iba a pernoctar. Era su última parada antes de llegar a París. Acababa de cenar en compañía del delfín de Vienne, el conde de Saboya y los miembros de su numerosa escolta cuando le fue anunciada la llegada de los condes de Valois, de La Marche y de Saint-Pol.

—Que entren, que entren enseguida —dijo Felipe de Poitiers.

Pero no hizo el menor gesto de ir al encuentro de su tío. Cuando éste apareció con paso marcial, la cabeza erguida y la ropa polvorienta, Felipe se contentó con levantarse y esperar. Carlos de Valois, un poco desconcertado, permaneció en pie unos segundos en la puerta, miró a los presentes y, como Felipe se obstinaba en permanecer inmóvil, no tuvo más remedio que decidirse a avanzar. Todos guardaban silencio, observándolos. Cuando Carlos de Valois estuvo lo bastante cerca, el conde de Poitiers lo tomó por los hombros y lo besó en ambas mejillas, lo cual podía parecer un gesto de buen sobrino pero, viniendo de un hombre que no se había movido de su sitio, más bien era una muestra de soberanía.

Esta actitud irritó no sólo al conde de Valois, sino también a Carlos de la Marche, quien pensó: «¿Hemos hecho todo este camino para tal acogida? Después de todo, estoy en pie de igualdad con mi hermano. ¿Cómo se atreve a tratarnos con tanta altivez?»

Una expresión amarga, celosa, deformaba ligeramente su hermoso rostro, de rasgos regulares pero carente de inteligencia.

Felipe le tendió los brazos. Carlos de la Marche no pudo hacer otra cosa que intercambiar un breve abrazo con su hermano; para darse importancia e intentar él también dar muestras de su autoridad, exclamó, designando a Carlos de Valois:

—Felipe, ved ahí a nuestro tío, el mayor de la familia real. Os rogamos encarecidamente que os sometáis a él y le reconozcáis el gobierno del reino. Porque sería grave riesgo relegarlo a un niño que todavía ha de nacer, incapaz a todas luces de gobernar todavía.

La frase era ambigua y de tal ampulosidad que no podía ser de la cosecha de Carlos de la Marche. Evidentemente repetía palabras aprendidas. El final de la declaración dejó perplejo a Felipe. No había pronunciado la palabra «regente». ¿No soñaría Carlos de Valois en la corona más que en la regencia?

—Nuestro primo de Saint-Pol está con nosotros —prosiguió Carlos de la Marche—, por lo que ya podéis imaginar que ésa es también la opinión de los barones.

Felipe se pasó lentamente la mano por la mejilla.

—Os agradezco, hermano mío, vuestro consejo —respondió fríamente—, y que hayáis recorrido distancia tan larga para dármelo. Supongo que debéis estar tan cansado como lo estoy yo, y el cansancio no es buen consejero. Propongo, pues, que nos vayamos a dormir y dejemos nuestra decisión para mañana, cuando podremos deliberar con el espíritu despierto y en consejo privado. Mis señores, buenas noches... Raúl, Ansel, Adam, acompañadme, os lo ruego.

Y abandonó la sala sin haber ofrecido alojamiento a sus visitantes y sin preocuparse en absoluto del lugar y el modo en que iban a pasar la noche.

Seguido de Adam Héron, Raúl de Presles y Ansel de

Joinville, se dirigió a la cámara real. El lecho, que no había sido ocupado desde que el Rey de Hierro había muerto en él, estaba preparado. Felipe deseaba fervientemente ocupar esa cámara; nadie más que él debía ocuparla.

Adam Héron se disponía a desnudarlo.

—Creo que no me desvestiré esta noche —dijo Felipe de Poitiers—. Adam, mandaréis a uno de mis bachilleres al señor Gaucher de Châtillon para que mañana a primera hora me espere en París, en la puerta del Enfer. Enviadme también a mi barbero, pues quiero partir con la cara fresca... Y aprestad veinte corceles para la medianoche; que los ensillen sin ruido cuando mi tío se haya acostado. En cuanto a vos, Ansel —añadió dirigiéndose al hijo del senescal de Joinville—, os encargo que pongáis al corriente de mi marcha al conde de Saboya y al delfín, para que no se sorprendan y piensen que no me fío de ellos. Permaneced aquí hasta mañana, en su compañía, y cuando mi tío se levante, hacedle compañía y entretenedlo todo lo que podáis. Hacedle perder todo el tiempo posible durante el camino.

Se quedó solo con Raúl de Presles, sumido en tan profunda meditación que el legista no se atrevió a interrumpir.

—Raúl —dijo al fin—, vos permanecisteis junto a mi padre día tras día y lo conocisteis mejor que yo mismo. ¿Cómo hubiera actuado él en esta ocasión?

—Hubiera hecho lo mismo que vos, mi señor; estoy seguro de ello, y no lo digo por adulación, sino porque así lo creo. Quise demasiado a nuestro señor Felipe y he sufrido demasiado desde que murió para no servir hoy con toda mi devoción a un príncipe que me lo recuerda en todo.

—Desgraciadamente, Raúl, bien poca cosa soy a su lado. Él podía seguir el vuelo de su halcón sin perderlo jamás de vista, y yo soy miope. Él torcía sin dificultad una herradura con las manos. No he heredado su fuerza para las armas, ni aquel porte suyo que a todos recordaba que era rey.

Mientras iba hablando, miraba obstinadamente el lecho.

En Lyon se había sentido regente, sin duda alguna. Pero a medida que se acercaba a la capital, esa seguridad, sin que nada en él lo revelara, lo abandonaba poco a poco. Raúl de Presles, como si respondiera a una pregunta no formulada, dijo:

—No hay precedentes, mi señor, de la situación en que nos hallamos. Hemos estado forcejeando bastante desde hace días. En el estado de debilidad en que se encuentra el reino, el poder será de quien tenga autoridad para tomarlo. Si vos lo conseguís, Francia no padecerá.

Poco después se retiró, y Felipe se tendió, fijando la vista en la pequeña lámpara que colgaba entre las cortinas. El conde de Poitiers no sintió ninguna turbación, ningún malestar, al encontrarse en aquel lecho cuyo último ocupante había sido un cadáver. Por el contrario, recuperaba las fuerzas en él; tenía la impresión de reencarnarse en la forma paterna, de volver a ocupar su puesto, de abarcar sus dimensiones en la tierra. «Padre, volved a mí», rogaba. Y permaneció inmóvil, con las manos cruzadas sobre el pecho y ofreciendo su cuerpo a la reencarnación de un alma que había huido hacía veinte meses.

Oyó pasos y voces en el corredor y que su chambelán decía, sin duda a alguien del séquito del conde de Valois, que el conde de Poitiers descansaba. Cayó el silencio sobre el castillo. Poco después llegó el barbero con la bacía, la navaja y los paños calientes. Mientras lo afeitaban, Felipe de Poitiers recordó las últimas recomendaciones, que, en esa misma habitación, delante de la familia y de la corte, había recibido Luis de su padre, recomendaciones que había tenido tan poco en cuenta: «Considerad, Luis, lo que representa ser rey de Francia. Y enteraos cuanto antes del estado de vuestro reino.»

Hacia medianoche Adam Héron fue a anunciarle que los caballos estaban preparados. Cuando el conde de Poitiers salió de la habitación, tenía la sensación de que acababan de borrarse veinte meses y de que retomaba los asuntos tal como estaban a la muerte de su padre, como si hubiera recibido directamente la sucesión.

Una luna propicia iluminaba la ruta. La noche de julio, completamente estrellada, parecía el manto de la Santa Virgen. El bosque exhalaba perfumes de musgo, tierra húmeda y helecho; bullía con el murmullo furtivo de los animales. Felipe de Poitiers montaba un excelente caballo, cuya poderosa estampa le gustaba. El aire fresco azotaba sus mejillas sensibilizadas por el barbero.

«Sería una lástima —pensaba— dejar tan buen país en malas manos.»

El pequeño grupo salió del bosque, cruzó al galope Ponthierry y se detuvo al amanecer en la hondonada de Essonnes para dar un respiro a los caballos y comer algo. Felipe devoró las provisiones, sentado en un tocón. Parecía feliz. A sus escasos veinticinco años, en una expedición con aroma de conquista, se dirigía amistosamente a sus compañeros de aventura. Esa alegría, rara en él, acabó de unirlos.

Llegó a la puerta de París entre las horas prima y tercia, al tiempo que sonaban las campanas de los conventos. Allí lo esperaban Luis de Evreux y Gaucher de Châtillon. El condestable tenía cara de circunstancias. Invitó al conde de Poitiers a ir inmediatamente al Louvre.

—¿Y por qué no he de ir directamente al palacio de la Cité? —preguntó Felipe.

—Porque nuestros señores de Valois y de La Marche han hecho que ocupen el palacio sus hombres armados. En el Louvre tenéis tropas reales, que me son fieles, es decir, os lo son, además de los ballesteros del señor de Galard... Pero es preciso actuar con rapidez y decisión —agregó el condestable— para adelantarnos al regreso de nuestros dos Carlos. Si me lo ordenáis, mi señor, haré desalojar el palacio.

Felipe sabía que cada minuto era precioso. Calculaba que le llevaba por lo menos de seis a siete horas de delantera a Valois.

—No quiero tomar medida alguna sin antes saber si será bien recibida por los burgueses y el pueblo —dijo.

En cuanto entró en el Louvre mandó reunir en el Locutorio de los Burgueses al maestro Coquatrix, el maestro Gentien y otros notables, y también al preboste Guillermo de La Madelaine, que en marzo había sucedido al preboste Ployebouche.

Felipe les expuso en pocas palabras la importancia que concedía a la burguesía de París, a los fabricantes y a los comerciantes. Los burgueses se sintieron honrados, y sobre todo tranquilizados por un lenguaje que no habían oído desde la muerte de Felipe el Hermoso, un rey de quien se habían quejado con frecuencia cuando los gobernaba pero cuya muerte no cesaban ahora de lamentar.

Le respondió Godofredo Coquatrix, comisionado para perseguir a los falsificadores de dinero, recaudador de subvenciones y subsidios, tesorero de guerra, abastecedor de las guarniciones, visitador de puertos y caminos del reino y jefe de la Cámara de Cuentas. Ocupaba estos cargos desde el reinado de Felipe el Hermoso, quien le había concedido incluso una renta hereditaria como a los grandes servidores de la corona, y que jamás había rendido cuentas de su gestión. Temía que Carlos de Valois, hostil siempre a la promoción de los burgueses a los altos puestos, lo destituyera de sus funciones para arrebatarle la enorme fortuna adquirida en el desempeño de sus cargos. Coquatrix aseguró al conde de Poitiers, llamándolo diez veces «mi señor regente», la devoción que por él sentía el pueblo de París. Su palabra tenía mucho valor, ya que era todopoderoso en el Locutorio y lo bastante rico para pagar, en caso necesario, a todos los truhanes de la ciudad para incitarlos a la revuelta.

La noticia del regreso de Felipe de Poitiers se había propagado como la pólvora. Los barones y caballeros que eran partidarios suyos corrieron al Louvre, la condesa Mahaut de Artois, a quien se la habían notificado personalmente, la primera.

—¿En qué estado se encuentra mi dulce señora Juana? —preguntó Felipe a su suegra abriéndole los brazos.

—Esperamos que dé a luz de un momento a otro.

—Iré a verla en cuanto termine.

Luego se reunió con su tío Luis y con el condestable.

—Ahora, Gaucher, podéis marchar contra palacio. Procurad dejarlo todo listo para mediodía. Pero evitad el derramamiento de sangre en lo posible. Usad la amenaza antes que la violencia. No me gustaría entrar en palacio sorteando cadáveres.

Gaucher fue a ponerse al frente de las compañías de hombres armados que había reunido en el Louvre y se dirigió a la Cité. Paralelamente, envió al preboste a buscar, en el barrio del Temple, los mejores carpinteros y cerrajeros.

Las puertas de palacio estaban cerradas. Gaucher, que tenía a su lado al jefe de los ballesteros, pidió que se le franqueara el paso. El oficial de guardia, asomándose por un ventanuco situado encima de la puerta principal, respondió que no podía abrir sin autorización del conde de Valois o del conde de La Marche.

—Aun así es preciso que me abráis —respondió el condestable—, porque quiero entrar y dejar el palacio en condiciones de recibir al regente, al que precedo.

—No podemos.

Gaucher de Châtillon se levantó un poco de la silla de montar.

—Entonces abriremos nosotros —dijo.

E hizo una señal para que se acercase el maestro Pedro del Temple, carpintero real, escoltado por sus obreros, que llevaban sierras y gruesas palancas de hierro. Al mismo tiempo los ballesteros recibieron orden de cargar sus armas. Dieron la vuelta a sus ballestas y pusieron el pie en una especie de estribo de hierro que les permitía mantener el arco apoyado en el suelo mientras lo tensaban; insertaron la flecha en la muesca y se colocaron en posición para apuntar a las almenas y troneras. Los arqueros y piqueros, juntando sus escudos, formaban un enorme caparazón alrededor y por encima de los carpinteros.

En las calles adyacentes, mirones y chiquillos se apiñaban, a prudente distancia, para ver el asedio. Se les ofrecía un hermoso espectáculo del que podrían hablar durante mucho tiempo: «Tal como os digo... yo estaba allí. Vi al condestable desenfundar su gran espada... ¡Más de dos mil, seguro, había más de dos mil!»

Por fin, Gaucher, con aquella voz de mando que tronaba en los campos de batalla, gritó con la visera del yelmo levantada:

—¡Señores que estáis ahí dentro! Ved a los maestros carpinteros y cerrajeros dispuestos a hacer saltar las puertas. Ved también a los ballesteros del señor de Galard que rodean por completo el palacio. Nadie podrá escapar. Os invito por última vez a abrirnos las puertas, porque si no os rendís sin condiciones se os cortará la cabeza por más nobles que seáis. El regente no dará cuartel.

Luego se bajó la visera, lo que indicaba que no iba a discutir.

Debía de reinar el pánico en el interior, pues apenas los obreros colocaron las palancas bajo las puertas, éstas se abrieron solas. La guarnición del conde de Valois se rendía.

—Ya era hora de que os sometierais a la prudencia —dijo el condestable, tomando posesión del palacio—. Volved a vuestra casa o junto a vuestros dueños; no os agrupéis y no se os hará ningún daño.

Una hora más tarde, Felipe de Poitiers ocupaba las habitaciones reales. Inmediatamente tomó medidas de seguridad. El patio del palacio, abierto ordinariamente a la gente, fue cerrado y custodiado militarmente, y los visitantes eran cuidadosamente identificados. A los tenderos que tenían el privilegio de vender en la gran galería se les rogó que aquel día cerraran su negocio.

Cuando los condes de Valois y de La Marche llegaron a París comprendieron que habían perdido la partida. «Felipe nos ha jugado una mala pasada», se decían. Y no teniendo otra salida, se apresuraron a presentarse en palacio a negociar su sometimiento. Allí encontraron rodeando al conde de Poitiers una nutrida concurrencia de notables y eclesiásticos, entre ellos el arzobispo Juan de Marigny, siempre dispuesto a ponerse de parte del poder.

Notando con desagrado la presencia de Coquatrix, de Gentien y de muchos burgueses, Carlos de Valois dijo en voz baja a Carlos de la Marche:

—Vuestro hermano no durará; cuando se ve obligado a apoyarse en la burguesía es que está muy poco seguro de sí mismo.

No obstante, compuso su mejor semblante para adelantarse hacia Poitiers y presentarle excusas por el incidente de las puertas.

—Mis escuderos de guardia nada sabían. Habían recibido órdenes estrictas debido a la reina Clemencia.

Esperaba una respuesta violenta y casi la deseaba, pues así hubiese tenido el pretexto para enfrentarse abiertamente a Felipe. Pero éste no le dio la ventaja de una discusión y le respondió en el mismo tono:

—He tenido que actuar de este modo, y muy a mi pesar, tío, en previsión de las intenciones de nuestro primo de Borgoña, a quien vuestra partida había dejado el campo libre. Me informaron de ello anoche, en Fontainebleau, y no quise despertaros.

Carlos de Valois, para disimular su derrota, fingió aceptar la explicación, e incluso se esforzó en ponerle buena cara al condestable, a quien consideraba autor de toda la maquinación.

Carlos de la Marche, menos hábil en el disimulo, tenía los dientes apretados.

El conde de Evreux hizo entonces la proposición que había convenido con Felipe. Mientras éste fingía ocuparse de cuestiones de servicio con el condestable y Miles de Noyers, en un rincón de la sala, Luis de Evreux dijo:

—Mis nobles señores, y todos vosotros; aconsejo, por el bien del reino y para evitar funestos trastornos, que nuestro bien amado sobrino Felipe se haga cargo del gobierno con el consentimiento de todos, y que desempeñe las tareas reales en nombre de su sobrino que está por nacer, si Dios quiere que la reina Clemencia dé a luz un varón. Aconsejo también que se celebre cuanto antes una asamblea de los altos dignatarios del reino, junto con los pares y barones, para aprobar nuestra decisión y jurar fidelidad al regente.

Ésta era la exacta réplica a la declaración hecha la víspera por Carlos de la Marche en Fontainebleau a favor de Carlos de Valois. Pero esta vez la escena había sido preparada por mejores artistas. Arrastrada por la gente leal al conde de Poitiers, la asistencia aprobó la propuesta por aclamación.

Enseguida, Luis de Evreux fue a poner sus manos sobre las de Felipe.

—Os juro fidelidad, sobrino —dijo, doblando la rodilla.

Felipe lo hizo levantar y, abrazándolo, le dijo al oído:

—Todo ha ido a las mil maravillas; gracias, tío.

Carlos de Valois, furioso, gruñó:

—¡Se cree el mismísimo rey!

Pero Luis de Evreux ya se había vuelto hacia él y le decía:

—Perdón, hermano, por haber pasado por encima de vuestra antigüedad.

Valois no podía hacer otra cosa que obedecer. Se acercó con las manos extendidas; el conde de Poitiers no se las tomó.

—Tío —dijo—, ¿me haréis la gracia de formar parte de mi consejo?

Valois palideció. La víspera firmaba las ordenanzas y las hacía sellar con sus armas. Ahora se le ofrecía como máximo honor un sitio en el consejo al que pertenecía por derecho.

—Nos entregaréis también las llaves del Tesoro —agregó Felipe, bajando la voz—. Sé muy bien que no queda más que polvo, pero deseo que no se esparza.

Valois hizo un ligero movimiento de estupor; lo que le pedían era tanto como deponerlo.

—No puedo, sobrino —respondió—. Tengo que poner las cuentas en limpio.

—Me guardaré muy bien de dudar de su limpieza —dijo Felipe con ironía apenas perceptible—. No me obliguéis a haceros la injuria de pedir un examen de cuentas. Entregadnos, pues, las llaves y daremos las cuentas por limpias y exactas.

Valois comprendió el alcance de la amenaza.

—Sea, sobrino; recibiréis las llaves enseguida.

Sólo entonces Felipe extendió las manos para recibir el homenaje de su más poderoso rival.

El condestable de Francia se acercó a su vez.

—Ahora, Gaucher —le susurró Felipe—, es preciso que nos ocupemos del borgoñón.

8

Las visitas del conde de Poitiers

El conde de Poitiers no se hacía ilusiones. Acababa de lograr un primer éxito, espectacular y rápido; pero sabía que sus adversarios no serían desarmados tan fácilmente.

En cuanto recibió de Carlos de Valois un juramento de fidelidad que no era más que de palabra, Felipe atravesó el palacio para saludar a su cuñada Clemencia. Iba acompañado de Ansel de Joinville y de la condesa Mahaut. Hugo de Bouville, al ver a Felipe, se deshizo en lágrimas y, cayendo de rodillas, le besó las manos. El antiguo chambelán se había abstenido de aparecer en la reunión de la tarde; durante las últimas horas no había abandonado su puesto ni había dejado su espada, y había pasado duros trances mientras el condestable sitiaba el palacio.

—Perdonadme, mi señor, por esta debilidad; es la alegría de asistir a vuestro regreso... —decía, humedeciendo con sus lágrimas las manos del regente.

—No os contengáis, amigo mío, no os contengáis —respondió Felipe.

El viejo señor de Joinville no reconoció al conde de Poitiers. Tampoco reconoció a su hijo y, cuando le repitieron por tres veces quiénes eran, los confundió y se inclinó ceremoniosamente ante el heredero de su nombre.

El conde de Bouville abrió la puerta de la habitación de la reina. Al ver que Mahaut se disponía a seguir a Felipe, el curador, recobrando su energía, exclamó:

—¡Vos solo, mi señor, vos solo! —Y cerró la puerta a la condesa en las narices.

La reina Clemencia estaba pálida, cansada y visiblemente ajena a las preocupaciones que con tanta fuerza sacudían la corte y el pueblo de París. Al ver acercarse al conde de Poitiers con las manos extendidas no pudo dejar de pensar: «Si me hubiera casado con él, ahora no sería viuda. ¿Por qué Luis? ¿Por qué no Felipe?» Trataba de alejar estas preguntas de su mente porque le parecían reproches al Creador Todopoderoso. Pero nada, ni siquiera la piedad, podía impedir a una viuda de veintitrés años preguntarse por qué razón los otros hombres jóvenes, los otros maridos, estaban vivos.

Felipe le contó que había asumido la regencia y le expresó su total devoción hacia ella.

—¡Oh, sí, hermano mío! ¡Oh, sí! ¡Ayudadme! —murmuró Clemencia. Hubiera querido decir, pero no supo cómo expresarlo: «Ayudadme a vivir, ayudadme para no caer en la desesperación, ayudadme a alumbrar este nuevo ser que llevo y que es lo único que me ata a la tierra.» Agregó—: ¿Por qué me ha hecho abandonar mi tío de Valois casi a la fuerza mi mansión de Vincennes? Luis me la cedió estando agonizante.

—¿Deseáis acaso volver allí? —preguntó Poitiers.

—¡Es mi único deseo, hermano! Allí me sentiría más fuerte y mi hijo nacería más cerca del alma de su padre, en el lugar donde abandonó este mundo.

Felipe no tomaba a la ligera ninguna decisión, aunque no fuera primordial. Miró por la ventana la flecha de la Sainte-Chapelle, que sus ojos miopes veían un poco borrosa.

«Si le doy esta satisfacción —pensaba—, quedará agradecida, me considerará su defensor y se someterá por entero a mi voluntad. Por otra parte, mis adversarios la tendrían menos a mano en Vincennes que aquí, y no podrán utilizarla contra mí. De todas formas, en el estado de postración en que se encuentra es de poca ayuda para nadie.»

—Hermana, quiero daros satisfacción en todo —respondió—; cuando la asamblea de los altos barones me confirme en el cargo, mi primer cuidado será devolveros a Vincennes. Hoy es lunes; la asamblea, que corre prisa, se celebrará sin duda el viernes. Creo que el próximo domingo oiréis misa en vuestra mansión.

—Felipe, sabía que erais un buen hermano. Vuestro regreso es el primer consuelo que Dios me concede.

Al salir de la habitación de la reina, Felipe se reunió con su suegra y con Ansel de Joinville, que lo esperaban. Mahaut había tenido unas palabras con Hugo de Bouville, y ahora recorría sola, con sus andares masculinos, las losas de la galería bajo la recelosa mirada de los escuderos de guardia.

—¿Qué? ¿Cómo está? —preguntó a Felipe.

—Piadosa y resignada, y muy digna de dar a Francia un rey —respondió el conde de Poitiers haciendo que sus palabras llegaran a oídos de todos los presentes.

Luego, en voz baja, añadió:

—En el estado en que se halla, no creo que pueda llevar a buen término su embarazo.

—Sería el mejor regalo que nos podría hacer. Las cosas se arreglarían con más facilidad. Además, acabarían toda esa desconfianza y ese aparato de guerra que la rodean. ¿Desde cuándo los pares del reino no tienen acceso a la habitación de la reina? ¡Qué diablos, también yo me quedé viuda, y todo el mundo podía acercárseme para asuntos de gobierno!

Felipe, que no había visto aún a su mujer desde su regreso, acompañó a Mahaut al palacio de Artois.

—Vuestra ausencia le ha pesado mucho a mi hija —dijo Mahaut—. Pero vais a encontrarla tranquila y radiante. Nadie creería que está a punto de dar a luz. También yo en mis embarazos estaba tranquila hasta el último instante.

El encuentro del conde de Poitiers y de su mujer fue

emotivo, aunque sin lágrimas. Juana, muy pesada, se movía con dificultad, pero su aspecto era de salud y felicidad. Había llegado la noche, y el brillo de las velas, que favorecía su tez, borraba del rostro de la joven las señales de su estado. Llevaba varios collares de coral rojo, que se consideraban beneficiosos para los alumbramientos.

Fue al hallarse en presencia de su esposa cuando Felipe se dio perfecta cuenta de los éxitos alcanzados, y se sintió satisfecho de sí mismo. Abrazando a Juana, le dijo:

—Creo, mi dulce amiga, que de ahora en adelante puedo llamaros señora regente.

—Quiera Dios, mi buen señor, que os dé un hijo —respondió ella, estrechándose un poco contra el cuerpo delgado y robusto de su marido.

—Dios nos colmaría de sus gracias —le murmuró Felipe al oído— no haciéndolo nacer hasta después del viernes.

Pronto se suscitó una discusión entre Mahaut y Felipe. La condesa de Artois consideraba que su hija debía trasladarse enseguida a palacio para compartir las habitaciones con su marido. Felipe era de opinión contraria y deseaba que Juana continuara en la casa de Artois. Expuso varios argumentos, muy buenos pero que no expresaban lo que en realidad pensaba y que, además, no convencieron a Mahaut.

El palacio podía ser en días venideros sede de asambleas violentas y de tumultos perjudiciales para una parturienta. Por otra parte, Felipe consideraba más sensato esperar que Clemencia hubiera vuelto a Vincennes para instalar a Juana en el palacio real.

—¡Tal vez mañana ya no pueda moverse! —exclamó Mahaut—. ¿Es que no deseáis que vuestro hijo vea la luz en palacio?

—Precisamente eso es lo que quiero evitar.

—La verdad es que no os comprendo, hijo mío —dijo Mahaut encogiendo sus poderosos hombros.

Aquella discusión cansaba a Felipe. Hacía treinta y seis horas que no dormía; la noche anterior había recorrido quince leguas a caballo, y había vivido luego la jornada más difícil y más agitada de su vida. Se notaba la barba crecida y los párpados se le cerraban. «La cama —pensaba—. ¡Que me obedezca y pueda irme a la cama!»

—Pidámosle la opinión a Juana. ¿Qué deseáis, amiga mía? —preguntó, seguro de la docilidad de su mujer.

Mahaut tenía inteligencia varonil, voluntad masculina y una constante preocupación por afirmar el prestigio de los suyos. Juana, de carácter completamente distinto e infinitamente más reservada, parecía hasta entonces marcada por el destino de estar siempre en un segundo plano, tanto en los honores como en los dramas. Prometida primero a Luis el Obstinado y destinada después, por una especie de cambio, al hijo segundo de Felipe el Hermoso, pudo haber sido futura reina de Navarra y de Francia antes de verse suplantada por su prima Margarita. Envuelta muy estrechamente en el escándalo de la torre de Nesle, había bordeado el adulterio sin cometerlo y, al castigarla, le habían evitado la cadena perpetua. Ahora bien, mientras que Margarita, asesinada en prisión, no era más que polvo y Blanca seguía consumiéndose en el calabozo, ella había recobrado a su esposo, su familia y su posición en la corte. Inclinada a la prudencia por el año de permanencia en Dourdan, se esforzaba en no comprometerse. No le importaba demasiado que su hijo naciera en palacio y, deseosa de complacer en todo a su marido, cuya insistencia comprendía que se fundaba en sólidas razones, respondió:

—Aquí es, madre mía, donde deseo dar a luz. Me encontraré mejor.

Felipe le dedicó una sonrisa de agradecimiento. Sentado en un gran sillón de alto respaldo, con las piernas estiradas, se interesó por el nombre de las matronas y comadronas que habían de asistir a Juana en el parto; quiso saber la procedencia de todas, y si se podía confiar plenamente en ellas. Recomendó que se les hiciera prestar juramento, precaución que de ordinario sólo se tomaba en los partos reales.

«Qué buen esposo, que se preocupa tanto por mí», pensaba Juana mientras escuchaba.

Felipe exigió también que, en el momento en que le empezaran los dolores a su mujer, se cerraran las puertas de la casa de Artois. Nadie debía salir, a excepción de la persona encargada de llevarle la noticia del nacimiento...

—Vos —dijo señalando a la hermosa Beatriz de Hirson, allí presente—. Mi chambelán recibirá órdenes para que podáis verme a cualquier hora, aunque esté reunido en consejo. Y si estoy acompañado, me daréis la noticia en voz baja, sin decir palabra a nadie... si es un hijo. Confío en vos porque recuerdo que me habéis servido bien con anterioridad.

—Y más de lo que creéis, mi señor —respondió Beatriz, inclinando ligeramente la cabeza.

Mahaut lanzó una furiosa mirada a Beatriz para llamarla al orden. Aquella doncella, con su aire indolente, su falsa candidez y su disimulada audacia le daba escalofríos. Pero Beatriz continuaba sonriendo. Aquel juego de miradas no escapó a Juana. Intuía que entre su madre y la dama de compañía existía una madeja de secretos que preferiría no desentrañar.

Volvió la mirada hacia su marido. Pero éste no se había dado cuenta de nada. Con la cabeza apoyada en el respaldo del asiento acababa de dormirse de golpe, fulminado por el sueño de la victoria. En su rostro anguloso y de ordinario severo se dibujaba una expresión de dulzura, que permitía adivinar la placidez de sus primeros años. Juana, emocionada, se acercó con paso silencioso y le dio un suave beso en la frente.

9

El hijo del viernes

Desde el día siguiente, el conde de Poitiers comenzó a preparar la asamblea del viernes. Si triunfaba, ya nadie podría discutirle el poder en muchos años.

Despachó mensajeros y jinetes para convocar, como había sido acordado, a todos los barones del reino —de hecho, a todos los que no se encontraban a más de dos jornadas a caballo—; lo que permitía, por una parte, que la situación no empeorase y, por otra, dejar al margen a ciertos grandes vasallos cuya hostilidad temía Felipe, tales como el conde de Flandes y el rey de Inglaterra.

Confió asimismo a Gaucher de Châtillon, Miles de Noyers y Raúl de Presles la redacción del reglamento de regencia que sería presentado a la asamblea para su aprobación. Basándose en decisiones ya tomadas, se fijaron los siguientes puntos: el conde de Poitiers administraría los dos reinos con el título provisional de regente, gobernador y guardián, y percibiría los impuestos reales; si la reina Clemencia daba a luz un varón, éste sería rey por derecho natural, y Felipe conservaría la regencia hasta la mayoría de edad de su sobrino; pero si Clemencia tenía una hija... todas las dificultades comenzaban con esta hipótesis. Porque en tal caso la corona debía pasar a la pequeña Juana de Navarra, hija de Margarita y de Luis X. Pero ¿era verdaderamente hija de Luis? Ésa era la pregunta que toda la corte se formaba aquellos días.

Sin el descubrimiento, provocado por Isabel de Inglaterra y Roberto de Artois, de los reprobables amores de Margarita, sin la publicidad del escándalo del juicio y de las condenas, no se hubieran discutido los derechos de Juana de Navarra. A falta de un heredero varón, hubiera sido proclamada reina de Francia. Pero pesaban sobre ella grandes sospechas de bastardía, a las que Carlos de Valois y el mismo Luis X habían dado peso con ocasión del segundo matrimonio, y de las que ahora los partidarios de Felipe no dejarían de sacar partido.

—Es hija de Felipe de Aunay —se decía abiertamente.

El episodio de la torre de Nesle, a pesar de no haber tenido jamás el carácter orgiástico y criminal que le atribuía la imaginación popular, planteaba dos años después de acaecido un grave problema a la dinastía francesa.

Alguien propuso establecer, desde aquel momento, que la corona pasara de todas maneras al hijo de Clemencia, fuera hembra o varón.

Felipe de Poitiers acogió con desagrado esta sugerencia. Las sospechas que recaían sobre Juana de Navarra eran fundadas pero no habían sido probadas de forma irrefutable. A pesar de las presiones ejercidas sobre Margarita y de las negociaciones entabladas con ella, nunca había firmado una declaración concluyente que confirmara la ilegitimidad de Juana. La carta fechada la víspera de su muerte, utilizada en el proceso contra Marigny, aseguraba lo contrario. Era evidente que ni la anciana Inés de Borgoña ni su hijo Eudes IV, el actual duque, suscribirían la pérdida del derecho de sucesión de su nieta y sobrina respectivamente. El conde de Flandes se pondría de su parte y, sin duda, también el conde de Champaña. Se corría el riesgo de que una guerra civil estallara en Francia.

—Entonces —dijo Gaucher de Châtillon—, decretemos por las buenas que las hijas quedarán excluidas de la sucesión al trono. Debe de haber un precedente sobre esto en el que apoyarnos.

—¡Ah! —respondió Miles de Noyers—. Ya he ordenado averiguarlo, porque también a mí se me ocurrió la idea, pero sin resultado.

—¡Que busquen más! Encargad este trabajo a vuestros amigos los maestros de la Universidad y del Parlamento. Esa gente encuentra una costumbre para todo, y en el sentido que convenga, si se lo toma a pecho. Se remontan a la prehistoria para probar que os han de cortar la cabeza, quemar los pies o hacer picadillo.

—Es cierto —dijo Miles— que no he hecho buscar hasta tan lejos. Pensaba sólo en las costumbres establecidas a partir de Hugo Capeto. Habría que buscar desde más atrás. Pero no creo que nos dé tiempo antes del viernes.

Obstinado, moviendo su barbilla cuadrada y entornando sus párpados de tortuga, el condestable prosiguió:

—Verdaderamente, sería una locura dejar que una mujer accediera al trono. ¿Os imagináis a una dama o doncella mandar los ejércitos, impura todos los meses y embarazada cada año? ¿Y cómo hacer frente a los vasallos cuando no son capaces ni siquiera de refrenar los ardores de su naturaleza? No, yo no lo concibo, y si esto llegara, entregaría enseguida mi espada. Os lo digo, mis señores, Francia es un reino demasiado noble para convertirlo en rueca y ponerlo en manos de una mujer. ¡Los lises no hilan!

Esas palabras causaron una profunda impresión.

Felipe de Poitiers dio su conformidad a una redacción bastante tortuosa que aplazaba la decisión a sesiones todavía lejanas.

—Hagamos de manera que queden planteadas las cuestiones, pero sin resolverlas —dijo—. Y dejemos la puerta abierta a las esperanzas de cada uno, puesto que todo depende de algo venidero y desconocido.

Si la reina Clemencia daba a luz una hija, Felipe conservaría la regencia hasta la mayoría de edad de Juana, su sobrina mayor. Y solamente en esa fecha se discutiría la sucesión ya a favor de las dos princesas, que se repartirían entonces Francia y Navarra, ya a favor de una de ellas, que conservaría ambos reinos, o a favor de ninguna si ambas renunciaban a sus derechos, o si la asamblea de los pares, convocada para debatir la cuestión, consideraba que ninguna mujer podía reinar en el trono de Francia. En ese caso, la corona iría al pariente varón más próximo al rey... es decir, a Felipe. Así, su candidatura era propuesta oficialmente por primera vez, aunque sometida a tantas condiciones previas que parecía una solución eventual de compromiso y arbitraje.

Aquel arreglo, sometido individualmente a cada uno de los principales barones favorables a Felipe, obtuvo su aquiescencia.

Sólo Mahaut manifestó su reticencia, bien extraña por cierto, a un párrafo que, de hecho, preparaba la subida de su yerno y de su hija al trono de Francia. Había algo en la redacción que la desazonaba.

—¿No podríais —dijo— declarar simplemente: «Si las dos hijas renuncian a sus derechos...», sin pedir a los pares que decidan si las mujeres pueden reinar o no?

—¡Oh, madre! —le respondió Felipe—. En ese caso, ellas no renunciarían. Los pares, uno de los cuales sois vos, constituyen la única asamblea con poder de decisión. En un principio elegían al rey, como los cardenales eligen al Papa o los palatinos al emperador, y de esta forma proclamaron a nuestro antepasado Hugo, que era duque de Francia. Si ahora ya no lo eligen es porque desde hace trescientos años nuestros reyes han tenido siempre un hijo para sucederlos en el trono.[1]

—¡Una costumbre muy oportuna! —replicó Mahaut—. Vuestro reglamento, que prevé apartar a las mujeres, apoyará precisamente las pretensiones de mi sobrino Roberto. Ya veréis como no dejará de usarlo para intentar arrebatarme mi condado.

No pensaba en Francia, sino solamente en su querella sucesoria sobre el Artois.

—Costumbre de reino no es costumbre de feudo, madre. Y conservaréis más fácilmente el condado si vuestro yerno es regente, o quizá rey, que con argumentos de leguleyos.

Mahaut se sometió sin demasiada convicción.

—Ésta es la gratitud de los yernos —comentó poco después a Beatriz de Hirson—. Les envenenas a un rey para dejarles el puesto libre y enseguida se ponen a actuar por su cuenta, sin tener nada en consideración.

—Es que, señora, no sabe exactamente lo que os debe, ni cómo nuestro señor Luis salió con los pies por delante.

—¡Ni hace falta que lo sepa! —exclamó Mahaut—. Después de todo, era su hermano, y mi Felipe tiene curiosos arranques justicieros. ¡Contén tu lengua, te lo suplico!

Por aquellos días, Carlos de Valois, apoyado por Carlos de la Marche y Roberto de Artois, se movía mucho, diciendo por todas partes y haciendo repetir que era una locura confirmar en la regencia al conde de Poitiers, y más aún designarlo como posible heredero. Felipe y su suegra se habían ganado muchos enemigos y la desaparición de Luis X les favorecía demasiado, como bien se veía, para que la sospecha de aquella muerte no recayera sobre ellos. Aliado desde siempre del rey de Nápoles, nadie mejor que él para resolver los problemas de Clemencia y la casa de Anjou. Como había servido al papado romano, conservaba la confianza de los cardenales italianos, sin los cuales, bien se veía, no se podía elegir un Papa, ni aun usando los malos procedimientos empleados de encerrar al cónclave en una iglesia. Los antiguos templarios recordaban que Carlos de Valois nunca había apoyado la supresión de la orden, y los flamencos no ocultaban que deseaban negociar con él.

Cuando Felipe se enteró de aquella campaña, preguntó a sus familiares si no era muy extraño que el tío del rey se apoyara, para reclamar el poder, en las cortes extranjeras y en los adversarios del reino, y les dijo que si querían ver al Papa en Roma, a Francia en manos de los angevinos, la Orden del Temple resucitada y a los flamencos emancipados, no tenían más que ofrecer, sin tardanza, la corona al conde de Valois.

Por fin llegó el viernes decisivo en que debía celebrarse la asamblea. Al amanecer, Beatriz de Hirson se presentó en palacio e inmediatamente fue llevada a la habitación del conde de Poitiers. La doncella de compañía estaba casi sin aliento después de haber llegado corriendo desde la calle Mauconseil. Felipe se incorporó en los almohadones.

—¿Varón? —preguntó.

—Varón, mi señor, y bien dotado —respondió Beatriz enarcando las cejas.

Felipe se vistió apresuradamente y corrió al palacio de Artois.

—¡Las puertas! ¡Las puertas! ¡Que permanezcan cerradas las puertas! —dijo en cuanto entró—. ¿Se han cumplido mis órdenes? ¿No ha salido nadie, excepto Beatriz? ¡Que nadie abandone la casa en todo el día!

Luego subió corriendo por las escaleras. Había perdido aquella rigidez y esa compostura a las que se obligaba ordinariamente.

La «habitación del parto», como era costumbre en las familias principescas, había sido decorada suntuosamente. Grandes tapices de alto lizo de Arras de vivos colores cubrían enteramente las paredes, y el suelo estaba alfombrado de flores: lirios, rosas y margaritas que se aplastaban al caminar sobre ellas. La parturienta, pálida, con los ojos brillantes y el rostro todavía desencajado, reposaba en un gran lecho blanco rodeado de cortinas de seda, bajo sábanas blancas que se extendían una vara por el suelo.

En las esquinas de la pieza había dos camas pequeñas, provistas igualmente de cortinas de seda, destinadas, una, a la comadrona juramentada y, la otra, a la cunera de guardia.

Felipe se dirigió directamente a la ostentosa cuna y se inclinó mucho para ver bien al hijo que acababa de nacer. Poco agraciado y sin embargo enternecedor, como todo niño en sus primeras horas; rubicundo, arrugado, fija la mirada y lleno de babas, con un insignificante mechón de cabellos rubios apuntando en la pelada cabecita, dormía el bebé, estrechamente vendado hasta los hombros.

—He aquí, pues, a mi pequeño Luis Felipe, a quien tanto deseaba y que llega en tan buen momento —dijo el conde de Poitiers.[2]

Sólo entonces se acercó a su mujer, la besó en la mejilla, y con profunda gratitud le dijo:

—Muchas gracias, querida, muchas gracias. Me dais una gran alegría, y esto borra de mi pensamiento nuestras diferencias de antaño.

Juana se llevó la mano de su marido a los labios y se acarició la cara con ella.

—Dios nos ha bendecido, Felipe; Dios ha bendecido nuestra reconciliación del otoño —murmuró.

Juana llevaba todavía sus collares de coral.

La condesa Mahaut, arremangada hasta el antebrazo sombreado de abundante vello, asistía a la escena con aire de triunfo. Se golpeó el vientre enérgicamente.

—¿Qué, hijo? —exclamó—. ¿No os lo dije? ¡Son buenos los vientres del Artois y de Borgoña!

Felipe volvió junto a la cuna.

—¿No podrían desfajarlo para que lo vea mejor? —preguntó.

—Mi señor —respondió la comadrona—, no os lo aconsejo. Los miembros de un niño son muy tiernos y han de estar vendados todo el tiempo posible, para vigorizarlos e impedir que se tuerzan. Pero no temáis, mi señor, ya que lo hemos frotado con sal y miel y cubierto de rosas trituradas para quitarle todo humor pegajoso, y por dentro de la boca le hemos pasado el dedo untado con miel, a fin de darle apetito y dulzura; podéis tener la seguridad de que está bien cuidado.

—Y lo mismo vuestra Juana, hijo mío —agregó Mahaut—. La he hecho untar con un buen ungüento de estiércol de liebre para cerrarle el vientre, según la receta del maestro Arnaldo.

—Pero madre —dijo la parturienta—, yo creía que ésa era una receta para mujeres estériles.

—¡Bah! El estiércol de liebre es bueno para todo —replicó la condesa.

Felipe seguía contemplando a su heredero.

—¿No creéis que se parece mucho a mi padre? Tiene su misma frente alta.

—Tal vez un poco —respondió Mahaut—. La verdad, a mí me recuerda los rasgos de mi valiente Otón... Deseo que vuestro hijo tenga la fortaleza de alma y cuerpo de ambos.

—Sobre todo se os parece a vos, Felipe —dijo Juana dulcemente.

El conde de Poitiers se incorporó con cierto orgullo.

—Creo que ahora comprendéis mejor mis órdenes, madre, y el motivo por el que os mandé que mantuvierais las puertas cerradas —dijo—. Nadie debe saber todavía que tengo un hijo, porque en tal caso se diría que he redactado el reglamento de sucesión a propósito para asegurarle el trono después de mí, si Clemencia no da a luz un varón; y sé de algunos, empezando por mi hermano Carlos, que refunfuñarían al ver esfumarse sus esperanzas. Si queréis, pues, que este niño tenga la oportunidad algún día de convertirse en rey, no digáis ni una sola palabra a nadie hasta después de la asamblea.

—¡Es verdad, la asamblea! ¡Este buen mozo me lo había hecho olvidar! —exclamó Mahaut tendiendo la mano hacia la cuna—. Es hora de que me arregle y tome un bocado para disponerme al ataque. Tengo el estómago vacío después de haberme levantado tan temprano. Felipe, vos sabréis perdonarme. ¡Beatriz! ¡Beatriz! —Dio unas palmadas y pidió pastel de esturión, huevos hervidos, queso blanco con especias, confitura de nueces, melocotones y vino blanco de Château-Chalon—. Hoy es viernes, hay que guardar abstinencia —comentó.

El sol, que asomaba por encima de los tejados de la ciudad, bañó de luz a la feliz familia.

—Come un poco. El pastel de esturión no te hará daño —decía Mahaut a su hija.

Felipe se levantó enseguida para ir a dar el último toque a los preparativos de la reunión.

—Hoy no vendrán a cumplimentaros, amiga mía —le dijo a Juana señalando los cojines dispuestos en semicírculo alrededor del lecho y destinados a los visitantes—. Pero apuesto a que mañana recibiréis a mucha gente.

En el momento en que salía, Mahaut le tiró de una manga.

—Hijo mío, pensad un poco en Blanca, que continúa en Château-Gaillard. Es hermana de vuestra esposa.

—Pensaré en ello, pensaré en ello. Procuraré que tenga mejor suerte.

Y se alejó, con un lirio pegado a la suela del zapato. Mahaut cerró la puerta.

—¡Vamos, cuneras, tararead un poco! —exclamó.

NOTAS

1. Se olvida con frecuencia el carácter electivo de la monarquía capetina, que precedió a su carácter hereditario o como mínimo coexistió con él.

Tras la muerte accidental del último carolingio, Luis V el Perezoso, desaparecido a los veinte años tras un reinado de meses, fue elegido rey Hugo Capeto, duque de Francia e hijo de Hugo el Grande.

Hugo Capeto asoció inmediatamente al trono a su hijo Roberto II, haciéndolo elegir como su sucesor y consagrándolo el mismo año de su propia coronación. Así se hizo durante los reinados siguientes. En cuanto el primogénito del rey era nombrado heredero, los pares debían ratificar dicha elección y el nuevo elegido era consagrado en vida de su padre.

El primero que prescindió de la tradición de la elección previa fue Felipe Augusto. No confiaba demasiado en las aptitudes de su hijo, y sin duda no deseaba asociarlo a su gobierno. Luis VIII recibió la corona de Francia a la muerte de Felipe Augusto, el 14 de julio de 1223, exactamente como hubiera recibido la herencia de un feudo. Aquel 14 de julio la monarquía francesa se hizo verdaderamente hereditaria.

2. Por regla general, en las genealogías se da el nombre de Luis al hijo de Felipe V, nacido en julio de 1316. Ahora bien, en las cuentas de Godofredo de Fleury, superintendente de Hacienda de Felipe el Largo, que comenzó a llevar sus libros aquel año, exactamente el 12 de julio, tras tomar posesión de su cargo, se designa al niño con el nombre de Felipe.

Otros genealogistas mencionan dos hijos, uno de ellos nacido en 1315, concebido por lo tanto durante el encierro de Juana de Borgoña en Dourdan; algo bastante improbable dados los esfuerzos que hizo Mahaut para reconciliar a su hija con su yerno. El niño fruto de esa reconciliación recibió probablemente, como era costumbre, al menos dos de los nombres habituales en la familia.

10

La asamblea de las tres dinastías

Desde el fondo de sus habitaciones, Clemencia oía el trajín de los señores y altos barones que llegaban a la asamblea; el tumulto de las voces resonaba en los patios y las bóvedas.

La reclusión de cuarenta días que el duelo imponía a la reina había terminado la víspera, y Clemencia, ingenuamente, había creído que la reunión se había fijado ese día para que ella pudiera asistir. Se había preparado para aquella solemne reaparición con interés, curiosidad, incluso impaciencia, como si volviera a sentir el gusto por la vida. Pero, en el último minuto, un consejo de cirujanos y médicos personales del conde de Poitiers y de la condesa Mahaut le había prohibido exponerse a una fatiga que juzgaban peligrosa para su estado.

A todos complacía esta decisión, ya que nadie se preocupaba de hacer valer los derechos de Clemencia a la regencia. Sin embargo, como buscaban con tanto denuedo en la historia del reino precedentes en los que inspirarse, no pudieron por menos de recordar a Ana de Kiev, viuda de Enrique I, que compartió el gobierno con su cuñado Balduino de Flandes, «por la cualidad indeleble que le había sido conferida por la coronación», o el caso más cercano de la reina Blanca de Castilla, tan presente en la memoria de todos.[1]

Pero el delfín de Vienne, cuñado de Clemencia, el más indicado para defender los derechos de la reina, se había convertido en partidario de Felipe de Poitiers.

Carlos de Valois, aunque se presentaba como el gran protector de su sobrina, no pensaba más que en trabajar para sí mismo.

En cuanto al duque Eudes de Borgoña, que asistía, como decía él, representando los derechos de sucesión de su hermana Margarita, deseaba más que nadie la evicción de Clemencia.

La permanencia de la bella angevina en el trono había sido muy corta para hacerse notar y para adquirir ascendencia entre los grandes barones, y por ello, éstos ya no la consideraban más que como la superviviente de un breve reinado tumultuoso y, para muchos, nefasto.

—No ha traído suerte al reino —decían de ella.

Y aunque aún la atendían como futura madre, le habían dado a entender claramente que, como reina, para ellos había dejado de existir.

Encerrada en un ala de palacio oyó alejarse las voces; la asamblea celebraba sesión en la sala del Gran Consejo, cuyas puertas habían sido cerradas.

«¡Dios mío, Dios mío! —pensaba Clemencia—. ¡Por qué no me quedé en Nápoles!»

Y comenzó a gemir pensando en su infancia, en el mar azul, en aquel pueblo bullicioso y alegre lleno de generosidad, compasivo con el dolor, aquel pueblo suyo que sabía amar...

Mientras tanto, Miles de Noyers leía a los barones el reglamento de sucesión.

El conde de Poitiers había tenido buen cuidado de no rodearse de ninguno de los atributos de la majestad real. Su sillón estaba instalado en el centro del estrado, pero se había negado a que le pusieran encima un dosel. Iba vestido de color oscuro y sin ningún adorno. Parecía decir: «Señores, estamos aquí reunidos por trabajo.» Tres sargentos maceros permanecían en pie detrás de su asiento, eso era todo. Aseguraba el ejercicio de la soberanía sin pretender investirse de ella. Sin embargo, había preparado cuidadosamente la disposición de la sala, haciendo que los chambelanes asignaran a cada uno de los asistentes su asiento siguiendo un ceremonial bastante arbitrario, a la vez que rígido, que recordaba a los reunidos las maneras del Rey de Hierro.

Felipe había hecho sentar a su derecha a Carlos de Valois, y junto a éste, a Gaucher de Châtillon, para mantener a raya al ex emperador de Constantinopla y aislarlo de su clan. Felipe de Valois se sentaba a una distancia de seis sillones de su padre. A su izquierda, Felipe de Poitiers había colocado a su tío Luis de Evreux, y a continuación a su hermano Carlos de La Marche; así impedía que los dos Carlos pudieran intercambiar impresiones durante la sesión y violaran la palabra que le habían dado cuatro días antes.

No obstante, la atención del conde de Poitiers se centraba principalmente en su primo, el duque de Borgoña, colocado a la vuelta del estrado, y flanqueado por la condesa Mahaut, el delfín de Vienne, el conde de Saboya y Ansel de Joinville.

Felipe sabía que el joven duque iba a hablar en nombre de su madre, la duquesa Inés, a quien su condición de última hija de san Luis confería, aun estando ausente, un gran prestigio entre los barones. Todo cuanto tenía que ver con el recuerdo de Luis IX era objeto de veneración, y los escasos supervivientes que podían atestiguar haberlo visto o servido, que habían hablado con él o gozado de su afecto estaban investidos de un carácter semisagrado.

Para emocionar a los asistentes, a Eudes de Borgoña le bastaría decir: «Mi madre, hija de nuestro señor san Luis, que la bendijo antes de ir a morir en tierra de infieles...»

Por eso, y con el fin de hacer fracasar tal maniobra, Felipe de Poitiers se había sacado de la manga una carta valiosa y totalmente inesperada: Roberto de Clermont, el otro superviviente de los once hijos del rey santo, el sexto y último varón. ¿Deseaban la garantía de san Luis? Pues bien, ¡Poitiers se la daría!

La presencia de Roberto de Clermont era tanto más valiosa e impresionante cuanto que hacía mucho que no se presentaba en la corte; desde su última aparición habían pasado casi cinco años; su existencia estaba medio olvidada y, si alguien se acordaba de él, nadie se atrevía a hablar más que en voz baja.

En efecto, el tío abuelo Roberto estaba loco desde que a los veinticuatro años había recibido un golpe de maza en la cabeza. La suya era una locura frenética pero intermitente, con largos períodos de calma, lo cual había permitido a Felipe el Hermoso servirse de él, a veces, para misiones decorativas. Aquel hombre no era peligroso por lo que decía, ya que apenas hablaba; lo era por lo que podía hacer, pues nunca se sabía en qué momento sufriría una crisis y se abalanzaría, espada en ristre, contra sus familiares. Era un penoso espectáculo ver a un señor de sesenta años, tan majestuoso de aspecto como noble de sangre, romper los muebles, rasgar los tapices y perseguir a las mujeres de la servidumbre creyéndolas sus adversarios de torneo.[2]

El conde de Poitiers lo había colocado en la otra ala del estrado, junto al duque de Borgoña y cerca de una puerta. Dos escuderos monumentales permanecían a poca distancia de él, con instrucciones de sujetarlo al menor atisbo de locura. Clermont dejaba vagar su mirada despreciativa, fatigada, ausente, que fijaba de pronto en un rostro con la inquietud dolorosa de los recuerdos perdidos; luego se apagaba. Todos lo observaban y su presencia producía un vago malestar.

Al lado del demente se sentaba su hijo, Luis de Borbón, que era cojo, defecto que siempre le había impedido atacar en los combates, pero no huir, como demostró en la batalla de Courtrai. Desgarbado, contrahecho y cobarde, el Borbón poseía, en compensación, cierta clarividencia, así que acababa de acercarse, como siempre, al partido más fuerte.

De aquellos dos príncipes, flaco uno de cabeza, otro de piernas, descendería la larga dinastía de los Borbones.

Así pues, en aquella asamblea del 16 de julio de 1316 se encontraban reunidas las tres ramas capetinas que iban a reinar en Francia durante cinco siglos. Podían contemplarse desde su tronco: la directa de los Capetos, que bien pronto se extinguiría con Felipe de Poitiers y Carlos de La Marche; la de los Valois, que, con el hijo de Carlos se prolongaría durante trece reinados y, por último, la de los Borbones, que sólo accederían al trono cuando, extinguidos los Valois, hubo que remontarse una vez más a la descendencia de san Luis para designar un rey. Cada cambio de dinastía iría acompañado de guerras sangrientas y devastadoras. Y cada linaje terminaría con tres hermanos.

La combinación de los actos humanos con lo imprevisible del destino será siempre pasmosa. Toda la historia de la monarquía francesa, con su grandeza y sus dramas, dimanaría durante cinco siglos del reglamento sucesorio que Miles de Noyers, antiguo mariscal del ejército y consejero del Parlamento, acababa de leer a los «altos barones del reino» aquel 16 de julio.

Alineados en los bancos o apoyados en las paredes, los barones, prelados, altos funcionarios, doctores, juristas y delegados de los burgueses de París escuchaban atentamente. Felipe de Poitiers los miraba entrecerrando los ojos para contrarrestar su miopía, que difuminaba los rostros y los contornos.

«Tengo un hijo, tengo un hijo —se decía con alegría—, y no lo sabrán hasta mañana.» Se disponía a contener el ataque del duque de Borgoña; pero el asalto le llegó por otro lado.

Había un hombre en aquella asamblea que no se doblegaba ante nada, a quien la nobleza de sangre no impresionaba porque pertenecía a la mejor, que no se inclinaba ante la fuerza puesto que era capaz de derribar un buey, y que no se había prestado a ninguna intriga, salvo las que él mismo urdía. Ese personaje era Roberto de Artois. Fue él quien, cuando Miles de Noyers acabó la lectura, se levantó para presentar combate sin haberse puesto de acuerdo con nadie.

Como aquel día todos presumían de su familia, Roberto de Artois había llevado a su madre, Blanca de Bretaña, una mujer pequeñita, de cara delgada, cabello blanco y miembros frágiles que parecía constantemente asombrada de haber dado a luz tal gigante.

Con los codos abiertos y los pulgares en el cinturón de plata, Roberto de Artois soltó lo siguiente:

—Me asombra, mis señores, que se nos ofrezca un nuevo reglamento de regencia redactado palabra por palabra con un fin predeterminado cuando existe ya uno dictado por nuestro último rey.

Las miradas se dirigieron hacia el conde de Poitiers, y algunos de los asistentes se preguntaron con inquietud si no se les habría ocultado parte del testamento de Luis X.

—No sé, primo —dijo Felipe de Poitiers—, de qué reglamento habláis. Vos asististeis a los últimos momentos de mi hermano, al igual que muchos de los señores presentes, y nadie me ha comunicado la existencia de ninguna voluntad respecto a la sucesión.

—Cuando digo, primo —replicó Roberto en tono bastante burlón—, «nuestro último rey», no me refiero a vuestro hermano Luis X, a quien Dios guarde, sino a vuestro padre, nuestro bien amado señor Felipe el Hermoso... a quien Dios guarde también. Ahora bien, el rey Felipe había decidido, escrito y hecho prometer a sus pares bajo juramento que, si moría antes de que su hijo fuera lo bastante hombre para ejercer el gobierno, las tareas reales y la carga de la regencia pasarían a su hermano Carlos, conde de Valois. Por lo tanto, primo, como no existe ningún otro reglamento que lo contravenga, me parece que sería necesario aplicar éste.

Blanca de Bretaña aprobaba con la cabeza, sonreía con su boca desdentada y paseaba a su alrededor su mirada viva y brillante, invitando a sus vecinos a apoyar la intervención de su hijo. No había palabra pronunciada por aquel chillón, ni proceso sostenido por aquel pendenciero, ni violencia, tropelía o violación cometida por aquel mal sujeto que ella no aprobara y admirara como si se tratara de la revelación de un prodigio viviente. El conde de Valois le dio las gracias con un movimiento de párpados.

Felipe de Poitiers, ligeramente inclinado sobre el brazo del sillón, movió lentamente la mano.

—Me admira, Roberto —dijo—, veros hoy tan diligente en cumplir la voluntad de mi padre cuando tan poco obedecisteis su justicia mientras él vivía. Los buenos sentimientos os vienen con la edad, primo. Tranquilizaos. La voluntad de mi padre es precisamente lo que nos esforzamos en respetar. ¿No es verdad, tío? —agregó volviéndose hacia Luis de Evreux.

Luis de Evreux, que desde hacía seis semanas se oponía a las maniobras de Valois y de Roberto de Artois, tomó la palabra.

—El reglamento del que habláis, Roberto, vale como principio pero no indefinidamente. Porque si dentro de cincuenta o cien años de nuevo la corona se encuentra en una situación semejante, no se podrá ir a buscar a mi hermano Carlos para regir el reino... por mucho que viva, como es mi deseo. Nuestro señor Dios no ha hecho a Carlos eterno para este menester. El reglamento, al establecer que la regencia debe recaer sobre el hermano mayor, designa bien a las claras a Felipe, y por esto le rendimos homenaje el otro día. No pongáis, pues, en discusión lo que ya está zanjado.

Quien creyera que Roberto estaba vencido no lo conocía bien. Inclinó ligeramente la cabeza, exponiendo a los rayos del sol que entraban por los vitrales sus cabellos cobrizos que le caían en rizos sobre la robusta nuca, y su sombra se extendió por las losas como una amenaza hasta los pies del conde de Poitiers.

—Las voluntades del rey Felipe —continuó— nada decían con respecto a las hijas reales; ni que debieran renunciar a sus derechos, ni que la asamblea de los pares tuviera que decidir si habían de reinar.

Un estremecimiento de aprobación recorrió las filas de los señores de Borgoña y de Champaña y, desde el estrado, el duque Eudes exclamó:

—¡Bien dicho, primo, eso es precisamente lo que yo mismo iba a exponer!

Blanca de Bretaña lanzó de nuevo alrededor sus miraditas chispeantes. El condestable empezaba a agitarse en su asiento. Se le oía gruñir, y los que lo conocían bien preveían que iba a estallar.

—¿Desde cuándo —prosiguió el joven duque levantándose— ha sido introducida esa novedad en nuestras costumbres? ¡Desde ayer, creo yo! ¿Desde cuándo las hijas, si faltan los hijos, han de ser privadas de las propiedades y de la corona de sus padres?

El condestable se levantó también.

—Desde el instante, señor duque —dijo con calculada lentitud—, en que cierta hija deja de ofrecer al reino la garantía de haber nacido del padre de quien se la quiere hacer heredera. Enteraos de una vez de lo que dice todo el mundo, lo cual vuestro primo Carlos de Valois nos ha repetido muchas veces en el consejo privado. Francia es un país demasiado grande y hermoso, señor duque, para que se pueda, sin que hayan deliberado los pares sobre ello, transmitir la corona a una princesa de la que no se sabe si es hija de rey o de escudero.

La asamblea enmudeció. Eudes de Borgoña se puso blanco. Parecía que iba a lanzarse contra Gaucher de Châtillon, que lo esperaba concentrando sus fuerzas de viejo guerrero. Pero fue sobre Carlos de Valois sobre quien el duque de Borgoña descargó su cólera.

—Entonces, sois vos, primo —exclamó—; vos, que escogisteis a otra de mis hermanas para darla en matrimonio a vuestro primogénito; vos, quien la ha cubierto de vergüenza.

—Vuestra hermana Margarita, a quien Dios perdone sus pecados, no tuvo necesidad de mi ayuda —replicó Carlos de Valois. Y a media voz agregó, dirigiéndose a Gaucher de Châtillon—: ¡Qué necesidad teníais de meterme en esto!

—Y vos, cuñado —dijo Eudes señalando a Felipe de Valois—, ¿aprobáis también las ruindades que escucho?

Pero Felipe de Valois, cohibido por su gran estatura y buscando vanamente con la mirada el consejo de su padre, se limitó a levantar los brazos en un gesto de impotencia y a decir:

—Es preciso reconocer, hermano, que el escándalo fue grande.

Se elevó un murmullo de la asamblea. Del fondo de la sala llegaba el rumor de las disputas; algunos señores consideraban bastarda a Juana y otros legítima. Carlos de La Marche estaba pálido y se sentía a disgusto; bajaba la cabeza, evitando las miradas, como siempre que se tocaba aquel desdichado asunto. «Margarita ha muerto, Luis ha muerto —se decía—; pero Blanca, mi mujer, vive, y yo sigo llevando la deshonra en la frente.»

En ese momento, el conde de Clermont, a quien ya nadie prestaba atención, gritó de repente:

—¡Os desafío, señores, os desafío a todos!

—Después, padre, después iremos al torneo —dijo Luis de Borbón, intentando parecer tranquilo y natural.

Pero al mismo tiempo hizo una seña a los dos gigantescos escuderos de que se acercaran y se dispusieran a intervenir en caso de ser necesario.

Roberto de Artois contemplaba encantado el tumulto que había provocado.

El duque de Borgoña le gritó a Carlos de Valois:

—¡Deseo que Dios perdone a Margarita sus pecados, si los cometió; pero no que perdone a sus asesinos!

—Eso son mentiras a las que vos habéis prestado oídos, Eudes —replicó Carlos de Valois—. Sabéis muy bien que vuestra hermana no murió más que de vergüenza y de remordimiento en prisión.

Ahora que el conde de Valois y el duque de Borgoña se habían peleado hasta el punto de que era imposible que hicieran causa común en mucho tiempo, Felipe de Poitiers extendió las manos con gesto conciliador.

Pero Eudes no quería la paz, sino todo lo contrario.

—Ya he oído hoy ultrajar bastante a Borgoña, primo —dijo—. Me opongo a reconoceros como regente y reivindico ante todos los derechos de mi sobrina Juana.

Luego, haciendo señal a los señores borgoñones de que lo siguieran, abandonó la sala.

—Mis señores —dijo el conde de Poitiers—, eso es precisamente lo que nuestros legistas se habían esforzado en evitar, dejando para más adelante someter a la decisión del Consejo de los Pares la cuestión de las hijas. Porque si la reina Clemencia da un varón al reino, toda esta querella no tiene objeto.

Roberto de Artois seguía ante el estrado con las manos en las caderas.

—Deduzco de vuestro reglamento, primo —exclamó—, que en adelante, y como costumbre de Francia, se niega a las mujeres el derecho de sucesión. Pido por lo tanto que me sea devuelto el condado de Artois, entregado indebidamente a mi tía Mahaut. Y hasta que me hagáis justicia no podré participar en vuestro consejo.

—Dicho esto, se dirigió a la puerta lateral seguido de su madre, que trotaba orgullosa de él y de sí misma.

La condesa Mahaut agitó la mano en dirección a Poitiers con un gesto que indicaba: «¡Ya os lo había advertido!»

Antes de salir por la puerta, Roberto pasó por detrás del conde de Clermont y le susurró, malévolo, al oído:

—¡A las lanzas, primo, a las lanzas!

—¡Cortad las cuerdas! ¡Llamad a la batalla! —voceó Clermont incorporándose.[3]

—¡Cerdo malvado, que el diablo te destripe! —dijo Luis de Borbón a Roberto. Luego, dirigiéndose a su padre, añadió—: Quedaos con nosotros. Las trompetas no han sonado todavía.

—¡Ah! ¿No han sonado? Pues bien, ¡que suenen! Se hace tarde —dijo Clermont.

Con la mirada perdida y los brazos separados, esperaba.

Luis de Borbón se acercó, cojeando, al conde de Poitiers, y en voz baja le confió que era necesario darse prisa. Felipe asintió con la cabeza en señal de aprobación.

Luis de Borbón volvió junto al enfermo y, asiéndolo de la mano, le dijo:

—Ahora el homenaje, padre, el homenaje.

—¡Ah, sí, el homenaje!

El cojo condujo al demente y ambos cruzaron el estrado.

—Señores —dijo Luis de Borbón—, he aquí a mi padre, el más anciano del linaje de san Luis, que aprueba en todo el reglamento, reconoce al señor Felipe como regente y le jura fidelidad.

—Sí, señores, sí... —dijo Roberto de Clermont.

Felipe tembló al pensar lo que iría a decir su tío abuelo. «Me va a llamar señora y me pedirá el chal.»

Pero Clermont continuó con voz sonora:

—Os reconozco, Felipe, porque por derecho sois el más indicado, y porque sois el más discreto. Que el alma santa de mi padre vele por vos desde el cielo para ayudaros a conservar en paz el reino y defender nuestra santa fe.

Un movimiento de feliz estupefacción recorrió a la asistencia. ¿Qué ocurría, pues, en la cabeza de aquel hombre para que pasara sin transición del delirio a la razón, del ridículo a la grandiosidad?

Se arrodilló con gran lentitud y nobleza ante su sobrino nieto, y extendió las manos. Cuando se levantó y dio media vuelta, después de haber recibido el abrazo, sus grandes ojos azules estaban anegados en lágrimas.

La asamblea entera se puso en pie y dedicó una larga ovación a los dos príncipes.

Felipe había sido confirmado como regente por todo el reino a excepción de una provincia, Borgoña, y de un solo hombre, Roberto de Artois.

NOTAS

1. Blanca de Castilla no tomó el poder sin dificultades. Aunque había sido designada por Luis VIII, su marido, como tutora y regente, tropezó con la violenta hostilidad de los grandes vasallos. «Está Francia bien perdida, / altos barones, oíd, / con mujer en la bailía», escribió Hugo de la Ferté.

Pero Blanca de Castilla era mujer de temple muy distinto del de Clemencia de Hungría. Además, era reina desde hacía diez años y había dado a luz doce hijos.

Salió triunfante gracias al apoyo del conde Thibaud de Champaña, a quien señalaban como su amante.

2. Se constata una impresionante similitud entre la locura de Roberto de Clermont y la del rey Carlos VI, su resobrino por partida doble, en la quinta generación masculina y en la cuarta femenina.

En los dos casos la demencia se declara por el golpe de un arma, con traumatismo craneal en Clermont y sin traumatismo en Carlos VI, pero que en ambos originó una manía furiosa: los mismos períodos de crisis frenéticas, seguidos de largas remisiones en las que observaban un comportamiento normal en apariencia; el mismo gusto obsesivo por los torneos, que no podían impedir que organizaran, y a los que se presentaban a veces en estado de delirio. A pesar de su peligrosa demencia, Clermont tenía autorización para cazar en el patrimonio real. Hasta se presentó en el ejército de Felipe el Hermoso durante una de las campañas de Flandes; lo mismo que Carlos VI, loco desde hacía veinte años, asistió al asedio de Bourges y a los combates contra el duque de Berry.

3. Gritos reglamentarios que señalaban el comienzo del torneo.

11

Los prometidos juegan al gato y el ratón

Abandonar sin disimulo alguno una reunión política para demostrar abiertamente el desacuerdo, no impide a quien lo hace sentarse luego a la mesa de sus adversarios.

A pesar de su estallido de la mañana, el duque de Borgoña accedió a los ruegos de que asistiera al banquete de familia que el conde de Poitiers ofrecía aquel mismo día en la mansión de Vincennes.

La familia real de Francia, incluidos primos y dignatarios, se componía de más de cien personas. Todas se trasladaron a Vincennes entre altas y bajas vísperas, es decir, sobre las cinco de la tarde, y se sentaron a las mesas de caballetes cubiertas con grandes manteles blancos.

La presencia del duque de Borgoña hizo más evidente la ausencia de Roberto de Artois.

—Mi hijo, al salir de palacio, ha caído enfermo debido a las cosas que ha oído —dijo Blanca de Bretaña.

—¿Verdaderamente ha enfermado? —respondió Felipe de Poitiers—. Espero que no se haya hecho daño al caer de tan alto.

Nadie se extrañó de no ver al conde de Clermont, a quien su hijo se había apresurado a recluir en su residencia en cuanto hubo rendido homenaje. Felicitaron a Luis de Borbón por la buena impresión que había producido su padre, y deploraron que la enfermedad de éste —noble enfermedad, por otra parte, ya que se debía a un accidente de armas— no le permitiera tomar parte con mayor frecuencia en los asuntos del reino.

La comida empezó así con relativo buen humor. El condestable y el duque de Borgoña habían sido colocados a tal distancia que no pudiera reavivarse el fuego. Carlos de Valois seguía con su propia perorata.

Lo más asombroso era la cantidad de niños que asistían a aquella comida. Como Eudes de Borgoña había puesto como condición para su asistencia que estuviera presente la pequeña Juana de Navarra, en reparación del ultraje que la asamblea le había hecho, el conde de Poitiers tuvo que llevar a sus tres hijas; el conde de Valois a sus retoños más jóvenes; el conde de Evreux, a su hijo e hija que estaban todavía en edad de jugar a muñecas; el delfín de Vienne, a su pequeño Guigues, prometido de la tercera hija del regente, y Luis de Borbón a sus hijos en edad de andar... No podían llamarlos por sus nombres de pila: Blancas e Isabeles, Carlos y Felipes se confundían; cuando alguien gritaba «¡Juana!», seis cabezas se volvían a la vez.

Todos aquellos primos estaban destinados a casarse entre sí, para servir a la política de sus padres, quienes, a su vez, habían sido casados de la misma forma con sus más cercanos parientes. ¡Cuántas dispensas habría que solicitar al Papa para anteponer los intereses territoriales a las leyes de la religión! ¡Cuántos cojos y dementes en perspectiva! La única diferencia entre la descendencia de Adán y la de Capeto era que en esta última aún se evitaba la reproducción entre hermanos y hermanas.

El pequeño delfín y su prometida, la pequeña Isabel de Poitiers, que pronto no sería llamada más que por el nombre de Isabel de Francia, ofrecían un espectáculo de la más emocionante armonía. Comían del mismo plato; el delfinito elegía para su futura esposa los mejores trozos de guisado de anguila y se los metía a la fuerza a la boca, embadurnándole toda la cara. Los otros niños les envidiaban su situación de pareja; iban a construirles en el interior de la casa del regente un palacete particular con su palafrenero, su lacayo y sirvientas.

Juana de Navarra no comía nada. Todos sabían que su presencia en el banquete había sido impuesta, y como los niños son rápidos en adivinar los sentimientos de sus padres y en exagerar sus demostraciones, todos volvían la espalda a la infeliz huérfana. Juana era de los más pequeños, sólo tenía cinco años. Con la única diferencia de que era rubia, en todos sus rasgos comenzaba a parecerse mucho —frente prominente, pómulos salidos— a su madre. Era una niña solitaria que no sabía jugar y que vivía entre domésticas en las vacías habitaciones del palacio de Nesle. Nunca había visto tanta gente reunida ni oído tanto ruido de voces y vajilla, y miraba con una mezcla de admiración y espanto aquella sucesión de víveres que se depositaban sin cesar sobre las inmensas mesas rodeadas de grandes comilones. Se daba perfecta cuenta de que no la querían; cuando hacía una pregunta, nadie le contestaba. A pesar de su corta edad, tenía el juicio suficientemente desarrollado para pensar: «Mi padre era rey, mi madre era reina; pero han muerto y ahora ya nadie me habla.» Jamás olvidaría aquella comida en Vincennes. A medida que subía el tono de las voces y se generalizaban las risas en aquel banquete de gigantes, la tristeza y la angustia de la pequeña Juana se intensificaban. Luis de Evreux, que, desde lejos, la vio a punto de echarse a llorar, ordenó a su hijo:

—Felipe, ocúpate un poco de tu prima Juana.

El pequeño Felipe quiso imitar al joven delfín, y llevó a la boca de su prima un trozo de esturión con salsa de naranja, que ella escupió desdeñosamente sobre el mantel.

Como los coperos servían sin cesar los vinos a todos los invitados por igual, se hizo evidente que la chiquillería vestida de brocado iba a indisponerse y, antes de comenzar el sexto plato, la enviaron a jugar a los patios. A esos hijos de reyes les ocurrió, pues, lo mismo que a todos los niños del mundo en los banquetes: se vieron privados de sus platos preferidos, los dulces y los postres.

En cuanto terminó el festín, Felipe de Poitiers tomó del brazo al duque de Borgoña y le dijo que deseaba hablar con él en privado.

—Vamos a comer los dulces a solas, primo. Venid con nosotros, tío —añadió, volviéndose hacia Luis de Evreux.

Llamó también a Guillermo de Mello, consejero del duque, para que las partes estuvieran equilibradas. Llevó a los tres hombres a una pequeña sala contigua y, mientras les servía el vino azucarado y los dulces, comenzó por expresar su gran interés en llegar a un acuerdo y cuáles eran las ventajas del reglamento de regencia.

—Como sé que ahora los ánimos están muy exaltados —dijo—, me ha parecido conveniente postergar la decisión final hasta la mayoría de edad de Juana. Para entonces habrán pasado diez años, y vos sabéis tan bien como yo que, en diez años, las opiniones cambian bastante, aunque sólo sea porque los que sostienen las más violentas pueden haber muerto. Creía, pues, serviros, primo, al actuar tal como he hecho, y me parece que habéis comprendido mal mis propósitos. Puesto que vos y Carlos de Valois no podéis por ahora poneros de acuerdo, tratad cada uno de entenderos conmigo.

El duque de Borgoña seguía enfurruñado; no era hombre inteligente y siempre temía ser engañado, lo cual no evitaba que lo fuera frecuentemente. La duquesa Inés, a quien no cegaba el amor maternal, le había hecho antes de su marcha severas recomendaciones:

—Ten cuidado de no dejarte engañar. Piensa bien las cosas antes de hablar y, si no se te ocurre nada, cállate y deja hablar al señor de Mello, que tiene la inteligencia más despierta que la tuya.

Eudes de Borgoña, a los veintidós años, habiendo asumido el título y las funciones de duque, vivía aún atemorizado por su madre, y temblaba porque tendría que justificarse ante ella. No se atrevió a responder abiertamente a las propuestas de Felipe.

—Mi madre os ha hecho llegar una carta, primo, en la que os decía... ¿Qué decía esa carta, señor de Mello?

—La señora Inés solicitaba que la señora Juana de Navarra fuera puesta bajo su custodia, y le extraña, mi señor, que todavía no le hayáis contestado.

—¿Pero cómo podía hacerlo, primo? —respondió Felipe, dirigiéndose a Eudes como si Mello no desempeñase entre ellos el papel del intérprete—. Es una decisión que atañe a la regencia. Ahora es cuando puedo dar satisfacción a esa petición. ¿Quién os dice, primo, que pienso denegarla? Os llevaréis con vos, según creo, a vuestra sobrina.

El duque, sorprendido de encontrar tan poca resistencia, miró a Mello con una cara en la que se leía: «¡He aquí un hombre con quien uno se puede entender!»

—A condición, primo —continuó el conde de Poitiers—, de que vuestra sobrina no se case sin mi consentimiento. Resulta algo evidente: se trata de un asunto que importa demasiado a la corona y vos debéis contar con nuestra opinión para dar esposo a una joven que un día puede convertirse en la reina de Francia.

La segunda parte de la frase hizo que Eudes se tragara la primera. Creyó de verdad que la intención de Felipe era hacer coronar a Juana si la reina Clemencia no daba a luz un hijo.

—Desde luego, primo —dijo—; sobre este punto estamos completamente de acuerdo.

—Entonces, nada nos separa; ya podemos firmar nuestro compromiso —dijo Felipe.

Sin más dilación, hizo llamar a Miles de Noyers, que tenía la mejor pluma para redactar aquella clase de pactos.

—Señor Miles —le dijo—, vais a escribir sobre vitela lo siguiente: «Nos, Felipe, par y conde de Poitiers, regente de los reinos por la gracia de Dios, y nuestro bienamado primo, magnífico y poderoso señor Eudes IV, par y duque de Borgoña, juramos sobre las Sagradas Escrituras prestarnos servicio y leal amistad...» Hablo en términos generales, señor Miles. «Y por esta amistad que nos juramos, hemos decidido en común que la señora Juana de Navarra...»

Guillermo de Mello tiró al duque de la manga y le dijo algo al oído que hizo que el duque comprendiera que estaba a punto de caer en una encerrona.

—¡Eh, primo! —exclamó—. ¡Mi madre no me ha autorizado a reconoceros como regente!

Habían llegado a un punto muerto. Felipe sólo consentía ceder la custodia de la niña si el duque aceptaba el reglamento de regencia. Ofreció diversas garantías. Pero el otro se obstinaba; era sobre los derechos a la corona, sobre lo que exigía un compromiso formal.

«Si no tuviera a ese Mello, que es astuto —se decía el conde de Poitiers—, Eudes ya habría capitulado.» Fingiendo estar cansado, extendió sus largas piernas, cruzó los pies y se frotó la barbilla.

Luis de Evreux lo observaba y se preguntaba cómo iba a salir del apuro. «No tardarán en agitarse las lanzas de Dijon», pensaba aquel hombre prudente. Estaba a punto de aconsejar ceder en los derechos sobre la corona cuando Felipe preguntó de pronto al borgoñón:

—Veamos, primo, ¿no deseáis casaros?

El otro abrió unos ojos como platos, creyendo en primer lugar, ya que no era inteligente, que Felipe quería prometerlo a Juana de Navarra.

—Puesto que acabamos de jurarnos eterna amistad —prosiguió Felipe, como si se hubiera redactado y firmado el acuerdo—, y por ella, mi querido primo, me prestáis gran apoyo, quisiera, a mi vez, corresponderos. Me agradaría reforzar nuestro afectuoso lazo, bellamente, con un parentesco más estrecho. ¿No tomaríais en matrimonio a Juana, mi hija mayor?

Eudes IV miró a Mello, luego a Luis de Evreux y por fin a Miles de Noyers, que esperaba con la pluma en alto.

—Pero, primo, ¿qué edad tiene vuestra hija? —preguntó.

—Ocho años, primo —respondió Felipe, y tras una pausa, agregó—: Posee también el condado de Borgoña, heredado de su madre.

Eudes levantó la cabeza como un caballo que huele la avena. La unión del ducado de Borgoña y el condado del mismo nombre constituía el sueño de los duques hereditarios desde el tiempo de Roberto I, nieto de Hugo Capeto.

Juntar la corte de Dole y la de Dijon, unir los territorios que iban desde Auxerre hasta Pontarlier y desde Mâcon hasta Besançon, tener una mano en Francia y otra en dirección al Sacro Imperio, ya que el condado era palatino... Ese espejismo se hacía de pronto realidad. Se abría la ruta del Imperio, con su prestigio carolingio...

Luis de Evreux no pudo por menos de admirar la audacia de su sobrino; en un juego que parecía perdido daba un gran paso adelante. Pero considerando más atentamente la proposición, el razonamiento de Felipe resultaba claro: al fin y al cabo, lo único que proponía eran las tierras de Mahaut. Habían concedido a ésta el Artois, a expensas de Roberto, para que renunciara al condado; por dote de su mujer el condado había pasado a Felipe, con el fin de que pudiera optar a la elección imperial. Ahora Felipe codiciaba la corona de Francia, o al menos la regencia por diez años; el condado le interesaba menos, a condición de que sólo fuera a parar a un vasallo, como era el caso.

—¿Podría ver a la señora vuestra hija? —preguntó Eudes sin vacilar, sin pensar siquiera en notificarlo a su madre.

—Acabáis de verla en la comida, primo.

—Cierto, pero no bien... quiero decir, no la había considerado bajo este aspecto.

Enviaron a buscar a la hija mayor del conde de Poitiers, que estaba jugando al gato y el ratón con sus hermanas y los otros niños.[1]

—¿Qué queréis? ¡Dejadme jugar! —dijo la niña, que perseguía al delfinito al lado de los establos.

—Mi señor vuestro padre os reclama —le dijeron.

En cuanto agarró al pequeño Guigues y gritó «¡Tate!», pegándole en la espalda, siguió, mohína y descontenta, al chambelán que la llevaba de la mano.

Sofocada, con las mejillas arreboladas, el cabello tapándole la cara y su vestido de brocado lleno de polvo, se presentó ante su primo Eudes, que tenía catorce años más que ella. Era una niña ni fea ni guapa, todavía delgadita, que no podía darse cuenta de que su destino se confundía en aquel instante con el de Francia... Hay niñas que dejan adivinar el aspecto que tendrán de adultas; ésta no. Lo único que veía Eudes era el condado de Borgoña, como una aureola.

Una provincia es algo hermoso; pero es preciso que la mujer no sea deforme. «Si tiene las piernas derechas, acepto», se decía el duque. Tenía razones para temer sorpresas de esta clase, ya que su segunda hermana, menor que Margarita y casada con Felipe de Valois, no tenía los talones a la misma altura.[2] En la enemistad de los Valois con los Borgoña, esta cojera, que no aparecía en el contrato, tenía mucho que ver. El duque pidió, pues, sin que ello extrañara a nadie, que levantaran las faldas a la niña para apreciar la forma de sus piernas. La pequeña tenía las pantorrillas y los muslos delgados, como su padre; pero no había deformidad.

—Tenéis razón, primo —dijo el duque—. Ésta será la mejor manera de sellar nuestra amistad.

—¡Veis! —exclamó Poitiers—. ¿No vale más esto que querellarse? De ahora en adelante quiero llamaros yerno.

Le abrió los brazos; el yerno tenía sólo treinta meses menos que el suegro.

—Vamos, hija mía, besad a vuestro prometido —dijo Felipe a la niña.

—¡Ah! ¿Es mi prometido? —preguntó la pequeña. Se irguió orgullosa, y añadió—: ¡Pero si es mayor que el delfinito!

«¡Qué buena idea tuve el mes pasado —se decía Felipe— al darle al delfín mi tercera hija, y en cambio conservar esta otra que dispone del condado!»

El duque de Borgoña tuvo que levantar a su futura esposa para que le diera en la mejilla un gran beso mojado. Tan pronto como la dejó en el suelo, la niña echó a correr en dirección al patio para anunciar orgullosamente a los otros niños:

—¡Estoy prometida! —Se interrumpieron los juegos—. Y no a un prometido pequeño como el tuyo —dijo a su hermana, señalando al hijo del delfín—. El mío es mayor, como nuestro padre. —Luego, a la pequeña Juana de Navarra, que estaba mohína y un poco apartada le informó—: Ahora voy a ser tu tía.

—¿Por qué mi tía? —preguntó la huérfana.

—Porque seré la esposa de tu tío Eudes.

Una de las hijas del conde de Valois, que sólo tenía siete años, pero que estaba enseñada para repetirlo todo, se precipitó al castillo, buscó a su padre, que conspiraba en compañía de Blanca de Bretaña y de otros señores de su partido, y le contó lo que acababa de oír. Carlos se levantó derribando el asiento y se lanzó como una flecha hacia la pieza en que se encontraba el regente.

—¡Ah, mi querido tío, sed bienvenido! —exclamó Felipe de Poitiers—. Precisamente iba a haceros llamar para que fuerais testigo de nuestro acuerdo.

Le tendió el acta que Miles de Noyers acababa de redactar de esta manera: «... para firmar aquí con todos nuestros parientes las cláusulas que acabamos de acordar con nuestro buen primo de Borgoña, y por las cuales estamos de acuerdo en todo.»

Amarga semana para el emperador de Constantino-pla, que no tuvo más remedio que capitular. Después de él, Luis de Evreux, Mahaut de Artois, el delfín de Vien-ne, Amadeo de Saboya, Carlos de la Marche, Luis de Borbón, Blanca de Bretaña, Guy de Saint-Pol, Enrique de Sully, Guillermo de Harcourt, Ansel de Joinville y el condestable Gaucher de Châtillon estamparon su firma al pie del acuerdo.

El tardío crepúsculo de julio caía sobre Vincennes. La tierra y los árboles estaban impregnados todavía del calor de la jornada. La mayor parte de los invitados se había marchado.

El regente fue a dar un paseo bajo las encinas en compañía de sus familiares más próximos, que lo habían seguido desde Lyon y habían asegurado su triunfo. Bro-meaban un poco acerca del árbol de san Luis que no lo-graban encontrar. De pronto, el regente dijo:

—Mis señores, guardo una dulce alegría en el cora-zón; mi buena esposa ha dado hoy a luz un hijo.

Respiró profundamente, con felicidad, con delicia, como si el aire del reino de Francia le perteneciera ver-daderamente.

Se sentó en la hierba. Con la espalda apoyada en un tronco, contemplaba las hojas de los árboles que se re-cortaban sobre el cielo rosado, cuando Gaucher de Châ-tillon llegó a grandes zancadas.

—Mi señor, vengo a traeros una mala noticia —dijo.

—¿Ya? —exclamó el regente.

—Vuestro primo Roberto acaba de ponerse en ca-mino hacia el Artois.

NOTAS

1. Los juguetes y juegos infantiles prácticamente no han cambiado desde la Edad Media. Había ya entonces pelotas y balones de cuero o de trapo, aros, trompos, muñecas, caballos de madera y tejos. Se jugaba a la gallina ciega, al marro, al escondite, a la cabrilla y a los títeres. Los niños de las familias ricas tenían también reproducciones a escala de yelmos de hierro ligero, cotas de malla y espadas sin filo, antecedentes de las modernas armas de soldado o de vaquero.

2. La última hija de Inés de Borgoña, Juana, casada con Felipe de Valois, futuro Felipe VI, era coja, como su primo hermano Luis I de Borbón, hijo de Roberto de Clermont.

La cojera se daba igualmente en la rama de los Anjou, ya que el rey Carlos II, abuelo de Clemencia de Hungría, tenía el apodo de el Cojo. Según una tradición, recogida por Federico Mistral en *Islas de oro*, cuando el embajador del rey de Francia, el conde de Bouville, fue a pedir en matrimonio a Clemencia en nombre de su señor, exigió que la princesa se desnudara ante él para asegurarse de que tenía las piernas rectas.

SEGUNDA PARTE

EL ARTOIS Y EL CÓNCLAVE

1

La llegada del conde Roberto

Una docena de caballeros, procedentes de Doullens y conducidos por un gigante con cota de malla del color de la sangre, atravesaron a galope el pueblo de Bouquemaison y se detuvieron en el punto más elevado del camino. Desde allí se divisaba una amplia llanura de trigales, cortada por ondulaciones del terreno y hayales, que descendía escalonadamente hacia un horizonte de bosques lejanos.

—Aquí comienza el Artois, mi señor —dijo uno de los jinetes, el señor Juan de Verennes, dirigiéndose al jefe de la tropa.

—¡Mi condado! He aquí por fin mi condado —dijo el gigante—. ¡He aquí una buena tierra que no he pisado desde hace catorce años!

El silencio de mediodía se extendía por los campos bañados por el sol. Se oía el resoplido de los caballos después del esfuerzo realizado y el revoloteo de los abejorros ebrios de calor.

Roberto se apeó rápidamente, le arrojó la brida a su criado Lormet, trepó por el talud herboso y se metió en el primer sembrado. Sus compañeros permanecieron inmóviles, respetando su solitaria alegría. Roberto avanzó con su paso de coloso entre las espigas, maduras y doradas, que le llegaban hasta el muslo. Las acariciaba con la mano, como si fueran la gualdrapa de un caballo dócil o los cabellos de una amante rubia.

—¡Mi tierra, mi trigo! —repetía.

De repente se echó en tierra, revolcándose, rodando como un loco entre las gramíneas como si quisiera confundirse con ellas; mordía las espigas, las masticaba para sacarles el sabor lechoso que tienen un mes antes de la cosecha; ni siquiera se daba cuenta de que se lastimaba los labios con las barbas del trigo. Se embriagaba de cielo azul, de tierra seca y del perfume de los tallos, haciendo él solo tantos estragos como una manada de jabalíes. Se levantó, soberbio, completamente arrugado, y se reunió con sus compañeros blandiendo un puñado de espigas arrancadas de raíz.

—Lormet —ordenó a su criado—, desabrocha mi cota, desátame el camisote de armas.[1]

Cuando Lormet cumplió la orden, deslizó el puñado de trigo bajo su camisa, en contacto con la piel.

—Juro ante Dios, mis señores —dijo con voz potente—, que estas espigas no saldrán de mi pecho hasta que haya reconquistado el último campo, el último árbol de mi condado. ¡Ahora, a la guerra!

Montó en su caballo y lo lanzó al galope.

—¿No te parece, Lormet —gritó en plena carrera—, que aquí la tierra suena mejor bajo los cascos de nuestros caballos?

—Desde luego, mi señor —respondió el asesino de corazón tierno, que compartía todas las opiniones de su dueño—. Pero lleváis suelta la cota; no corráis tanto y os la podré ajustar.

Cabalgaron así un momento. Luego la llanura descendía bruscamente y Roberto descubrió una masa de mil ochocientas corazas alineadas en una pradera, centelleantes bajo el sol, que acudían a recibirlo. Nunca hubiera creído encontrar tantos partidarios en esa cita.

—¡Ah, Varennes! ¡Buen trabajo, amigo mío! —exclamó Roberto, maravillado.

En cuanto lo reconocieron los caballeros del Artois, un inmenso clamor se elevó de sus filas.

—¡Bienvenido sea nuestro conde Roberto! ¡Larga vida a nuestro gentil señor!

Y los más entusiastas lanzaron los caballos a su encuentro; las rodilleras de hierro chocaban, las lanzas oscilaban como la mies en el campo.

—¡Ah, Caumont, Souastre! Os reconozco por vuestros escudos, compañeros —dijo Roberto.

Bajo la visera levantada del casco se veían las caras de los caballeros, chorreando sudor pero radiantes por el entusiasmo bélico. Muchos de ellos, simples señores del campo, llevaban viejas armaduras anticuadas, heredadas de sus padres o de sus abuelos, que ellos mismos habían ajustado mal a su medida. Antes de que anocheciera esas armaduras se romperían por las junturas y sus cuerpos estarían cubiertos de costras sangrantes. En previsión de esto, todos llevaban en los equipajes de sus escuderos de armas un bote de ungüento preparado por sus mujeres y tiras de tela para vendarse.

Ante Roberto se presentaban todos los ejemplos de la moda militar de un siglo, todas las formas de yelmos y cimeras; algunas de aquellas cotas de malla y gruesas espadas habían participado en la última Cruzada. Los elegantes provincianos se empenachaban con plumas de gallo, faisán o pavo real; otros iban coronados con un dragón dorado, y hasta uno de ellos había llegado a colocarse en el casco la figura de una mujer desnuda, que atraía las miradas de muchos. Todos habían pintado de nuevo sus escudos cortos, donde resplandecían en colores chillones sus blasones, sencillos o complicados según la antigüedad de cada linaje. Los más sencillos generalmente pertenecían a las familias de más rancio abolengo.

—He aquí a Saint-Venant, a Longvillers, a Nédonchel —decía Juan de Varennes, presentando los caballeros a Roberto.

—Vuestro vasallo leal, mi señor —decía cada uno en el momento en que citaban su nombre.

—Leal Nédonchel, leal Bailliencourt, leal Picquigny... —respondía Roberto al pasar ante ellos.

A unos jovenzuelos, erguidos y orgullosos de entrar en combate por primera vez, Roberto les prometió armarlos caballeros él mismo si demostraban valor en los próximos lances.

Luego decidió nombrar inmediatamente dos mariscales, como en el ejército real. En primer lugar nombró al señor de Hautponlieu, que había contribuido activamente a agrupar aquella nobleza alborotada.

—Y ahora voy a elegir. Veamos... ¡a ti, Beauval! —dijo Roberto—. El regente tiene por mariscal a un Beaumont, yo tendré a un Beauval.

Los pequeños señores a quienes complacían los juegos de palabras y los retruécanos aclamaron riendo a Juan de Beauval, que había sido designado debido a su nombre.

—Ahora, mi señor Roberto —dijo Juan de Varennes—, ¿qué ruta queréis seguir? ¿Vamos primero a Saint-Pol o bien nos dirigimos directamente a Arras? El Artois es todo vuestro; no tenéis más que elegir.

—¿Qué ruta lleva a Hesdin?

—Es ésta en la que os halláis, mi señor, que pasa por Frévent.

—Pues bien, quiero ir primero al castillo de mis padres.

Se observó un movimiento de inquietud entre los caballeros. Realmente era de lamentar que el conde de Artois, acabado de llegar, quisiera dirigirse hacia Hesdin.

El señor Souastre, el que llevaba sobre el casco la figura de una mujer desnuda, que se había hecho notar mucho en los tumultos del último otoño, dijo:

—Temo, mi señor, que el castillo no esté en condiciones de recibiros.

—¿Cómo? ¿Sigue acaso ocupado por el señor de Brosse, puesto allí por mi primo Luis X?

—No, no; hicimos huir a Juan de Brosse, pero destrozamos también un poco el castillo.

—¿Destrozado? —dijo Roberto—. ¿Lo habéis quemado?

—No, mi señor, no; los muros siguen en pie.

—Pero lo saqueasteis un poco, ¿verdad? Bien; si no es más que eso, habéis hecho bien. Cuanto sea de Mahaut, la Cerda, Mahaut, la Bribona, Mahaut, la Ramera, os pertenece, mis señores. Yo os hago partícipes de todo.

¡Cómo no querer a un señor feudal tan generoso! Los aliados vitorearon de nuevo a su gentil conde Roberto, deseándole larga vida, y el ejército de la rebelión se puso en marcha hacia Hesdin.

Al atardecer llegaron ante las catorce torres de la plaza fuerte de los condes de Artois, en la que sólo el castillo ocupaba la superficie de doce «medidas», o sea, casi cinco hectáreas.

¡Cuántos impuestos, penas y sudores había costado a la gente humilde de la comarca aquel fabuloso edificio destinado, según les habían dicho, a protegerlos de las desgracias de la guerra! Las guerras se sucedían, pero la protección se revelaba poco eficaz, y como siempre se luchaba por la posesión del castillo, la población prefería encerrarse en las casas de argamasa rogando a Dios que la tormenta pasara de largo.

En las calles no había mucha gente para festejar la llegada del señor Roberto. Los habitantes, acobardados por el saqueo de la víspera, se escondieron.

Los alrededores del castillo no eran muy agradables a la vista; la guarnición real, colgada en las almenas, comenzaba a oler a carroña. En la puerta grande, llamada de los Pollos, el puente levadizo no había sido levantado. En el interior el panorama era desolador: por todas partes se veían aves de corral muertas; de los establos llegaba el quejumbroso mugido de las vacas, y en los ladrillos que pavimentaban los patios interiores, raro lujo en aquella época, se leía la historia de la reciente carnicería en largos regueros de sangre seca.

En la residencia de la familia de Artois, cincuenta habitaciones en total, nada había sido respetado por los buenos aliados de Roberto. Todo lo que no se pudieron llevar para decorar las mansiones vecinas había sido destrozado allí mismo.

Habían desaparecido de la capilla la gran cruz de plata sobredorada y el busto de san Luis que contenía un fragmento de hueso y algunos cabellos del rey. Desapareció el gran cáliz de oro, del que se apropió Ferry de Picquigny, que poco más tarde estaba en venta en una tienda de París. Desaparecieron los doce volúmenes de la biblioteca y el ajedrez de jaspe y calcedonia. Con los vestidos, peinadores y la lencería de Mahaut los señores se habían abastecido de buenos regalos para sus amantes. Hasta se llevaron de las cocinas las reservas de pimienta, jengibre, azafrán y canela.[2]

Caminaban sobre vajilla destrozada y brocados hechos trizas; sólo se veían cortinas de lecho rasgadas, muebles quemados y tapices arrancados. Los jefes de la revuelta, un poco confusos por el destrozo que habían hecho, seguían a Roberto en su visita; pero el gigante, a cada descubrimiento que hacía, estallaba en una risa tan amplia, tan sincera, que pronto se envalentonaron.

En la sala de los escudos, Mahaut había hecho erigir, adosadas a las paredes, estatuas de piedra que representaban a los condes y condesas de Artois desde su origen hasta ella misma. Todos los rostros se parecían un poco, pero el conjunto tenía buen aspecto.

—De aquí, mi señor —dijo Picquigny—, no quisimos tocar nada.

—Pues hicisteis mal, amigo mío —respondió Roberto—, porque entre estas figuras veo al menos una que no me gusta. ¡Lormet, una maza!

Empuñó la pesada maza de guerra que le tendió su

criado, la hizo girar tres veces por encima de su cabeza y descargó un descomunal golpe sobre la efigie de Mahaut. La estatua vaciló en su pedestal, la cabeza se desprendió del cuello y fue a estrellarse contra las losas.

—¡Que le ocurra lo mismo a la verdadera cabeza, después de que todos los aliados del Artois se hayan orinado encima de ella! —exclamó Roberto. Para quien gusta de destrozar, todo es cuestión de empezar. La maza de guerra erizada de puntas se balanceaba, amenazadora, en la mano del gigante—. ¡Ah, tía bribona! Me despojasteis del Artois porque este que me engendró... —hizo saltar la cabeza de la estatua de su padre, el conde Felipe— cometió la tontería de morir antes que éste. —Y decapitó a su abuelo el conde Roberto II—. ¿Iba a vivir yo entre estas imágenes que hicisteis modelar para que os invistieran de un honor al que no teníais derecho? ¡Abajo mis antepasados! Volveremos a comenzarlo todo.

Las paredes temblaban, los trozos de piedra se esparcían por el suelo. Los barones permanecían en silencio sin respiración por aquel furor que superaba en mucho su propia violencia. ¡Cómo, cómo no obedecer ciegamente a un jefe como aquél!

Cuando terminó de descabezar a sus antepasados, el conde Roberto III lanzó la maza por las vidrieras de una ventana y dijo:

—Ahora podemos hablar cómodamente... Compañeros míos, mis leales, quiero que en todas las ciudades, prebostazgos y castellanías que vayamos a liberar del yugo de Mahaut se registren las quejas que cada uno formule contra ella, y que dicho registro recoja con toda exactitud sus maldades, con el fin de enviar un informe detallado a su yerno el señor Puertas Cerradas, porque lugar que pisa ese hombre, lugar que cierra: ciudades, cónclave, Tesoro; al señor Miope, también conocido como Felipe el Tuerto,[3] que se proclama regente y por causa del cual nos quitaron, hace catorce años, este condado, para que él pudiera enriquecerse con Borgoña. ¡Que reviente esa bestia con la garganta atada con sus tripas!

El pequeño Gerardo Kiérez, el experto en pleitos que había defendido ante el rey la causa de los barones contra Mahaut, tomó entonces la palabra y manifestó:

—Hay algo grave, mi señor, que no solamente atañe al Artois, sino a todo el reino, y apuesto que no le sería indiferente al regente que se supiera cómo murió su hermano Luis X.

—¡Por el mismísimo diablo, Gerardo! ¿También tú sospechas lo mismo que yo? ¿Tienes pruebas de que en este asunto mi tía ha puesto también su maligna mano?

—¡Pruebas, pruebas, mi señor, eso se dice pronto! Pero sí tengo una fuerte sospecha, que podría ser apoyada con testimonios. Conozco en Arras a una señora que se llama Isabel de Fériennes y a su hijo Juan, vendedores ambos de objetos de magia, que proporcionaron a cierta joven de la familia Hirson, Beatriz...

—Algún día, compañeros míos, os regalaré a esa Beatriz —dijo Roberto—. La he visto varias veces, y adivino, por su aspecto, que tiene unos reales muslos.

—Dos semanas antes de morir el rey, los Fériennes le vendieron veneno para matar ciervos. Lo que podía servir para los ciervos bien pudo servir también para el rey.

Los barones demostraron con sus risitas que apreciaban el juego de palabras.

—En cualquier caso se trataba de veneno para cornudos —exclamó Roberto—. ¡Dios guarde el alma de mi primo Luis!

Las risas subieron de tono.

—Y ello parece tanto más cierto, señor Roberto —prosiguió Kiérez—, cuanto que la señora Fériennes se jactó el año pasado de haber fabricado el filtro que hizo las paces entre el señor Felipe, a quien llamáis el Tuerto, y la señora Juana, hija de Mahaut...

—Ramera como su madre, y a quien hicisteis mal, barones míos, de no ahogar como si fuera una víbora cuando la tuvisteis a vuestra merced, aquí mismo, el pasado otoño —dijo Roberto—. Necesito a esta Fériennes y a su hijo. Prendedlos en cuanto lleguemos a Arras. Ahora vamos a comer, porque esta jornada me ha abierto mucho el apetito. Que maten el buey más gordo de los establos y que lo asen entero; que vacíen el estanque de las carpas de Mahaut y que nos traigan el vino que todavía no os hayáis bebido.

Dos horas más tarde, al caer la noche, aquella compañía estaba completamente borracha. Roberto mandó a Lormet, que se mantenía bastante bien en pie, a dar una batida por la ciudad con una buena escolta, a fin de reunir a las mujeres necesarias para contentar el humor alegre de los barones.

Lormet no se detuvo a averiguar si eran doncellas o madres de familia aquellas a quienes sacaba de la cama; con sus soldados empujó hacia el castillo a un rebaño en camisón que balaba de espanto. En las saqueadas habitaciones de Mahaut se organizó un interesante combate. Los alaridos de las mujeres enardecían a los caballeros, quienes se lanzaban al asalto como si cargaran contra infieles, rivalizando en proezas seductoras y abatiéndose hasta tres a la vez sobre el mismo botín. Roberto tomó por los cabellos a las más apetitosas, sin preocuparse en desnudarlas. Como pesaba más de cien kilos, sus conquistas casi perdían la respiración y no podían gritar. Mientras tanto, Souastre, que había perdido su hermoso casco, estaba encorvado, con los puños sobre el corazón y vomitando como gárgola durante una tormenta.

Luego, aquellos valientes empezaron a roncar; un hombre hubiera bastado entonces para degollar sin dificultad a toda la nobleza del Artois.

Al día siguiente, un ejército de piernas flojas, lenguas espesas y cerebros brumosos se puso en camino hacia

Arras. Sólo Roberto parecía tan fresco como un lucio sacado del río, lo que le ganó definitivamente la admiración de su tropa. Hicieron varios altos en el camino, porque Mahaut poseía en aquellos parajes otros castillos, cuya vista despertó el valor de los barones.

Pero cuando el día de Santa Magdalena se instaló Roberto en Arras, buscaron en vano a la señora Fériennes. Había desaparecido.

NOTAS

1. El camisote de armas era una sobretúnica de piel, tela o terciopelo a la que se cosían mallas de hierro y que reemplazó la cota de malla propiamente dicha.

Para reforzarla se le ponían por debajo unos trozos planos de metal, forjados con la forma del cuerpo y articulados como la cola de los cangrejos.

2. Mahaut redactó un minucioso informe de los robos y destrozos cometidos en su castillo de Hesdin, que recogía no menos de ciento veintinueve artículos. La condesa interpuso una demanda en el Parlamento de París para obtener una compensación, que consiguió en parte por una sentencia del 9 de mayo de 1321.

3. Se decía «tuerto» por «miope». A Felipe V lo llamaban el Largo, el Grande o el Tuerto.

2

El lombardo del Papa

En Lyon, los cardenales seguían encerrados. Se habían imaginado que iban a cansar al regente, pero su reclusión duraba ya un mes. Los setecientos hombres armados del conde de Forez continuaban montando guardia alrededor de la iglesia y del convento de los frailes dominicos; y aunque, por respeto a las formas, el conde de Savelli, mariscal del cónclave, llevaba permanentemente las llaves consigo, éstas no servían de gran cosa para abrir puertas tapiadas.

Los cardenales transgredían día tras día a la constitución de Gregorio, y con la conciencia tranquila, porque los habían obligado a reunirse a la fuerza y con violencia. No dejaban de decírselo así día tras día al conde de Forez cuando éste asomaba la cabeza encasquetada por el estrecho orificio que servía para pasar los víveres. Pero todos los días el conde de Forez se limitaba a repetir que él se veía obligado a hacer respetar la ley del cónclave. Aquel diálogo de sordos podía continuar indefinidamente.

Los cardenales ya no se alojaban juntos, como prescribía la constitución; porque aunque la nave de los jacobinos era grande, el hecho de convivir en ella casi cien personas, sobre simples brazadas de paja, se hizo pronto insoportable. Y más que nada por la pestilencia que se había originado con los calores de agosto.

—Porque Nuestro Señor nació en un establo, su vicario no ha de ser elegido necesariamente en medio de la porquería —decía un cardenal italiano.

Los prelados, por lo tanto, se trasladaron al convento, que comunicaba con la iglesia y ocupaba el mismo recinto. Expulsaron a los frailes y se colocaron, mejor o peor, de tres en tres por celda o por habitación de la hospedería, la cual, naturalmente, fue cerrada a los viajeros. Los capellanes y los pajes ocuparon los refectorios.

El régimen alimenticio decreciente ya no se aplicaba porque hubiera sido una asamblea de esqueletos. Los cardenales se hacían enviar golosinas del exterior, que, según decían, iban destinadas al abad y a los frailes. El secreto de las deliberaciones se violaba constantemente y con habilidad; cada día entraban o salían del cónclave cartas escondidas en el pan o entre los platos vacíos. La hora de la comida se había convertido en la hora del correo, y la correspondencia que pretendía arreglar la suerte de la cristiandad estaba muy manchada de grasa.

El conde de Forez había notificado todas estas infracciones al regente, que parecía alegrarse.

—Cuantas más faltas e inobservancias cometan —declaró Felipe de Poitiers—, más fácilmente podremos usarlas contra ellos cuando nos interese. Dejad pasar las misivas, pero abridlas siempre que podáis y hacedme saber su contenido.

De esta manera se enteró del fracaso de cuatro candidaturas casi inmediatamente después de presentadas: primero la de Arnaldo Nouvel, antiguo abad de Fontfroide, de quien el conde de Poitiers hizo saber claramente a través de Juan de Forez «que no encontraba a aquel cardenal bastante amigo del reino de Francia»; luego las de Guillermo de Mandagout, Arnaldo de Pelagrue y de Berenguer Frédol *el Mayor*. Gascones y provenzales se ponían la zancadilla mutuamente. Supo también que el terrible Caetani comenzaba a asquear a una parte de los italianos, incluso a su propio sobrino Stefaneschi, por la bajeza de sus intrigas y la exageración de sus calumnias.

Había llegado a proponer, medio en broma —ya se

sabía lo que él entendía por bromear—, llamar al diablo y encargarle la designación del Papa, puesto que Dios parecía haber renunciado a comunicar su elección.

A lo que Duèze, con su voz susurrante, respondió:

—No sería la primera vez, monseñor Francesco, que Satanás se sienta entre nosotros.

Cuando Caetani solicitaba una vela, se susurraba que no era para alumbrarse, sino para fundirla y conjurar un hechizo.

Hasta su inesperada reclusión, los cardenales se oponían unos a otros por razones de doctrina, prestigio o interés. Pero después de vivir juntos un mes, en la incomodidad de un espacio reducido, se odiaban por razones personales, casi físicas. Algunos descuidaban su aseo, no se lavaban ni se afeitaban, y se dejaban llevar por todas las libertades de la naturaleza. Algún candidato ya no buscaba votos prometiendo dinero o beneficios eclesiásticos, sino repartiendo su ración con los glotones, algo formalmente prohibido. Entonces corrían las denuncias de boca en boca:

—El camarlengo se ha comido tres platos del bando de...

Si los estómagos lograban satisfacerse con estas compensaciones, no ocurriría lo mismo con otros apetitos; la castidad, a la que ciertos cardenales tenían poca costumbre de someterse, comenzaba a agriar furiosamente el carácter de algunos. Entre los provenzales circulaba este comentario burlón: «De Auch está dispuesto a todo para hacer buena cara y los Colonna no le hacen ascos a nadie.»

Porque los dos Colonna, tío y sobrino, dos hombres atléticos que habrían llevado mejor la coraza que la sotana, acorralaban a los pajes por los pasillos con la promesa de una buena absolución.

No dejaban de echarse en cara antiguas quejas: «Si no hubierais canonizado a Celestino... Si no hubierais renegado de Bonifacio... Si no hubierais condenado a los templarios.»

Se acusaban mutuamente de debilidad en la defensa de la Iglesia, de ambición y de venalidad. Oyendo hablar a aquellos cardenales, se hubiera dicho que ninguno de ellos merecía siquiera una parroquia de pueblo.

Sólo Duèze parecía insensible a la incomodidad, las intrigas y la maledicencia. Desde hacía dos años había embarullado tanto las cosas entre sus colegas que ya no necesitaba mezclarse en nada, y podía dejar que sus perversas maquinaciones trabajaran por sí mismas. Frugal por naturaleza y por costumbre, la escasez de comida no le preocupaba en absoluto. Había preferido compartir su celda con los dos cardenales normandos aliados de los provenzales, Nicolás de Fréauville, antiguo confesor de Felipe el Hermoso, y Miguel del Bec, que, demasiado débiles para formar un partido, no figuraban entre los «papables». No los temían, y su instalación en compañía de Duèze no tenía aspecto de conjura. Por otra parte, Duèze veía poco a sus compañeros. A una hora fija se paseaba por el claustro del convento, apoyado generalmente en el brazo de Guccio, que no cesaba de recomendarle:

—¡Monseñor, no vayáis tan deprisa! Tengo dificultad en seguiros debido a esta pierna que me ha quedado rígida a consecuencia de mi caída en Marsella. Bien sabéis que vuestra oportunidad, si he de dar crédito a lo que oigo, será mayor cuanto más débil os crean.

—Es verdad, es verdad, dices bien —respondía el cardenal, que se esforzaba entonces por encorvar la espalda y arrastrar los pies, doblegando sus setenta y dos años.

El resto del tiempo lo dedicaba a leer o a escribir. Se había procurado lo que le era más necesario: libros, velas, y papel. ¿Le avisaban para una reunión en el coro de la iglesia? Fingía entonces dejar con pena sus trabajos, se arrastraba hasta su silla y, mientras se deleitaba escuchando las injurias y perfidias con que se abrumaban sus colegas, se contentaba con susurrar:

—Ruego a Dios, hermanos míos, ruego a Dios que nos inspire la elección más digna.

Quienes lo conocían de hacía tiempo lo encontraban cambiado. Parecía lleno de virtudes cristianas y ofrecía a todos ejemplo de benevolencia y caridad. Cuando se lo comentaban, respondía sencillamente, acompañando su murmullo con un gesto de desengaño:

—La proximidad de la muerte. Es hora ya de prepararme...

Apenas tocaba la escudilla de la comida y la hacía llevar a alguno de sus rivales. Así Guccio se acercaba con los brazos cargados al camarlengo que engordaba como buey cebado, y le decía:

—Monseñor Duèze os envía esto. Esta mañana os ha encontrado delgado.

De los noventa y seis prisioneros, Guccio era uno de los que más fácilmente se comunicaba con el exterior. Había podido establecer rápidamente un enlace con el agente de la banca Tolomei en Lyon. Por esta vía pasaban no sólo las cartas que enviaba a su tío, sino también el correo más secreto, que Duèze destinaba al regente. Esas cartas no pasaban por los platos grasientos, sino dentro de los libros indispensables para los piadosos estudios del cardenal.

En efecto, Duèze no tenía otro confidente que el joven lombardo, cuya astucia le era cada día más valiosa. Sus destinos estaban estrechamente ligados, porque uno quería salir Papa de aquel convento recalentado por el verano, y el otro deseaba dejarlo cuanto antes, bien protegido por un poderoso, para correr en auxilio de su hermosa María. Guccio, de todos modos, estaba más tranquilo en lo referente a ella desde que Tolomei le había escrito que velaba por su amor como un tío verdadero.

A comienzos de la última semana de julio, cuando Duèze vio que el cansancio extenuaba a sus colegas, hartos de calor y lanzados irremediablemente unos contra otros, decidió poner en práctica la comedia que meditaba desde hacía tiempo, preparada cuidadosamente con Guccio.

—¿He arrastrado bastante los pies? ¿He ayunado bastante? ¿Es bastante malo mi aspecto? —preguntaba a su improvisado paje—. ¿Están mis colegas bastante disgustados de sí mismos para dejarse llevar por cansancio a una decisión?

—Así lo creo, Monseñor; creo que ya están maduros.

—Entonces, mi joven compañero, comenzad a hacer trabajar vuestra lengua; por mi parte, temo acostarme y no levantarme más.

Guccio empezó por decir a los servidores de los otros cardenales que monseñor Duèze estaba muy agotado, que presentaba indicios de enfermedad y que, en vista de su mucha edad, era de temer que no saliera vivo del cónclave.

Al día siguiente, Duèze no se presentó a la reunión diaria, y los cardenales lo comentaban entre sí, propagando los rumores que Guccio había hecho circular.

Al día siguiente, el cardenal Orsini, que acababa de tener un violento altercado con los Colonna, se encontró con Guccio y le preguntó si era verdad que monseñor Duèze estaba tan débil.

—Sí, Monseñor, y estoy apenadísimo —respondió Guccio—. ¿No estáis enterado de que mi dueño incluso ha dejado de leer? Eso es como decir que le queda poco de vida. —Luego, con aquel aire de cándido atrevimiento que sabía adoptar en tales casos, añadió—: Si yo estuviera en vuestro lugar, Monseñor, sé muy bien lo que haría. Elegiría a monseñor Duèze. Así podríais salir al fin de este cónclave y reunir otro a vuestro gusto en cuanto él muera, cosa que, os lo repito, no tardará en suceder. Es una oportunidad que tal vez la semana próxima se habrá perdido.

Por la tarde, Guccio, vio a Napoleón Orsini en conciliábulo con Stefaneschi, Arberti de Prato y Guillermo de Longis, todos italianos favorables a Duèze. Al día siguiente volvió a formarse como casualmente el mismo grupo en el claustro, pero engrosado con el español Luca de Flisco, hermanastro de Jaime II de Aragón, y con Arnaldo de Pelagrue, jefe del partido gascón.

Guccio, al pasar junto a ellos, oyó decir a este último:

—¿Y si no muere?

—Sería menos malo que permanecer aquí seis meses más —respondió uno de los italianos— como nos espera si perdemos esta ocasión de elegir a un moribundo.

Guccio hizo llegar inmediatamente una carta a su tío en la que le recomendaba comprar a la compañía de los Bardi todos los créditos que ésta tenía sobre Jacobo Duèze. «Podréis obtenerlos sin dificultad a mitad de su valor, ya que al deudor se le da por muerto y el acreedor os tomará por loco. Comprad incluso a ochenta libras las cien, porque, como os digo, el negocio será bueno o yo no soy vuestro sobrino.» Además aconsejaba a Tolomei que se trasladara a Lyon lo antes posible.

El 29 de julio, el conde de Forez hizo entregar oficialmente al cardenal camarlengo una carta del regente. Para escuchar su lectura, Jacobo Duèze consintió en dejar su camastro; más que caminar, se dejó llevar a la reunión.

La carta del conde de Poitiers era severa. Detallaba todas las infracciones cometidas del reglamento de Gregorio. Recordaba su amenaza de quitar la techumbre de la iglesia. Vituperaba a los cardenales por sus discordias y les sugería, si no podían llegar a un acuerdo, conferir la tiara al más anciano de ellos. El más anciano era Jacobo Duèze.

Cuando oyó estas palabras, movió los brazos con gesto de moribundo y dijo con voz apenas perceptible:

—¡El más digno, hermanos míos, el más digno! ¿Qué ibais a hacer con un pastor que ni siquiera tiene fuerzas para andar y cuyo lugar está más bien en el cielo, si el Señor quiere acogerlo, que aquí abajo?

Se hizo llevar a su celda, se tendió sobre la cama y se puso de cara a la pared.

Al día siguiente, Duèze pareció recobrar un poco las fuerzas; un debilitamiento demasiado constante hubiera despertado sospechas. Pero al recibirse una recomendación del rey de Nápoles, que apoyaba la del conde de Poitiers, el anciano comenzó a toser de manera penosa; debía de estar muy mal cuando se había acatarrado con aquel calor tan grande.

Continuaban las negociaciones, ya que no se habían extinguido todas las esperanzas.

El conde de Forez comenzó a mostrarse más duro. Ahora hacía registrar ostensiblemente los alimentos, que además había reducido a un servicio diario, y confiscaba la correspondencia o la hacía echar de nuevo al interior.

El 5 de agosto, Napoleón Orsini había logrado inclinar hacia Duèze al temible Caetani y a otros miembros del partido gascón. Los provenzales empezaban a olfatear el perfume de la victoria.

El 6 de agosto pudo advertirse que monseñor Duèze contaba con dieciocho votos, es decir, dos más que aquella famosa mayoría absoluta que, en dos años y tres meses, nadie había podido reunir. Los últimos adversarios, viendo que se iba a hacer la elección a pesar de ellos, y temiendo que se les tuviera en cuenta su obstinación, reconocieron las grandes virtudes cristianas del cardenal obispo de Porto y se declararon dispuestos a ayudarle con sus votos.

Al día siguiente, 7 de agosto de 1316, decidieron hacer la votación. Designaron a cuatro responsables del escrutinio. Duèze se presentó, sostenido por Guccio y su segundo paje.

—Pesa menos que una pluma —murmuraba Guccio a los cardenales, que los miraban pasar y se apartaban con una deferencia que indicaba ya la elección que iban a hacer.

Minutos después era proclamado Papa por unanimidad, y sus veintitrés rivales le dedicaron una ovación.

—Puesto que vos lo queréis, señor, puesto que vos lo queréis... —susurró Duèze.

—¿Qué nombre escogéis? —le preguntaron.

—Juan... Llevaré el nombre de Juan... Juan XXII.

Guccio se adelantó para ayudar a levantarse al endeble anciano, convertido en la autoridad suprema del universo.

—No, hijo mío, no —dijo Duèze—. Me esforzaré en andar solo. ¡Quiera Dios sostener mis pasos!

Los imbéciles creyeron entonces asistir a un milagro, mientras que los demás comprendieron que habían sido engañados. Pensaban haber votado por un cadáver, y he aquí que su elegido circulaba con toda facilidad entre ellos, bullicioso y fresco como una trucha. Pero no imaginaban todavía la dura vida que les iba a deparar durante dieciocho años.

Entretanto el camarlengo había quemado en la chimenea las papeletas de la votación, cuyo humo blanco anunciaba al mundo un nuevo pontífice. Inmediatamente comenzaron a oírse golpes de pico en el muro que tapiaba la puerta principal. Pero el conde de Forez era prudente; en cuanto quitaron unas piedras, se deslizó por el hueco.

—Sí, sí hijo mío, soy yo —le dijo Duèze, que había trotado rápidamente hasta la puerta.

Entonces los albañiles terminaron de derribar la pared; abrieron las puertas y el sol, por primera vez después de cuarenta días, entró en la iglesia de los Jacobinos.

Una gran muchedumbre esperaba en el atrio: burgueses y gente del pueblo de Lyon, cónsules, señores y observadores de las cortes extranjeras, que se pusieron de rodillas cuando cardenales y conclavistas salieron en procesión. Un hombre grueso, de tez aceitunada y con un ojo cerrado, que estaba en primera fila junto al conde de Forez, cogió el borde de la túnica del Papa cuando éste pasó delante de él y se lo llevó a los labios.

—¡Tío Spinello! —exclamó Guccio Baglioni, que iba detrás del pontífice.

—¡Ah, vos sois su tío! Aprecio mucho a vuestro sobrino, hijo mío —dijo Duèze al banquero mientras le indicaba que se levantara—. Me ha servido fielmente y quiero conservarlo a mi lado. ¡Abrazadlo, abrazadlo!

Se levantó el capitán general de los lombardos y Guccio lo abrazó.

—Lo he comprado todo, como me dijiste, y a seis por diez —susurró Tolomei a su sobrino, mientras Duèze bendecía a la muchedumbre—. Este Papa nos debe ahora varios miles de libras. Buen trabajo, hijo mío. Verdaderamente eres de mi sangre.

Alguien detrás de ellos ponía una cara tan larga como los cardenales; era el señor Boccaccio, el principal viajante de los Bardi.

—¡Ah!, entonces estabas dentro, descreído —le dijo a Guccio—. De haberlo sabido no hubiera vendido los créditos.

—¿Y María? ¿Dónde esta María? —preguntó Guccio ansiosamente a su tío.

—Tu María se encuentra bien. Es tan hermosa como tú astuto, y si el pequeño lombardo que lleva dentro se parece a los dos, hará carrera en la vida. ¡Pero date prisa, muchacho! Te llama el Padre Santo.

3

Las deudas del crimen

El regente Felipe estaba empeñado en asistir a la consagración del Papa, a fin de erigirse en protector de la cristiandad.

—La elección de Duèze me ha costado esfuerzos y preocupaciones —decía—, justo es que ahora me ayude a conseguir mi gobierno. Quiero estar en Lyon para su coronación.

Pero las noticias del Artois no dejaban de ser inquietantes. Roberto había tomado sin dificultad Arras, Avesnes, Thérouanne, y seguía la conquista del territorio. Carlos de Valois lo apoyaba bajo mano desde París.

Fiel a su táctica habitual de asedio, el regente dedicó su atención a las regiones limítrofes del Artois, con el fin de evitar la propagación de la revuelta. Escribió a los barones de Picardía recordándoles los lazos de fidelidad que los ataban a la corona de Francia, haciéndoles saber cortésmente que no toleraría que faltaran a su deber, y envió a los prebostazgos un buen contingente de tropa y oficiales para vigilar la comarca. A los flamencos, que al cabo de un año aún se burlaban de la desgraciada expedición de Luis X, que había terminado con su ejército hundido en el barro, Felipe les propuso un nuevo tratado de paz en condiciones muy ventajosas para ellos.

—En el atolladero en que estamos, es necesario perder algo para salvar lo más importante —explicó el regente a sus consejeros.

El conde de Flandes aceptó y permaneció neutral en

los asuntos del condado vecino, a pesar de que su yerno, Juan de Fiennes, era uno de los primeros lugartenientes de Roberto.

De este modo, Felipe cerró prácticamente las puertas del Artois. Luego envió a Gaucher de Châtillon a negociar directamente con los jefes de los revoltosos y darles garantías sobre las buenas intenciones de la condesa Mahaut.

—Entended esto bien, Gaucher: no debéis tratar directamente con Roberto —le recomendó al condestable—, porque eso supondría reconocerle los derechos que reclama. Seguimos considerándolo al margen del Artois, tal como decidió mi padre. Vais sólo a arreglar el conflicto que enfrenta a la condesa con sus vasallos, y en el que Roberto, a nuestros ojos, nada tiene que ver.

—Mi señor, ¿deseáis verdaderamente que triunfe en todo vuestra suegra? —preguntó el condestable.

—De ningún modo, Gaucher, si ha abusado de sus derechos, como creo. La señora Mahaut es muy imperiosa y juzga que todos han nacido para servirla, hasta con el último centavo de su bolsa y la última gota de sudor. Yo quiero paz —prosiguió el regente—, y para esto es necesario que haya justicia para todos. Sabemos que la burguesía de las ciudades permanece fiel a la condesa, porque los burgueses están siempre en disputa con la nobleza, mientras que ésta ha abrazado la causa de Roberto con el fin de apoyar sus quejas. Ved, pues, si estas quejas son fundadas y procurad satisfacerlas sin que ello atente contra las prerrogativas de la corona; esforzaos, por lo tanto, en distanciar a los barones de nuestro turbulento primo, haciéndoles ver que con la justicia pueden obtener de nosotros más que de él con la violencia.

—Sois un buen negociador, mi señor; verdaderamente sois un buen negociador —dijo el condestable—. No creía que a mi edad me sería dado servir con tanto agrado a un príncipe tan prudente, que sólo tiene la tercera parte de mis años.

Paralelamente, el regente rogó al Papa, por mediación del conde de Forez, que retrasara un poco su coronación. Juan XXII, aunque tenía legítima prisa por ver confirmada su elección con la consagración, aceptó muy complacido un aplazamiento de dos semanas.

Pero al cabo de esas dos semanas los asuntos del Artois estaban lejos de solucionarse y, no pudiéndose ratificar el acuerdo con los flamencos antes del 1 de septiembre, Felipe solicitó, esta vez por medio del delfín de Vienne, un nuevo retraso de la ceremonia. Juan XXII, para sorpresa del regente, se mostró repentinamente muy firme, casi grosero, y fijó irrevocablemente la fecha del 5 de septiembre para su coronación.

Fijaba aquella fecha por imperiosas razones que se guardaba y que, por otra parte, sobrepasaban la comprensión de la mayoría. El 5 de septiembre del año 1300 había sido consagrado obispo de Fréjus; su mentor, el rey de Nápoles había sido coronado durante la primera semana de septiembre de 1309, y aquella carta falsificada con los sellos reales que le había valido la sede episcopal de Aviñón surtió efecto precisamente el 4 de septiembre de 1310.

El nuevo Papa estaba en buenas relaciones con los astros, y sabía servirse de las conjunciones solares para planificar las etapas de su ascenso.

—Si a mi señor el regente de Francia y Navarra, a quien tanto queremos —hizo responder—, los deberes del reino le impiden estar a nuestro lado en este día solemne, lo lamentaremos mucho; pero entonces, para no obligarle a hacer un largo viaje, iremos a la ciudad de Aviñón a recibir la tiara.

Felipe de Poitiers firmó el tratado con los flamencos la mañana del 1 de septiembre. La madrugada del 5 llegaba a Lyon acompañado de los condes de Valois y de La

Marche, a quienes no había querido dejar solos en París sin vigilancia, así como de Luis de Evreux.

—Nos habéis hecho cabalgar a la velocidad de un correo, sobrino —le dijo Valois echando pie a tierra.

Apenas tuvieron tiempo para ponerse las galas especialmente preparadas para la ceremonia, galas que había ordenado confeccionar el tesorero Godofredo de Fleury. El regente llevaba una túnica abierta de flor de melocotón, forrada con doscientas veintiséis pieles de marta de cibelina.

Carlos de Valois, Luis de Evreux, Carlos de la Marche y Felipe de Valois, que también asistía a la fiesta, habían recibido cada uno como regalo una túnica de camocán forrada de manera semejante.

En Lyon se apiñaba una inmensa muchedumbre para admirar el desfile.

Juan XXII llegó a caballo a la primacial de San Juan precedido por el regente de Francia. Todas las campanas de la ciudad fueron echadas al vuelo. Las riendas de la montura pontificia eran llevadas una por el conde de Evreux y la otra por el conde de La Marche. La monarquía francesa rodeaba estrechamente el papado. Seguían los cardenales, con el capelo por encima de la capucha y sujeto con cintas bajo la barbilla. Las mitras de los obispos brillaban al sol.

El cardenal Orsini, descendiente del patriciado romano, colocó la tiara sobre la cabeza de Jacobo Duèze, hijo de un burgués de Cahors.

Guccio admiraba a su dueño desde su privilegiado lugar en la catedral. El pequeño anciano de barbilla delgada y hombros estrechos, al que cuatro semanas antes se creía moribundo, soportaba sin dificultad los pesados atributos pontificales con que se lo cargaba. Los ritos faraónicos de la interminable ceremonia, que lo colocaban por encima de sus semejantes y hacían de él un símbolo de la divinidad, actuaban sobre su persona sin que él se diera cuenta, marcando en sus rasgos una majestad imprevisible, impresionante, y más evidente a medida que se desarrollaba la liturgia. Cuando le calzaron las sandalias pontificias, no pudo por menos de sonreír ligeramente.

«¡Scarpinelli! Me llamaban Scarpinelli... El cardenal de los escarpines —pensó—. Me hacían pasar por el hijo de un zapatero. ¡Ahora llevo los escarpines, Señor! Me habéis puesto tan alto que no puedo desear nada más. Sólo quiero gobernar bien vuestra Iglesia.»

Aquel hombre ambicioso, ahora que veía satisfechas todas sus ambiciones, aquel intrigante que había tenido éxito en todas sus maniobras, estaba dispuesto a ser perfecto en la suprema magistratura.

El mismo día, el regente confirió cartas de nobleza a su hermano, Pedro Duèze. La familia del Papa, según la costumbre, se convertía en noble. Pero el acta de ennoblecimiento que dictó el mismo Felipe de Poitiers, si bien estaba destinada a honrar al Padre Santo a través de su hermano, testimoniaba también la actitud y el pensamiento, muy poco tradicional, del joven príncipe en cuanto al derecho a la nobleza. «Los bienes familiares —había escrito—, la riqueza de hecho y las demás ventajas de la fortuna, nada tienen que ver con las cualidades morales y las acciones meritorias; son cosas que el azar concede tanto a quienes las merecen como a los que no, que llegan tanto a los dignos como a los indignos... Por el contrario, cada uno es hijo de sus obras y de sus propios méritos, y no tiene importancia de dónde podamos venir, ni de quién procedemos...»

Carlos de Valois temblaba de irritación al oír tales declaraciones que juzgaba subversivas y escandalosas.

Pero el regente no había hecho tan largo camino ni había dado al nuevo Papa tales muestras de estima para no obtener nada a cambio. Entre aquellos dos hombres a los que separaba medio siglo... —«Vos sois el alba, mi señor, y yo soy el atardecer», solía decir Duèze a Felipe—existía cierta afinidad y una sutil armonía. Juan XXII no olvidaba las promesas de Jacobo Duèze; ni el regente las del conde de Poitiers. En cuanto el regente le habló de los beneficios eclesiásticos, cuya primera anualidad debía ir a parar al Tesoro, el nuevo Papa hizo traer los documentos ya preparados para la firma. Pero antes de que se pusieran los sellos, Felipe tuvo una conversación en privado con Carlos de Valois.

—¿Tenéis alguna queja de mí, tío? —preguntó.

—Absolutamente ninguna, sobrino —contestó el ex emperador de Constantinopla.

¿Cómo se le dice a alguien que la única queja que se tiene de él es su existencia?

—Entonces, tío, si no tenéis ninguna queja de mí, ¿por qué me servís mal? Cuando me entregasteis las llaves de Tesoro, os aseguré que no se os pedirían cuentas, y he mantenido mi palabra. Pero vos, aun cuando me rendisteis homenaje y jurasteis fidelidad, no cumplís vuestro juramento, ya que apoyáis la causa de Roberto de Artois.

El conde de Valois hizo un gesto de negación.

—Calculáis mal, tío —prosiguió Felipe—, porque Roberto os va a salir muy caro. No tiene dinero, sus únicos ingresos son los impuestos que le proporciona el Tesoro, y acabo de cortárselos. Va, pues, a solicitaros subsidios. ¿Dónde los hallaréis, si no disponéis de las finanzas del reino? Vamos, no os encoléricéis ni digáis palabras que luego lamentaríais, porque yo sólo deseo vuestro bien. Dadme seguridades de que no ayudaréis más a Roberto, y yo, por mi parte, pediré al Padre Santo que las anatas de Valois y del Maine pasen directamente a vos y no al Tesoro.

El conde de Valois estaba dividido entre el odio y la codicia.

—¿A cuánto ascienden esas anatas? —preguntó.

—Son de diez mil a doce mil libras, tío; porque hay que añadir los beneficios que no fueron percibidos en los últimos tiempos de mi padre y durante todo el reinado de Luis.

Para Carlos de Valois, siempre endeudado, esas diez mil o doce mil libras que recibiría aquel año le llegaban milagrosamente.

—Sois un buen sobrino que comprende mis necesidades —respondió—. Voy a hablar a Roberto para que se reconcilie con vos, e indicarle que, si no consiente, le retiraré mi apoyo.

Felipe hizo el viaje de regreso en breves etapas, solventando por el camino diferentes asuntos, e hizo una última parada en Vincennes para llevar a Clemencia la bendición del nuevo Papa.

—Me siento feliz —dijo la reina— de que nuestro amigo Duèze haya tomado el nombre de Juan, ya que es el mismo que he elegido para mi hijo, por un voto que hice, durante una tempestad, en la nave que me trajo a Francia.

Parecía estar alejada de los problemas del poder e interesada únicamente en sus recuerdos conyugales o en las preocupaciones de la maternidad. La estancia en Vincennes beneficiaba su salud; tenía buen semblante y disfrutaba, en la gordura del séptimo mes, del respiro que a veces se tiene al final de los embarazos difíciles.

—Juan no es nombre para un rey de Francia —dijo el regente—. Nunca hemos tenido un Juan.

—Ya os he dicho, hermano, que hice esta promesa.

—Entonces, la respetaremos. Si tenéis un varón, se llamará Juan I.

En el palacio de la Cité, Felipe encontró a su mujer completamente feliz meciendo al pequeño Luis Felipe, que gritaba con toda la fuerza de sus ocho semanas.

Pero apenas tuvo conocimiento del regreso de su yerno, la condesa Mahaut llegó al palacio de Artois con las mangas recogidas, las mejillas encendidas y hecha una verdadera furia.

—¡Ah! ¡En cuanto vos os vais, hijo mío, todos me traicionan! ¿Sabéis qué está haciendo en el Artois vuestro bribón de Gaucher?

—Gaucher es condestable, madre, y hace poco no lo considerabais un bribón. ¿Qué os ha hecho, pues?

—¡Me ha culpado de todo! —gritó Mahaut—. ¡Me ha condenado en todo! Vuestros enviados se entienden como amigotes de juerga con mis vasallos; han declarado que yo no volveré a poner los pies en el Artois... fijaos bien, a mí, Mahaut, ¡prohibirme entrar en mi condado!, si no firmo antes que aquella maldita paz que en diciembre pasado le negué a Luis. Además, quieren que restituya no sé qué impuesto que, según ellos, he percibido indebidamente.

—Todo eso me parece justo. Mis enviados han seguido fielmente mis órdenes —respondió con calma Felipe.

La sorpresa dejó a Mahaut paralizada por un instante, con la boca abierta y los ojos desorbitados. Cuando al fin se recuperó, gritó más fuerte:

—¿Os parece justo saquear mis castillos, ahorcar a mi gente y arrasar mis cosechas? Entonces, ¿vuestras órdenes son apoyar a mis enemigos? ¡Bonita manera de pagarme lo que he hecho por vos!

En su frente latía una gruesa vena violeta.

—No veo, madre, aparte de haberme dado a vuestra hija, que hayáis hecho tanto por mí como para que deba perjudicar a mis súbditos y comprometer en provecho vuestro la paz del reino.

Mahaut vaciló brevemente entre la prudencia y el furor. Pero la palabra «mis súbditos» empleada por su yerno, que era palabra de rey, la picó como un aguijón; el secreto, que guardaba tan sabiamente desde hacía diez semanas, se le escapó en el acceso de cólera.

—¿Y haber matado a tu hermano —dijo, avanzando hacia él— no significa nada?

Felipe no se sobresaltó, ni dejó escapar ninguna exclamación; su reacción fue ir a cerrar las puertas. Corrió los cerrojos, sacó las llaves y se las puso en la cintura. No le gustaba pelear más que sobre terreno firme. Mahaut se sobrecogió de espanto, y más aún cuando vio el rostro de Felipe acercarse a ella.

—Entonces fuisteis vos —dijo—, y es verdad lo que se murmura en el reino.

Mahaut, según su costumbre, le hizo frente atacando:

—¿Y quién queríais que fuera, yerno? ¿A quién creéis deber la gracia de ser regente y de poder, tal vez un día, ceñiros la corona? ¡Vamos! No os hagáis el inocente. Vuestro hermano me confiscó el Artois; Valois los incitaba contra mí, y vos, vos estabais en Lyon buscando un Papa... Siempre ese Papa que se inmiscuye en mis asuntos como marzo en cuaresma. ¡No os hagáis el santo y digáis que me lo reprobáis! Vos no sentíais afecto por Luis, y os satisfizo que yo os proporcionara su puesto con algunas almendras garrapiñadas con cierto preparado y sin ningún peso para vuestra conciencia. ¡Pero no esperaba que fuerais para mí peor que él!

Felipe se había sentado, había cruzado sus largas manos y reflexionaba.

«Un día u otro había de llegar esto —pensaba Mahaut—. En cierto modo, tal vez haya sido mejor; ahora lo tengo en mis manos.»

—¿Lo sabe Juana? —preguntó de pronto Felipe.

—Ella no sabe nada, no son asuntos de mujeres.

—¿Quién lo sabe aparte de vos?

—Beatriz, mi dama de compañía.

—Ya es demasiado —dijo Felipe.

—¡Ah, no le hagáis nada! —exclamó Mahaut—. Su familia es poderosa.

—¡Cierto, una familia que ha hecho que os odien en

173

el Artois! ¿Y además de esa Beatriz? ¿Quién os ha pro-porcionado... el preparado, como vos decís?

—Una hechicera de Arras a la que nunca he visto, pero a quien Beatriz conoce. Fingí querer acabar con los ciervos que infestaban mi parque. Además, tuve la pre-caución de matar a muchos de ellos.

—Habría que encontrar a esa mujer... —dijo Felipe.

—¿Comprendéis ahora —prosiguió Mahaut— que no me podéis abandonar? Porque si ven que dejáis de apoyarme, mis enemigos se envalentonarán, redoblarán las calumnias...

—Maledicencias, madre, no calumnias —rectificó Felipe.

—Y si me acusan de lo que sabéis, la culpa recaerá sobre vos, porque dirán que lo he hecho en provecho vuestro, lo cual es cierto; y muchos pensarán que por or-den vuestra.

—Lo sé, madre, lo sé; ya he pensado en todo eso.

—Pensad también, Felipe, que he arriesgado la sal-vación de mi alma en esta empresa. No seáis ingrato.

Felipe dibujó una sonrisa, seguida de un estallido de cólera igualmente breve.

—¡Ah, esto ya es demasiado, madre! ¡Pronto me pe-diréis que os bese los pies por haber envenenado a mi hermano! ¡Si hubiera sabido que la regencia era a costa de esto, desde luego jamás la hubiera aceptado! Repruе-bo el asesinato; nunca es necesario matar para alcanzar los fines; es un método de mala política, y os ordeno no volver a usarlo mientras sea vuestro soberano.

Por un momento estuvo tentado de hacer justicia. Reunir el Consejo de los Pares, denunciar el crimen, y pedir el castigo... Mahaut, que lo adivinó agitado por es-tos pensamientos, pasó instantes penosos. Pero Felipe nunca se dejaba llevar por sus impulsos, aunque fueran honrados. Actuar como había imaginado era desacredi-tar a su mujer y desacreditarse a sí mismo.

¿Y qué acusaciones no lanzaría Mahaut para defenderse o para perder con ella a quien no la defendiera? Forzosamente se plantearía de nuevo el problema del reglamento de la regencia. Felipe había hecho mucho ya por el reino, y había soñado demasiado en lo que iba a hacer, para correr el riesgo de verse privado del poder. Pensándolo bien, su hermano Luis había sido un mal rey, además, un asesino... Tal vez era la voluntad de la providencia castigar al asesino con el asesinato, y poner a Francia en mejores manos.

—Dios os juzgará, madre, Dios os juzgará —dijo—. Sólo que quisiera evitar que las llamas del infierno comenzaran, por culpa vuestra, a lamernos a todos en esta vida. Tengo, pues, que pagar las deudas de vuestro crimen y, como no puedo meteros en prisión, me veo obligado, efectivamente, a apoyaros... Vuestra maquinación está bien urdida. El señor Gaucher recibirá pasado mañana otras instrucciones. No os oculto que me duele obrar así.

Mahaut quiso abrazarlo. Él la rechazó.

—Pero enteraos bien —prosiguió Felipe—: de ahora en adelante mis platos serán probados tres veces, y al primer dolor de estómago que sienta, vuestras horas de vida estarán contadas. Rogad, pues, por mi salud.

Mahaut bajó la cabeza.

—Os serviré tanto, hijo mío —dijo—, que acabaréis por tomarme afecto.

4

«Puesto que es necesario decidirnos por la guerra...»

Nadie explicó, y menos Gaucher de Châtillon, el cambio de Felipe en los asuntos del Artois. El regente, desaprobando de pronto a sus enviados, declaró inaceptable la conciliación que habían preparado y exigió la redacción de nuevos acuerdos más favorables a Mahaut. El resultado no se hizo esperar. Se rompieron las negociaciones, y quienes las mantenían en nombre del Artois, que representaban al elemento moderado de la nobleza, se unieron enseguida al clan de los exaltados. Su indignación era grande; el condestable los había engañado vilmente, su único recurso era la fuerza.

Triunfaba el conde Roberto.

—¿No os había dicho que no se podía tratar con esos traidores? —repetía a todos.

Seguido de su ejército de insurgentes, marchó de nuevo sobre Arras.

Gaucher, que se encontraba en la ciudad con sólo una pequeña escolta, apenas tuvo tiempo de huir por la puerta Péronne, mientras Roberto entraba por la de Saint-Omer con las banderas desplegadas y al son de las trompetas. Por un cuarto de hora no cayó en sus manos el condestable de Francia.

Este episodio tenía lugar el 22 de septiembre. El mismo día, Roberto dirigía a su tía la carta siguiente:

A la muy alta y noble señora Mahaut de Artois, condesa de Borgoña, de Roberto de Artois, caballero. Como os habéis arrogado injustamente mi derecho al condado de Artois, lo cual mucho me perjudica y todos los días me pesa, y no estando dispuesto a tolerarlo más, por la presente os hago saber que voy a poner las cosas en orden y a recuperar mis bienes lo antes posible.

Roberto no tenía mucha facilidad para redactar, los matices no eran su fuerte, pero estaba muy satisfecho de su epístola, ya que expresaba perfectamente lo que quería decir.

El condestable, cuando llegó a París, no estaba de un talante muy risueño y no se mordió la lengua ante el conde de Poitiers. La persona del regente no lo intimidaba; había visto nacer a aquel joven y mojar los pañales. Le habló con toda claridad, y le dijo que era una forma desconsiderada de tratar a un servidor y fiel pariente, que llevaba veinte años mandando los ejércitos del reino, enviarlo a pactar garantías que luego no se cumplían.

—Hasta ahora, mi señor, me consideraba hombre leal, cuya palabra no podía ponerse en duda. Vos me habéis hecho desempeñar el papel de embustero y de ladrón. Cuando apoyé nuestro derecho a la regencia, pensaba encontrar en vos algo de mi rey, vuestro padre, a quien dabais muestra de pareceros. Veo que me equivoqué. ¿Tanto habéis caído bajo el dominio de esa mujer que cambiáis de opinión como de cota?

Felipe se esforzó por calmar al condestable, acusándose de haber juzgado mal el asunto y de haber dado instrucciones erróneas. De nada servía transigir con la nobleza del Artois mientras no se acabara con Roberto.

Roberto constituía una amenaza para el reino, y un peligro para el honor de la familia real. ¿No era él el instigador de aquella campaña de calumnias que señalaba a Mahaut como la envenenadora de Luis X?

Gaucher se encogió de hombros.

—¿Y quién cree esas tonterías? —exclamó.

—Vos no, Gaucher, vos no —dijo Felipe—; pero otros le prestan oídos, contentos de poder perjudicarnos, y mañana dirán que yo, que vos, hemos participado en esa muerte que quieren convertir en sospechosa. Pero Roberto acaba de dar el paso en falso que yo esperaba. Ved lo que escribe a Mahaut... —Tendió al condestable una copia de la carta del 22 de septiembre, y prosiguió—: Roberto rechaza por ella la resolución que mi padre hizo dictar en 1309 por el Parlamento. Hasta hoy no hacía más que apoyar a los enemigos de la condesa, pero ahora está en rebeldía contra la ley del reino. Vais a marchar de nuevo al Artois.

—¡Ah, no, mi señor! —exclamó Gaucher—. ¡Ya me he deshonrado! He tenido que huir de Arras como un viejo jabalí ante la jauría, sin tiempo siquiera para orinar. Hacedme la gracia de elegir a otro que se ocupe de ese asunto.

Felipe se llevó la mano al mentón. «¡Si supieras, Gaucher —pensaba—, si supieras lo que siento engañarte! ¡Pero si te confesara la verdad, me despreciarías aún más!» Prosiguió, obstinado:

—Vais a marchar de nuevo al Artois, Gaucher, por afecto a mí y porque yo os lo ruego. Llevaréis con vos a vuestro pariente el señor Miles, y esta vez os acompañará una tropa nutrida de caballeros y gente de los pueblos, que engrosaréis en Picardía. Exigiréis a Roberto que comparezca ante el Parlamento a rendir cuentas de su conducta. Al mismo tiempo, daréis apoyo con dinero y hombres armados a los burgueses de las ciudades que han permanecido fieles a nosotros. Y si Roberto no se somete, decidiré entonces el modo de obligarlo de otra forma... Un príncipe es como cualquier otro hombre, Gaucher —prosiguió Felipe, poniéndole las manos sobre los hombros—; puede equivocarse al principio, pero mayor error sería obstinarse. El oficio de la corona se aprende, como todo oficio, y yo tengo que aprender todavía. Perdonadme el mal papel que os he obligado a hacer.

Nada emociona tanto a un hombre de edad como la confesión de inexperiencia hecha por un joven, sobre todo si éste es su superior jerárquico. Bajo sus párpados de tortuga, la mirada de Gaucher se veló un poco.

—¡Ah! Me olvidaba —continuó Felipe—. He decidido que seáis tutor del futuro hijo de la señora Clemencia... de nuestro rey, si Dios quiere que sea varón... y su segundo padrino, después de mí.[1]

—Mi señor, mi señor Felipe... —dijo el condestable emocionado—. Y se echó en brazos de Felipe como si de él hubiera sido la culpa.

—La madrina —añadió Felipe— hemos decidido con la señora Clemencia, para acallar las malas lenguas, que sea la condesa Mahaut.

Ocho días después el condestable reemprendía la ruta del Artois.

Roberto, como era de prever, rehusó someterse a la intimación y continuó haciendo estragos a la cabeza de su horda de hombres armados. Pero el mes de octubre no le fue propicio. Era un violento guerrero, pero mal estratega; lanzaba sus expediciones sin orden ni concierto, un día al norte, el siguiente al mediodía, según la inspiración del momento. Soldado entre soldados, condotiero entre condotieros, estaba mejor dotado para ponerse al servicio de alguien que para dirigirse él mismo. En aquel condado, que consideraba suyo, se comportaba como en territorio enemigo, y llevaba por fin la vida salvaje, peligrosa y frenética que tanto le complacía.

Disfrutaba con el temor que inspiraba su proximidad, pero no se daba cuenta del odio que dejaba a su paso. Jalonaban su ruta demasiados cuerpos colgados de los árboles, demasiados decapitados, demasiada gente enterrada viva en medio de crueles risotadas, demasiadas jóvenes violadas que conservaban en la piel la marca de las cotas de malla, demasiados incendios. Las madres amenazaban a sus hijos, para que se portaran bien, con llamar al conde Roberto; pero si se anunciaba su presencia en los alrededores, se cargaban con su chiquillería y enseguida corrían al bosque más cercano.

Las ciudades construían barricadas, los artesanos, aleccionados por el ejemplo de los pueblos flamencos, afilaban sus cuchillos, y los regidores estaban en contacto con los emisarios de Gaucher. A Roberto le gustaban las batallas en campo abierto; detestaba los asedios. ¿Los burgueses de Saint-Omer y de Calais le daban con las puertas en las narices? Se encogía de hombros, y decía: «¡Volveré otro día y os haré reventar a todos!» Y se iba a otra parte.

Pero el dinero comenzaba a escasear. Carlos de Valois no contestaba a las peticiones, y sus escasos mensajes sólo contenían buenos sentimientos y exhortaciones a la prudencia.

Tolomei, el querido banquero Tolomei, también se hacía el sordo. Estaba de viaje; sus empleados no tenían autorización... El mismo Papa intervino en el asunto; escribió personalmente a Roberto y a varios barones del Artois recordándoles sus deberes...

Luego, una mañana de finales de octubre, el regente declaró en consejo, con aquella tranquilidad que acompañaba sus decisiones:

—Nuestro primo Roberto se ha burlado demasiado tiempo de nuestro poder. Puesto que es necesario decidirnos por la guerra, tomaremos contra él la oriflama en Saint-Denis, el último día de este mes, y como está ausente el conde Gaucher, el ejército, que conduciré yo mismo, será puesto bajo el mando de nuestro tío...

Todas las miradas se dirigieron hacia Carlos de Valois, pero Felipe continuó:

—Mi señor de Evreux. De buen grado habríamos confiado esta tarea a mi señor de Valois, quien ha dado pruebas de ser un gran capitán, si no tuviera que ir a sus tierras del Maine para percibir allí las anatas de la Iglesia.

—Os lo agradezco, sobrino —respondió el conde de Valois—, porque bien sabéis que quiero a Roberto y que, aun desaprobando su rebelión, que considero una gran tontería de hombre obstinado, me hubiera disgustado llevar las armas contra él.

El ejército que reunió el regente para marchar contra el Artois no se parecía en nada al desmesurado que, dieciséis meses antes, había enfangado su hermano en Flandes. Este de ahora se componía de tropas permanentes y de levas hechas en los dominios reales. Las soldadas eran elevadas: treinta sueldos diarios al jefe de mesnada; quince sueldos al caballero, y tres al hombre de a pie. No solamente llamaron a los nobles sino también a los plebeyos. Los dos mariscales, Jean de Corbeil y Juan de Beaumont, señor de Clichy, reunieron las mesnadas. Los ballesteros de Pedro de Galard estaban ya movilizados. Hacía dos semanas que Godofredo Coquatrix había recibido secretamente instrucciones para suministrar transporte y alimentos.

El 30 de octubre, Felipe de Poitiers tomó la oriflama en Saint-Denis. El 4 de noviembre estaba en Amiens, desde donde envió a su segundo chambelán, Roberto de Gamaches, escoltado por algunos escuderos, para hacer llegar al conde de Artois la última advertencia.

NOTAS

1. Era costumbre entonces, en las familias reales y principescas, dar a los hijos varios padrinos y madrinas, a veces hasta ocho. Carlos de Valois y Gaucher de Châtillon fueron padrinos

de Carlos de la Marche, tercer hijo de Felipe el Hermoso. Mahaut fue madrina de este príncipe como lo era de otros muchos niños de su familia. Su designación para que llevara a la pila bautismal al hijo póstumo de Luis X no podía, pues, sorprender a nadie; por el contrario, no designarla hubiera indicado que había caído en desgracia.

5

El ejército del regente toma un prisionero

Se pudrían los rastrojos parduscos en los campos arcillosos y yermos. Grandes nubes oscuras surcaban el cielo de otoño y parecía que el mundo terminara allá, al final de la llanura. El viento seco que soplaba en breves ráfagas tenía un regusto a humo.

Antes del pueblo de Bouquemaison, en el mismo lugar por donde tres meses antes había entrado el conde Roberto en el Artois, se desplegó el ejército del regente en orden de batalla, y los pendones temblaban en la punta de las lanzas sobre una extensión de casi media legua.

Felipe de Poitiers, rodeado de sus oficiales de mayor rango, se encontraba en el centro, a algunos pasos del camino. Había cruzado las manos enguantadas de hierro sobre el pomo de su silla. Iba con la cabeza descubierta y, detrás de él, un escudero sostenía su yelmo.

—¿Es aquí donde te ha dicho que vendría a entregarse? —preguntó el regente a Roberto de Gamaches, que había regresado por la mañana de su misión.

—Aquí mismo, mi señor —respondió el segundo chambelán—. Ha elegido este lugar. «En el campo que está junto al mojón de la cruz», me ha dicho. Y me ha asegurado que estaría aquí a la hora tercia.

—¿Y estás seguro de que no hay otros mojones con cruz por los alrededores? Porque es capaz de jugarnos una mala pasada, de presentarse en otra parte y hacer atestiguar que yo no estaba... ¿Crees realmente que vendrá?

—Lo creo, mi señor, porque me ha parecido muy

derrotado. Le he enumerado vuestro ejército, y le he hecho ver también que monseñor el condestable ocupaba los límites de Flandes y las ciudades del norte, y que se quedaría atrapado en una tenaza, sin poder huir ni siquiera por un resquicio. Por último, le he entregado la carta de mi señor de Valois, en la que le aconseja rendirse sin lucha, porque forzosamente sería derrotado, y le dice que vos estáis tan irritado con él que se arriesga, si lo hacéis prisionero, a que le cortéis la cabeza.

El regente se inclinó ligeramente sobre el cuello del caballo. Decididamente, no le gustaba llevar la armadura de guerra, cuyas veinte libras de hierro le pesaban sobre los hombros y le impedían estirarse.

—Entonces se ha retirado con sus barones —prosiguió Gamaches—, y no sé con certeza de qué han hablado. Pero he comprendido que algunos se rebelaban mientras que otros le suplicaban que no los abandonase. Por último, se han reunido conmigo y me ha contestado lo que os he dicho, asegurándome que respeta demasiado al regente para desobedecerlo en nada.

Felipe de Poitiers seguía incrédulo. Aquella capitulación tan inmediata le inquietaba y le hacía temer una trampa.

Entornando los ojos, contemplaba el triste paisaje.

—El lugar es bastante propicio para rodearnos y atacarnos por la espalda mientras permanecemos aquí esperando. ¡Corbeil! ¡Clichy! —ordenó a sus dos mariscales—. Enviad a unos cuantos hombres a explorar por ambos lados. Que vigilen los valles y se aseguren de que no hay tropas emboscadas, ni en camino, a lo largo de nuestra ruta de retirada. Y si, sonada la tercia en el campanario que está detrás de nosotros, no se ha presentado Roberto —agregó dirigiéndose a Luis de Evreux—, nos pondremos en marcha.

Pero no tardaron en oírse gritos en las filas.

—¡Ahí viene! ¡Ahí viene!

De nuevo el regente entornó los ojos, pero no vio nada.

—Delante, mi señor —le dijeron—. Exactamente a la derecha del cuello de vuestra montura, sobre la cresta.

Roberto de Artois llegaba sin compañía, sin escudero, sin un criado siquiera. Avanzaba al paso, erguido sobre su inmenso caballo, y en su soledad parecía más grande aún de lo que era. Su alta silueta se destacaba rojiza sobre el atormentado cielo, y parecía que la punta de su lanza desgarrara las nubes.

—Presentarse así es una manera de burlarse de vos, mi señor.

—Bien, ¡que se burle! —respondió Felipe de Poitiers.

Los caballeros enviados en reconocimiento volvieron al galope y aseguraron que los alrededores estaban muy tranquilos.

—Lo creía más cruel en su desesperación —dijo el regente.

Cualquier otro, para presumir, se hubiera adelantado en solitario para acercarse a aquel hombre, igualmente solo. Pero Felipe de Poitiers tenía otro concepto de su dignidad y no era un gesto de caballería lo que quería realizar sino de rey. Esperó, pues, sin dar un paso a que Roberto, lleno de polvo y de cólera, se parara ante él.

El ejército entero contenía la respiración y sólo se oía el ruido de los frenos en la boca de los caballos.

El gigante arrojó la lanza al suelo; el regente la contempló tendida sobre los rastrojos y permaneció en silencio.

Roberto sacó de la silla el yelmo y la gran espada y los echó junto a la lanza.

El regente siguió callado; no miraba a Roberto; mantenía los ojos puestos en las armas, como si aún esperara otra cosa.

Roberto de Artois se decidió a desmontar, dio dos

pasos hacia delante y, temblando de rabia, puso por fin una rodilla en tierra y dirigió la mirada hacia el regente.

—Mi buen primo... —exclamó, abriendo los brazos. Pero Felipe lo interrumpió:

—¿No tenéis hambre, primo? —le preguntó. Y como el otro, que esperaba una gran escena con intercambio de nobles palabras y abrazo caballeresco, se quedó estupefacto, Felipe añadió—: Entonces, montad de nuevo y vayamos lo antes posible a Amiens, donde os dictaré mis condiciones para la paz. Cabalgaréis a mi lado y comeremos en ruta... ¡Héron! ¡Gamaches!, recoged las armas de mi primo.

Roberto de Artois tardaba en montar y miraba alrededor.

—¿Qué buscáis? —preguntó el regente.

—No busco nada, Felipe. Contemplo este campo para no olvidarlo —respondió Roberto de Artois. Y se llevó la mano al pecho, donde, a través de la ropa, podía palpar el saquito de terciopelo en el que había guardado, como reliquias, las espigas, ahora podridas, recogidas en aquel mismo lugar un día de verano. En sus labios se dibujó una sonrisa de altivez.

Cuando empezó a trotar junto al regente, recobró su habitual aplomo.

—Habéis reunido a un hermoso ejército, primo, para hacer sólo un prisionero —dijo en tono burlón.

—La capitulación de veinte mesnadas, primo —respondió Felipe en el mismo tono—, me causaría hoy menor placer que vuestra compañía... Pero, decidme, ¿qué os ha hecho entregaros tan rápidamente? Porque, si bien os aventajo en número, sé que no es valor lo que os falta.

—He pensado que si nos enfrentábamos íbamos a hacer sufrir a demasiados infelices.

—¡Qué sensible os habéis vuelto de repente! —exclamó Felipe de Poitiers con ironía—. No han llegado hasta mí noticias de que hayáis dado estos últimos tiempos tales pruebas de caridad.

—Nuestro Padre Santo el nuevo Papa se ha tomado el trabajo de escribirme para iluminarme.

—¡Y piadoso además! —exclamó el regente.

—Como estaba redactada en términos similares a vuestros requerimientos, he comprendido que no podía luchar a la vez contra el cielo y la tierra, y he resuelto mostrarme tan leal súbdito como cristiano.

—¡Caridad, piedad, lealtad! ¡Habéis cambiado mucho, primo!

Al mismo tiempo, Felipe, mirando de reojo la gran barbilla del gigante se decía: «Ríete, ríete. Dentro de pronto no gallearás tanto, cuando veas la paz que voy a imponerte.»

Sin embargo, ante el consejo reunido en Amiens en cuanto llegaron, Roberto mantuvo la misma actitud. Aceptó todo lo que le pedían, sin rebelarse, sin discutir. Parecía incluso que no escuchaba el pacto que le leían.

Se comprometía a devolver «todo castillo, fortaleza, señorío y todo cuanto había arrebatado y ocupado». Garantizaba la restitución de todas las plazas tomadas por sus partidarios. Concertaba con Mahaut una tregua hasta la Pascua. Para entonces, la condesa habría hecho saber su voluntad y el Consejo de los Pares se pronunciaría sobre los derechos de las dos partes. El regente, mientras tanto, gobernaría directamente el Artois y sustituiría allí los guardianes, oficiales y alcaldes que quisiera. Por último, hasta la decisión de los pares, los impuestos del condado serían percibidos por el conde de Evreux... y por el conde de Valois.

Al oír esta última cláusula, comprendió Roberto a qué precio se había comprado la capitulación de su principal aliado. Pero ni siquiera esto lo inmutó, y lo firmó todo.

Aquella excesiva sumisión comenzaba a inquietar al regente. «¿Qué golpe escondido tendrá preparado?», se decía Felipe.

Como tenía prisa por volver a París para el parto de la reina, encargó a sus dos mariscales, con una parte de las tropas a sueldo, ir a relevar en el Artois al condestable y a vigilar sobre el terreno el cumplimiento de lo tratado. Roberto asistió, sonriente, a la partida de los mariscales.

Su cálculo era sencillo. Rindiéndose en solitario, había evitado el desarme de sus tropas. Fiennes, Souastre, Picquigny y los demás continuarían su pequeña guerra de acoso y saqueo.

El regente no podría llevar a cabo todas las quincenas semejante expedición, ya que el Tesoro no lo resistiría. Roberto tenía ante sí varios meses de tranquilidad. Por el momento prefería volver a París, y encontraba muy oportuna la ocasión. Porque bien podía ocurrir que dentro de poco no hubiera ni regente ni Mahaut.

En efecto —y ése era el verdadero motivo de su sonrisa—, Roberto había logrado encontrar a la señora de Fériennes, la que había proporcionado el veneno a la condesa de Artois.

La encontró haciendo seguir a dos espías del regente, que también la buscaban. Isabel de Fériennes y su hijo fueron apresados cuando vendían el material necesario para un hechizo. Los hombres de Roberto suprimieron a los espías del regente, y ahora la bruja, después de haber hecho una bonita y completa confesión, estaba a buen recaudo en un castillo del Artois.

«Qué cara vas a poner, primo —se decía mirando a Felipe—, cuando ordene a Juan de Varennes que me traiga a esa mujer y la presente ante el Consejo de los Pares para que confiese cómo tu suegra asesinó, por cuenta tuya, a tu hermano. Ni tu querido Papa podrá hacer nada.»

El regente mantuvo a su lado a Roberto durante todo el viaje; en las paradas comían en la misma mesa; por las noches, en los monasterios o castillos reales, dormían puerta con puerta, y los numerosos servidores del regente vigilaban estrechamente a Roberto. Pero al beber, comer y dormir junto a un enemigo, nadie puede evitar cierto sentimiento de solidaridad con él; los dos primos no habían tenido nunca semejante intimidad. El regente no parecía sentir por Roberto particular rencor por las fatigas y gastos que le había ocasionado. Incluso parecía divertirse con las groseras chanzas del gigante y con su aire de falsa franqueza.

«¡Un poco más y terminará por quererme, el muy bribón! —se decía Roberto—. ¡Cómo se traga el anzuelo!»

La mañana del 11 de noviembre, cuando llegaron a las puertas de París, Felipe detuvo de repente su caballo.

—Mi buen primo, el otro día en Amiens os hicisteis responsable personalmente de la entrega a mis mariscales de todos los castillos. Ahora bien, me entero con pesar de que algunos de vuestros amigos no cumplen lo tratado y se niegan a rendir las plazas.

Sonriendo, levantó Roberto las manos con gesto de impotencia.

—Vos salisteis fiador —repitió Felipe.

—Sí, primo mío, firmé lo que vos deseasteis. Pero, como me habéis quitado todo el poder, son vuestros mariscales los que han de obligarlos a obedecer.

El regente acarició pensativamente el cuello de su noble caballo.

—¿Es verdad, Roberto, que me habéis puesto el sobrenombre de Puertas Cerradas? —inquirió.

—Es verdad, Felipe —respondió el otro, entre risas—. Porque usáis mucho de las puertas para gobernar.

—Pues bien, primo —dijo el regente—, vais a alojaros en la prisión del Châtelet, y permaneceréis allí, a puerta cerrada, hasta que sea entregado el último castillo del Artois.

Roberto, por primera vez desde su rendición, empalideció ligeramente. Todo su plan se venía abajo y la señora de Fériennes no le sería de utilidad de momento.

DEL LUTO A LA CONSAGRACIÓN

1

Una nodriza para el rey

Juan I, rey de Francia, hijo póstumo de Luis X el Obstinado, nació la noche del 13 al 14 de noviembre de 1316, en el castillo de Vincennes.

La noticia se propagó rápidamente y los señores se pusieron sus vestidos de seda. En las tabernas, los truhanes y borrachos, a quienes cualquier acontecimiento daba pie a beber, comenzaron desde mediodía a empinar el codo y a alborotar. Los comerciantes en objetos finos, orfebres, mercaderes de sedas, fabricantes de paños y pasamanería, vendedores de especias, peces raros y productos de ultramar se frotaban las manos pensando en las ventas para los festejos.

Las calles estaban de fiesta y la gente se saludaba como rejuvenecida, exclamando:

—¡Vaya, amigo mío, tenemos rey!

La alegría penetró hasta en los conventos, donde abades y superiores anunciaban y comentaban el acontecimiento.

En la hostería del convento de las clarisas, María de Cressay había traído al mundo cuatro días antes un robusto niño de más de tres kilos. Prometía ser rubio como su madre y, con los ojos cerrados, mamaba con la voracidad de un cachorro.

A cada momento, las novicias, encapuchadas de blanco, entraban en la celda de María para ver cómo cambiaba los pañales al niño, para contemplar su rostro radiante mientras daba de mamar, para mirar aquel pecho rosado, abundante, dilatado; para admirar, ellas que estaban destinadas a una virginidad definitiva, el milagro de la maternidad de forma distinta a la de las imágenes de los vitrales.

Porque, aunque alguna vez una monja caía en falta, ello no ocurría con la frecuencia que aseguraban los trovadores en sus canciones, y un recién nacido no era cosa frecuente en un convento de clarisas.

—El rey se llama Juan, como mi hijo —decía María—. Siempre fue costumbre en mi familia llamar así al primogénito.

Veía en esta coincidencia un feliz presagio. Una nueva generación de niños iba a llamarse como el rey, cosa más sorprendente en cuanto que el nombre era nuevo en la monarquía. A todos los pequeños Felipes, a todos los pequeños Luises, sucederían una infinidad de pequeños Juanes en todo el reino. «El mío es el primero», pensaba María.

El temprano crepúsculo de otoño comenzaba a caer cuando entró en la celda una joven monja.

—Señora María —dijo—, la madre abadesa os llama al locutorio. Alguien os espera.

—¿Quién?

—No lo sé, no he visto a nadie. Pero creo que vais a partir.

A María se le colorearon las mejillas.

—¡Es Guccio, es Guccio! El padre... —explicó a las novicias—. Seguro que es mi esposo que viene a buscarnos.

Se cerró el corpiño, se alisó el cabello mirándose en el cristal de la ventana que le servía de oscuro espejo, se echó la capa sobre los hombros y vaciló un momento ante la cuna colocada en el suelo. ¿Bajaría al niño para dar a Guccio la maravillosa sorpresa?

—Mirad cómo duerme el angelito —dijeron las novicias—. ¡No lo despertéis, no hagáis que se enfríe! Corred, nosotras lo cuidaremos.

—¡No lo saquéis de la cuna, no lo toquéis! —rogó María.

Al bajar por la escalera sintió una especie de inquietud maternal. «¡Con tal de que no jueguen con él y lo dejen caer!» Pero sus pies volaban hacia el locutorio y se asombraba de sentirse tan ligera.

En la blanca sala, decorada solamente con un crucifijo e iluminada por dos cirios que duplicaban cada objeto, cada forma, con una sombra inmensa, la madre abadesa, con las manos cruzadas dentro de las mangas, hablaba con la señora de Bouville.

Al ver a la mujer del curador, María experimentó algo más que una decepción; tuvo la certeza inmediata, inexplicable, absoluta, de que aquella persona enteca, de rostro surcado por arrugas verticales, le traía una desgracia.

Cualquiera menos María se hubiera contentado con pensar que no le gustaba la señora de Bouville; pero los sentimientos de María de Cressay adquirían un tinte apasionado, y concedía a sus simpatías o aversiones la fuerza de presagios. «Estoy segura de que viene a hacerme algún mal», se dijo.

Con mirada penetrante, sin benevolencia, la señora de Bouville la examinó de pies a cabeza.

—¡Hace solamente cuatro días que habéis dado a luz —exclamó— y estáis fresca y bella como una rosa! Os felicito; se diría que estáis dispuesta a volver a comenzar. Dios, en verdad, trata con mucha bondad a las que desprecian sus mandamientos, y parece reservar las penas para las más virtuosas. Porque, ¿creéis, madre mía —continuó la señora de Bouville, volviéndose hacia la abadesa—, creéis que nuestra pobre reina ha sido presa de los dolores durante más de treinta horas? Todavía tengo metidos sus gritos en los oídos. El rey no se ha presentado bien, y ha habido que aplicarle los hierros. Poco faltó para que el rey y la madre se fueran al otro mundo. Todo se debe a la congoja que ha sentido la reina por la muerte de su marido, y todavía me parece un milagro que el niño haya nacido vivo. Pero cuando se está en desgracia, no hay nada que no se tuerza. He aquí que Eudelina, la lencera... vos ya sabéis...

La abadesa asintió discretamente con la cabeza. Ella guardaba en el convento, entre las pequeñas novicias, a una niña de doce años que era hija natural de Luis el Obstinado y de Eudelina.

—Le prestaba gran ayuda a la reina y la señora Clemencia la requería sin cesar a su cabecera —continuó la señora de Bouville—. Pues bien, Eudelina se rompió el brazo al caer de un escabel y tuvieron que llevarla al hospital. Y ahora, para completar el cuadro, la nodriza que teníamos preparada desde hacía una semana se ha quedado sin leche.

»¡Hacernos esto en semejante momento! Porque, naturalmente, la reina no puede amamantar; está con fiebre. Mi pobre Hugo da vueltas, busca por todas partes, se desengaña y no sabe qué hacer, porque no son asuntos de hombre. En cuanto al señor de Joinville, al que no le queda ni vista ni memoria, lo único que se puede desear es que no expire en nuestros brazos. Dicho de otra manera, madre, que estoy sola para cuidar de todo.

María de Cressay se preguntaba por qué la hacían confidente del drama real, cuando la señora de Bouville, prosiguiendo su charla, dijo acercándosele:

—Felizmente tengo buena memoria y me he acordado de que esta joven que traje aquí debía de haber alumbrado ya... Supongo que vos criáis bien, y vuestro hijo debe de aprovecharlo, ya se ve.

Parecía reprochar a la joven madre su buena salud.

—Veámoslo de más cerca —añadió.

Y con mano experta, como si sopesara la fruta en el mercado, palpó los senos de María. Ésta retrocedió con repulsión.

—Podéis criar bien a los dos —continuó la señora de Bouville—. Vendréis pues, conmigo, mi buena muchacha, para dar vuestra leche al rey.

—¡No puedo, señora! —exclamó María, sin saber cómo justificar su negativa.

—¿Y por qué no? ¿Debido a vuestro pecado? A pesar de ello seguís perteneciendo a la nobleza, y además el pecado no os impide tener abundante leche. Será una forma de redimiros.

—¡Yo no he pecado, señora, estoy casada!

—¡Sois la única en afirmarlo, mi pobre pequeña! En primer lugar, si fuera verdad lo que decís, no estaríais aquí. Además, no se trata de eso; nos hace falta una nodriza...

—No puedo, porque precisamente espero a mi esposo, que ha de venir a recogerme. Me ha hecho saber que pronto estaría aquí, y el Papa le ha prometido...

—¡El Papa! ¡El Papa! —exclamó la mujer del curador—. ¡Esta joven ha perdido la cabeza! ¡Cree que está casada, cree que el Papa se preocupa por ella! Dejad de contarnos vuestras tonterías, no deshonréis el nombre del Santo Padre. Iréis a Vincennes de inmediato.

—No, señora, no iré —replicó María con firmeza.

La pequeña señora de Bouville se encolerizó y, agarrando a María por el vestido la sacudió.

—¡Mirad, la ingrata! Se corrompe, se deja embarazar; después me cuido de ella, la salvo de la justicia, la coloco en el mejor convento y ahora, cuando la vengo a solicitar para nodriza del rey de Francia, la necia se niega. ¡Buena pieza estáis hecha! ¿Sabéis que se os ofrece un honor que se disputarían las más grandes damas del reino?

—¿Por qué no os dirigís, entonces, a esas grandes damas que son más dignas que yo? —le espetó María.

—¡Porque las muy tontas nos han faltado en el momento oportuno! ¡Ah, qué cosas me hacéis decir! Ya hemos hablado bastante; ahora vais a venir conmigo.

Si su tío Tolomei o el conde de Bouville le hubieran hecho a María de Cressay la misma proposición, seguramente habría aceptado. Era de corazón generoso y no se habría negado a criar a un niño que lo necesitase, y menos a un hijo de la reina. El orgullo, incluso el interés, la habrían movido a la aceptación tanto como su bondad. Siendo nodriza del rey, y Guccio paje del Papa, se solucionaban sus dificultades y su fortuna estaba asegurada. Pero la mujer del curador no había enfocado bien el asunto. Debido a que era tratada no como madre feliz, sino como delincuente; no como mujer digna, sino como sierva, y debido a que seguía viendo en la señora de Bouville a una mensajera de mala suerte, María no quería reflexionar y se obstinaba. Sus grandes ojos azul oscuro brillaban de temor y de indignación.

—Guardaré mi leche para mi hijo —exclamó.

—¡Eso ya lo veremos! Ya que no queréis obedecerme de buen grado, voy a llamar a mis escuderos, que os llevarán por la fuerza.

La madre abadesa decidió intervenir. El convento era un asilo y ella no podía tolerar la violencia.

—No os digo que apruebe la conducta de mi parienta —dijo—; pero ha sido puesta bajo mi custodia...

—¡Por mí, madre! —exclamó la señora de Bouville.

—Ésa no es razón para violentarla en esta casa. María sólo saldrá si quiere o por mandato de la Iglesia.

—¡O del rey! Éste es un convento real, madre, no lo olvidéis. Actúo en nombre de mi esposo; si queréis una orden del condestable, que es tutor del rey y que acaba de regresar de París, o bien una carta del mismo regente, el señor Hugo irá a buscarla. Eso nos hará perder tres horas, pero me obedeceréis.

La abadesa se llevó aparte a la señora de Bouville para hacerle saber, en voz baja, que lo que María había dicho respecto al Papa no era completamente falso.

—¡Y qué importa! —exclamó la señora de Bouville—.

He de hacer que viva el rey y mi único recurso es ella.

Salió, llamó a su escolta y le ordenó que prendiesen a la rebelde.

—Sois testigo, señora —dijo la abadesa—, de que no he dado mi conformidad a este rapto.

María, forcejeando a lo largo del patio, entre dos escuderos que la arrastraban, gritaba:

—¡Mi hijo! ¡Quiero a mi hijo!

—Tiene razón —dijo la señora de Bouville—. Hay que dejarle llevar a su hijo. Rebelándose de esta forma, nos lo ha hecho olvidar.

Minutos más tarde, María, después de recoger apresuradamente unas ropas y apretando contra el pecho a su hijo, atravesó sollozando la puerta del convento.

—¡Vamos! —exclamó la señora de Bouville—. ¡La vienen a buscar en litera como si fuera una princesa y se pone a gritar y a resistirse!

En medio de la noche, sacudida por el trote de las mulas durante más de una hora, en una caja de madera y tapicería con las cortinas echadas por las que se filtraba el frío de noviembre, María agradecía a sus hermanos haberla obligado a ponerse su capa gruesa cuando salieron de Cressay. ¡Qué calor había pasado entonces con ella al llegar a París! «¿De todas partes he de salir con dolor y lágrimas? —se decía—. ¿Merezco tal ensañamiento?»

El pequeño dormía envuelto en los gruesos pliegues de la capa. Sintiendo aquella pequeña vida, inconsciente y tranquila, anidada junto a su pecho, María recobraba poco a poco la serenidad. Iba a ver a la reina Clemencia, le hablaría de Guccio, le mostraría el relicario. La reina era joven, bella y caritativa con los desgraciados... «¡La reina... voy a criar al hijo de la reina!», pensaba María mientras afrontaba aquella extraña e inesperada aventura que la agresiva autoridad de la señora de Bouville le había mostrado sólo bajo un aspecto odioso.

El rechinar de un puente levadizo, el sordo paso de

los caballos sobre la madera, luego el ruido seco de sus cascos sobre el empedrado de un patio... María fue invitada a bajar, pasó entre soldados armados, siguió por un corredor de piedra mal iluminado y, por último, vio aparecer a un hombre grueso en cota de malla al que conoció como el conde de Bouville. Cerca de María se cuchicheaba; oyó pronunciar varias veces la palabra «fiebre». Le indicaron por señas que caminara de puntillas.

A pesar de la enfermedad, se habían respetado las costumbres en la «habitación del parto». Pero, como había pasado la época de las flores, no habían podido extender por el suelo más que un tardío follaje amarillento que empezaba a pudrirse ya bajo los pies.

Alrededor del lecho se habían colocado asientos para los visitantes que no vendrían. Una comadrona se frotaba las manos con hierbas aromáticas. En la chimenea hervían sobre trébedes grisáceas cocciones.

De la cuna, situada en una esquina, no llegaba ningún ruido.

La reina Clemencia estaba tendida de espaldas con las piernas separadas por el dolor, y movía las sábanas continuamente. Tenía los pómulos enrojecidos y los ojos brillantes. María se fijó principalmente en la cabellera de oro esparcida sobre los cojines, y en aquella ardiente mirada que parecía no ver lo que contemplaba.

—Tengo sed, tengo mucha sed... —gemía la reina.

La comadrona susurró al oído de la señora de Bouville:

—Ha estado temblando durante una hora; le castañeteaban los dientes y tenía los labios tan pálidos como la cara de un muerto. Creíamos que se moría. Le friccionamos todo el cuerpo y ha empezado a sudar, tal como veis. Ha sudado tanto que deberíamos cambiarle la ropa, pero no encontramos las llaves del cuarto ropero, que tenía Eudelina.

—Voy a dároslas —respondió la señora de Bouville.

Llevó a María a una habitación contigua calentada también por el fuego.

—Os instalaréis aquí —dijo.

Trajeron la cuna real. Apenas se veía al rey entre tanta ropa blanca que lo envolvía. El niño tenía una nariz minúscula, párpados grandes y cerrados, y dormía, enclenque, con una extraña inmovilidad. Había que acercarse mucho para comprobar que respiraba. De vez en cuando una mueca, una dolorosa contracción, daba cierto realce a sus rasgos.

Ante aquel pequeño ser, cuyo padre había muerto y cuya madre iba a morir, y que presentaba tan pocas señales de vida, María de Cressay sintió una intensa piedad.

«Lo salvaré; lo haré grande y fuerte», pensó.

Y como sólo había una cuna, acostó a su hijo junto al rey.

2

«Dejemos que Dios decida...»

Desde hacía veinticuatro horas la condesa Mahaut no podía calmar su cólera.

Ante Beatriz de Hirson, que la ayudaba a vestirse para asistir al bautismo del rey, dio rienda suelta a su rabia y su despecho.

—¡Cabía pensar que, tal como se encontraba, Clemencia no daría a luz! Otras más fuertes abortan. ¡Pues no! ¡Ha resistido los nueve meses! ¡Podría haber alumbrado a un hijo muerto! ¡Pues nada! Su retoño vive. ¡Al menos podría haber sido niña! ¡Tampoco! Ha tenido que ser niño. ¿Valía la pena, mi pobre Beatriz, correr tantos riesgos, que todavía no han acabado, para que el destino nos juegue tan mala pasada?

Porque Mahaut estaba profundamente convencida de que había asesinado a Luis el Obstinado sólo para dar a su yerno la corona de Francia. Casi lamentaba no haber matado a la mujer al mismo tiempo que al marido, y su odio se volvía contra el recién nacido, a quien todavía no había visto; contra el bebé del que dentro de un momento sería madrina y cuya existencia, apenas empezada, frenaba sus ambiciones.

Aquella mujer, poderosa entre las poderosas, riquísima, despótica, tenía una naturaleza verdaderamente criminal. El asesinato era su medio predilecto para torcer el destino en su provecho. Le gustaba acariciar el proyecto y regalarse con el recuerdo; de él extraía la emoción de la angustia, la delectación de la astucia y la alegría de los triunfos secretos. Si el asesinato no daba el resultado apetecido, acusaba al destino de injusto en primer lugar, se compadecía luego de sí misma y, tranquilamente, se ponía a buscar una nueva cabeza que obstaculizara sus deseos y que ella pudiera abatir.

Beatriz de Hirson, anticipándose a la condesa, dijo suavemente, bajando sus largas pestañas:

—Conservo, señora, un poco de aquella buena harina que la pasada primavera nos sirvió tan bien para las almendras garrapiñadas del rey.

—Has hecho bien, has hecho bien —respondió Mahaut—; vale más estar siempre provista. ¡Tenemos tantos enemigos...!

Beatriz, a pesar de su estatura, tuvo que levantar los brazos para sujetarle el sombrero y ponerle la capa sobre los hombros.

—Vais a tener al niño en brazos, señora. Tal vez no se os presente mejor ocasión —continuó—. Ya sabéis que sólo es un poco de polvo que apenas se ve en el dedo.

Hablaba con voz suave, persuasiva, y como si estuviera ofreciendo una golosina.

—¡Ah, no! —exclamó Mahaut—. ¡Durante el bautizo no! ¡Nos traería mala suerte!

—¿De verdad lo creéis? Es un alma sin pecado que devolvéis al cielo.

—Además, Dios sabe cómo se lo tomaría mi yerno. No he olvidado la cara que puso cuando le abrí los ojos respecto al fin de su hermano, ni la frialdad con que me trata desde entonces... Hay demasiada gente que me acusa en voz baja. Ya es bastante un rey por año; aguantaremos un poco al que acaba de nacer.

Una pequeña cabalgata, casi clandestina, partió hacia Vincennes para bautizar a Juan I; los barones, que habían preparado sus atuendos a la espera de ser convocados a una gran ceremonia, gastaron energía inútilmente.

La enfermedad de la reina, el hecho de que el nacimiento hubiera acaecido fuera de París, la tristeza del invierno, la poca alegría que sentía el regente por tener un sobrino, todo ello llevó a que el bautizo se hiciera rápidamente, como una simple formalidad.

Felipe llegó a Vincennes acompañado de su esposa Juana, de Mahaut, de Gaucher de Châtillon y de algunos escuderos. Se había olvidado de avisar al resto de la familia. Por otra parte, Carlos de Valois estaba recorriendo sus feudos para recaudar fondos, el conde de Evreux seguía en Amiens con el fin de liquidar el asunto del Artois, y en cuanto a Carlos de la Marche, Felipe había tenido la víspera un vivo altercado con él: para celebrar el nacimiento del rey, pidió a su hermano la dignidad de par y el aumento de sus rentas.

—¡Eh!, hermano, ¡que no soy más que el regente! —le contestó Felipe—. Sólo el rey podrá concederos la dignidad de par... a su mayoría de edad.

Las primeras palabras de Hugo de Bouville, al recibir al regente en el patio exterior de la mansión, fueron para preguntar:

—¿Lleva alguno armas, mi señor? ¿Llevan la daga, estilete o puñal?

No se sabía si este recelo lo provocaba la gente de la escolta o los mismos padrinos.

—Bouville —respondió el regente—, no suelo ir acompañado de escuderos desarmados.

El curador, tímido pero obstinado, rogó a los escuderos que se quedaran en el primer patio. Tanto celo comenzó a molestar al regente.

—Aprecio, Bouville —dijo—, el cuidado que pusisteis en la custodia del vientre de la reina, pero ya no sois curador; ahora nos corresponde al condestable y a mí velar por el rey. Os transmitimos la tarea, pero no abuséis.

—¡Mi señor! ¡Mi señor! —balbuceó Hugo de Bouville—. No era mi intención ofenderos; pero se dicen tantas cosas en el reino... En fin, sólo quiero que veáis la fidelidad y la honradez con que cumplo mi tarea.

Se le daba mal disimular. No podía dejar de mirar a Mahaut a hurtadillas, apartando enseguida la vista.

«Decididamente, todos sospechan y desconfían de mí», pensó la condesa.

Juana de Poitiers fingió no darse cuenta de ello. Gaucher de Châtillon, que no sabía nada, calmó la tensión diciendo:

—Vamos, Hugo, que nos vamos a helar, entremos.

No fueron a la cabecera de la reina. Las noticias que dio la señora de Bouville eran muy alarmantes: la fiebre continuaba devorando a la enferma, que se quejaba de un atroz dolor de cabeza y tenía náuseas a cada instante.

—Su vientre se hincha de nuevo como si no hubiera dado a luz —explicó la señora de Bouville—. No puede conciliar el sueño, suplica que cesen las campanas que le suenan en los oídos y continuamente nos habla, no a nosotros, sino como si se dirigiera a su abuela, la señora de Hungría, o al rey Luis. Da pena ver cómo pierde la razón, y no poderla hacer callar.

Veinte años de chambelán junto a Felipe el Hermoso habían dado al conde de Bouville gran experiencia en las ceremonias reales. ¡Cuántos bautizos había preparado!

Fueron distribuidos los objetos rituales a los asistentes. Hugo de Bouville y dos hidalgos de la guardia se sujetaron al cuello largas servilletas blancas, cuyos extremos se extendían ante ellos; la primera tapaba un recipiente lleno de agua bendita; la segunda uno vacío; la tercera una copa que contenía sal.

La comadrona que había asistido al alumbramiento tomó el cepillo con el que cubriría la cabeza del niño después de la unción.

Luego avanzó la nodriza llevando al pequeño rey en sus brazos.

«¡Oh, qué joven tan hermosa!», pensó el condestable.

La señora de Bouville había encontrado para María un vestido de terciopelo rosado con adornos de piel en el cuello y los puños, y había hecho repetir muchas veces a la joven las maniobras que debía hacer. El bebé iba envuelto en una capa dos veces más larga que él, cubierta a su vez por un velo de seda violeta hasta el suelo, como una cola.

Se dirigieron hacia la capilla del castillo. Abrían la marcha varios escuderos con cirios encendidos. El senescal de Joinville iba el último, sostenido, y a pesar de ello, vacilante. Sin embargo, se mostraba menos torpe que de costumbre debido a la alegría de que el recién nacido se llamara Juan como él.

La capilla estaba llena de tapices, y la pila bautismal decorada con terciopelo morado. A un lado se veía una mesa forrada de piel de ardilla con un mantel fino y cojines de seda encima. Los braseros no bastaban para caldear el húmedo ambiente.

María puso al niño sobre la mesa para desnudarlo. Prestaba gran atención a su trabajo para evitar errores; el corazón le latía con fuerza y estaba tan emocionada que apenas distinguía las caras que había a su alrededor. ¡Cómo hubiera podido imaginar, hija repudiada por su familia, que desempeñaría un papel tan importante en el bautizo de un rey, entre el regente de Francia y la condesa de Artois! Emocionada por aquel cambio de fortuna, se sentía agradecida a la señora de Bouville, a quien ya había pedido perdón por su rebeldía de la víspera.

Mientras quitaba los pañales, oyó al condestable preguntar su nombre y procedencia; notó que se ruborizaba.

El capellán de la reina sopló cuatro veces en el cuerpo del recién nacido, como si fueran los cuatro extremos de la cruz, para expulsar de él al demonio por obra y gracia del Espíritu Santo; luego escupió en su índice y untó con saliva las ventanas de la nariz y las orejas del niño para simbolizar que no debía escuchar la voz del diablo, ni respirar las tentaciones del mundo y de la carne.

Felipe y Mahaut levantaron al pequeño rey, uno por las piernas y otro por los hombros. El regente, con sus ojos miopes, observaba con insistencia el minúsculo sexo del niño, aquel rosado gusanillo que hacía fracasar su sabia combinación sucesoria, aquel irrisorio símbolo de la ley de los varones, ínfimo pero infranqueable obstáculo entre él y la corona.

«De todas maneras —pensaba para consolarse—, seré regente durante quince años, y en quince años pueden ocurrir muchas cosas. ¿Estaré vivo dentro de quince años? ¿Vivirá el niño hasta entonces?»

Pero la regencia no es la realeza.

El niño seguía en completa calma, e incluso somnoliento durante los ritos preliminares. Sólo dejó oír su voz cuando lo sumergieron entero en el agua fría; entonces gritó con todas sus fuerzas, casi hasta ahogarse. Por tres veces, mientras los padrinos y madrinas, Gaucher, Juana de Poitiers, los Bouville y el senescal, extendían las manos por encima del pequeño cuerpo desnudo, fue sumergido primero con la cabeza en dirección al Este, luego al Oeste, al Norte y después al Sur, siguiendo la forma de la Cruz.[1]

Juan I se calmó en cuanto lo sacaron del glacial baño, y aceptó apaciblemente el crisma con el que le ungieron la frente. Lo pusieron sobre los cojines, donde María de Cressay empezó a secarlo mientras los asistentes se acercaban lo más posible a los braseros.

De repente, la voz de María de Cressay llenó toda la capilla.

—¡Señor!¡Señor! ¡Se muere! —gritó.

Todos se lanzaron a la mesa. El pequeño rey presentaba un tinte azulado, que poco a poco fue volviéndose negruzco; tenía el cuerpo rígido, los brazos crispados, la cabeza torcida, y los ojos en blanco.

Una mano invisible atenazaba aquella vida inconsciente, rodeada de la llama vacilante de los cirios y de cabezas ansiosamente inclinadas.

Mahaut oyó murmurar:

—Ha sido ella.

Levantó la vista y se encontró con las miradas del matrimonio de Bouville.

«¿Quién habrá dado el golpe para luego acusarme?», se preguntaba.

Mientras tanto, la comadrona había tomado al niño de las manos temblorosas de María y se esforzaba en reanimarlo.

—No es seguro que muera, no es seguro —dijo.

El niño siguió rígido durante casi dos minutos, que parecieron siglos; luego, bruscamente, fue agitado por violentas sacudidas que movían su cabeza en todas direcciones.

Sus miembros se retorcían; nadie imaginaba que pudiera existir fuerza tan grande en un cuerpo tan débil; la comadrona tenía que apretarlo contra sí para que no se le escapara. El capellán se santiguó como si estuviera en presencia de una manifestación diabólica y comenzó a recitar las plegarias de los agonizantes. El niño hacía muecas y babeaba, y el tinte negruzco había desaparecido para dar paso a una gélida palidez. Pareció calmarse, se orinó en el vestido de la comadrona y creyeron que se salvaba. Inmediatamente después su cabeza quedó colgando, inerte. Esta vez todos pensaron que verdaderamente había muerto.

—Corría prisa bautizarlo —dijo el condestable.

Felipe de Poitiers se quitaba de las manos la cera que le había caído de los cirios.

Y de pronto el pequeño supuesto cadáver movió los pies, lanzó unos gritos, débiles todavía, pero más bien alegres; sus labios se animaron con un movimiento de succión: el rey tenía vida y quería que lo amamantaran.

—Mucho se ha resistido el demonio a salir de su cuerpo —dijo el capellán.

—No es nada frecuente —explicó la comadrona— que a los niños se les presenten las convulsiones tan pronto. Es porque se le han aplicado los hierros; a veces ocurre esto. Además, le ha faltado durante varias horas la leche de la nodriza...

María de Cressay se sintió culpable. «Si en lugar de disputar con la señora de Bouville hubiera acudido enseguida...», pensó.

Nadie, evidentemente, lo atribuyó a la inmersión en agua fría, ni a ninguna de las taras hereditarias, demencia, cojera y epilepsia, que reaparecían bastante regularmente en la familia.

—¿Creéis que sufrirá más ataques? —preguntó Mahaut.

—Me temo que sí, señora —respondió la comadrona—. Nunca se sabe cuándo llega este mal, ni cómo acaba.

—¡Pobre pequeño! —exclamó Mahaut.

Llevaron al rey al castillo y la reunión se disolvió sin alegría.

Felipe de Poitiers no abrió los labios durante el trayecto de vuelta. En cuanto llegó al palacio, dejó que lo siguiera su suegra y se encerrase con él.

—Ha faltado poco hace un momento para que os convirtierais en rey, hijo mío —dijo Mahaut.

Felipe no respondió.

—La verdad es que, después de lo que hemos visto, nadie se extrañaría de que el niño muriera uno de estos días —prosiguió la condesa.

El regente continuaba en silencio.

—Aunque desapareciera, os veréis obligado a esperar la mayoría de edad de Juana de Navarra.

—¡Ah, no, madre mía! ¡Eso no! —respondió Felipe—. En lo sucesivo no estaremos obligados por el reglamento del pasado. La sucesión de Luis se ha cerrado y la que se plantearía sería la del pequeño Juan. Entre mi hermano y yo habría habido un rey, y yo sería el heredero de mi sobrino.

Mahaut lo miró con admiración: «¡Lo ha estado rumiando durante el bautizo!...»

—Vuestro sueño siempre ha sido llegar a rey, confesadlo, Felipe. ¡Ya de niño cortabais ramas para haceros cetros con ellas!

Felipe levantó la cabeza y sonrió. Se produjo un silencio y luego el conde de Poitiers dijo en tono grave:

—¿Sabéis, madre, que la dama de Fériennes ha desaparecido de Arras, así como los hombres que envié para raptarla y evitar que hablara? Parece que está custodiada secretamente en un castillo del Artois, y dicen que vuestros barones alardean de ello.

Mahaut se preguntó acerca del alcance de aquella información. ¿Quería solamente prevenirla contra los peligros que corría? ¿Quería demostrarle que se ocupaba de ella? ¿Era una manera de confirmar la prohibición que le había hecho de recurrir al veneno? ¿O bien, por el contrario, al hacer alusión a la proveedora le daba a entender que tenía las manos libres?

—Un nuevo ataque podría llevárselo —insistió Mahaut.

—Dejemos que Dios decida, madre, dejemos que Dios decida —dijo Felipe, dando con ello fin a la conversación.

«¿Dejar que decida Dios... o dejar que yo decida? —pensó la condesa de Artois—. Lleva su prudencia hasta el punto de evitar ensuciarse el alma, pero me ha comprendido bien... El que me va a causar más molestias es ese gordo y bobo de Hugo de Bouville.»

Desde aquel instante su imaginación comenzó a trabajar. Mahaut tenía un crimen en perspectiva, y que la

213

futura víctima fuera un recién nacido no la excitaba menos que si se hubiera tratado de un adversario más feroz.

Emprendió una cuidadosa y pérfida campaña:

—El rey no ha nacido con mucha vida —decía a todos, y describía con lágrimas en los ojos la penosa escena del bautizo—. Creímos que se nos moría, y faltó bien poco para que así fuera. Preguntad al condestable, que también estaba allí; nunca he visto al señor Gaucher, tan valiente, empalidecer de aquella manera... Todos podrán ver la debilidad del pequeño rey cuando sea presentado a los barones, como ha de hacerse. Quizás ha muerto ya y nos lo ocultan. Porque esta presentación tarda demasiado y no han dado ninguna razón. Hugo de Bouville parece oponerse, porque la desgraciada reina, ¡Dios la proteja!, empeoraría. Pero, en fin, la reina no es el rey.

Los familiares de Mahaut se encargaron de propagar el rumor.

Los barones comenzaron a alarmarse. En efecto, ¿por qué se retrasaba tanto la solemne presentación? El precipitado bautizo, los supuestos aplazamientos de Bouville, el impenetrable silencio de Vincennes... todo ello tenía un halo de misterio.

Circulaban rumores contradictorios. Se decía que el rey estaba enfermo y no querían molestarlo; que el conde de Valois lo había sacado secretamente para llevarlo a un lugar seguro. ¿La enfermedad de la reina? ¡Fingida! Ella y su hijo viajaban ya para Nápoles.

—Si ha muerto, que lo digan —murmuraban algunos.

—El regente lo ha hecho desaparecer —aseguraban otros.

—¿Quién dice eso? El regente no es de ésos. Lo que pasa es que desconfía de Carlos de Valois.

—No es el regente, es Mahaut. Está preparando alguna maquinación, si no la tiene ya en marcha. ¡Va pregonando con demasiada insistencia que el rey no sobrevivirá!

Mientras en la corte se enrarecía el ambiente con odiosas conjeturas y sospechas de infamia que a todos salpicaban, el regente permanecía impenetrable. Entregado a la administración del reino, si le hablaban de su sobrino desviaba la conversación hacia Flandes, el Artois o el cobro de los impuestos.

La mañana del 19 de noviembre, con los ánimos ya exacerbados, un nutrido grupo de barones y maestros del Parlamento fue a entrevistarse con Felipe. Le pidieron con energía, casi le exigieron, que consintiese la presentación del rey. Los que esperaban una respuesta negativa, o dilatoria, tenían ya un malévolo brillo en los ojos.

—Deseo, mis señores, tanto como vosotros esa presentación —dijo el regente—. Pero tengo yo también un opositor. Es el conde de Bouville quien se niega a ello.

Luego, volviéndose hacia Carlos de Valois, llegado la antevíspera de su condado del Maine con sus finanzas rehechas, le preguntó:

—¿Sois vos, tío, quien por interés de vuestra sobrina Clemencia impedís a Hugo de Bouville que nos muestre al rey?

El ex emperador de Constantinopla, que no comprendía a qué se debía aquella brusca ofensa, se puso colorado y exclamó:

—¡Por Dios, sobrino, qué cosas decís! ¡Nada le he impedido, ni tengo intención de hacerlo! No he visto a Hugo de Bouville ni he recibido ningún mensaje suyo desde hace varias semanas, y precisamente he regresado para esa presentación. Por el contrario, tengo un gran interés en que se haga y en que se vuelva a obrar según las costumbres de nuestros padres, lo cual, por cierto, se hace esperar demasiado.

—Entonces, mi señor —dijo el regente—, todos estamos de acuerdo... ¡Gaucher!, vos que asististeis al nacimiento de mi hermano... ¿no es la primera madrina quien ha de presentar el niño real a los barones?

—Cierto, cierto, es la madrina —respondió Carlos de Valois, vejado de que, sobre un punto del ceremonial, solicitara otra opinión que no fuera la suya—. Yo estuve en todas las presentaciones, Felipe; en la vuestra, que fue breve, ya que erais el segundo, así como en la de Luis y en la de Carlos. Siempre fue la madrina.

—Entonces —prosiguió el regente—, voy a hacer saber a la condesa Mahaut que ha de cumplir inmediatamente esta formalidad, y daré orden a Hugo de Bouville para que nos abra Vincennes. Partiremos a caballo al mediodía.

Para Mahaut era la ocasión esperada. No quiso que la ayudara a vestirse nadie más que Beatriz, y se puso una corona. El asesinato de un rey bien lo merecía.

—¿Cuánto tiempo crees que necesitan estos polvos para hacer efecto en un niño de cinco días?

—No lo sé, señora —respondió la dama de compañía—. Para los ciervos de vuestros bosques bastó una noche, pero el rey Luis resistió cerca de tres días...

—Para cubrirme, siempre me queda el recurso de esa nodriza que vi el otro día. Hermosa de verdad, pero nadie sabe su procedencia, ni quién la ha puesto allí. Sin duda los Bouville...

—Os comprendo, señora —dijo Beatriz sonriendo. Si la muerte no les parece natural, podríais acusar a esa joven y hacerla descuartizar.

—Mi reliquia, mi reliquia —dijo Mahaut con inquietud, tocándose el pecho—. ¡Ah, sí, aquí está!

Cuando salía de la habitación, Beatriz le murmuró al oído:

—Sobre todo, señora, procurad no utilizar vuestro pañuelo.

NOTAS

1. En aquella época, el bautismo siempre se celebraba al día siguiente del nacimiento.

La inmersión completa en agua fría se practicó hasta comienzos del siglo XIV. Un sínodo, celebrado en Rávena en 1313, decidió por primera vez que el bautismo podía administrarse igualmente por aspersión si había escasez de agua bendita o si se temía que la inmersión completa perjudicara la salud del niño. Sin embargo, tal práctica no desapareció por completo hasta el siglo XV.

3

La astucia de Bouville

—¡Prended fuego a la leña! —ordenó Bouville a los criados—. Encended las chimeneas, a reventar, para que se extienda el calor por los corredores.

Iba de habitación en habitación, paralizando al servicio al pretender activarlo. Corría al puente levadizo a inspeccionar la guardia, mandaba echar arena en los patios y luego la hacía barrer porque se formaba barro, inspeccionaba las cerraduras. Toda aquella agitación sólo iba destinada a engañar su propia angustia. «Va a matarlo, va a matarlo», se repetía constantemente.

En un pasillo se encontró a su mujer.

—¿Y la reina? —preguntó.

La misma mañana habían administrado a la reina Clemencia los últimos sacramentos.

Aquella mujer, cuya belleza celebraban dos reinos, estaba desfigurada, estragada por la infección. La nariz afilada, la piel amarillenta con placas rojas del tamaño de una moneda de dos libras que exhalaban un olor espantoso; su orina contenía sangre; cada vez respiraba más penosamente y se quejaba de constantes dolores en la nuca y el vientre. Deliraba.

—Son cuartanas —dijo la señora de Bouville—. La comadrona asegura que si pasa el día puede salvarse. Mahaut se ha ofrecido a mandarnos al maestro Pavilly, su médico personal.

—¡De ningún modo, de ningún modo! —exclamó Hugo—. ¡No dejaremos entrar aquí a nadie que sirva a Mahaut!

¡La madre moribunda, el hijo amenazado y más de doscientos barones a punto de llegar con sus respectivas escoltas! ¡Bonito barullo iba a montarse y qué buena ocasión para el crimen!

—El niño no puede permanecer en la habitación contigua a la de la reina —continuó el conde de Bouville—. No puedo apostar allí hombres armados para que lo protejan y es muy fácil deslizarse detrás de los tapices.

—Pues ve pensando dónde quieres ponerlo.

—En la habitación del rey. Allí se puede prohibir la entrada.

Se miraron, y ambos pensaron lo mismo: era la habitación en la que había muerto Luis el Obstinado.

—Haz que preparen esa habitación y que aviven el fuego —insistió Hugo de Bouville.

—Bien, querido, haré lo que me pides. Pero aunque pongas cincuenta escuderos a su alrededor no podrás impedir que Mahaut sostenga al rey en brazos para presentarlo.

—¡Estaré a su lado!

—Si lo ha decidido, lo matará en tus narices, mi pobre Hugo, y ni te darás cuenta. Un niño de cinco días no ofrece ninguna resistencia. Aprovechará un momento de descuido para clavarle una aguja en un punto vital de la cabeza, o le hará respirar veneno, o lo estrangulará.

—Entonces, ¿qué quieres que haga? —exclamó Bouville—. No puedes ir y decirle al regente: «¡No queremos que vuestra suegra lleve al rey porque tememos que lo mate!»

—¡No, es cierto! Sólo nos queda rogar a Dios —dijo la señora de Bouville, alejándose.

Hugo, desolado, entró en la habitación de la nodriza. María de Cressay daba de mamar a los dos niños a la vez. Voraces ambos, se aferraban a los dos senos con sus uñitas y sorbían ruidosamente. Generosa, María daba al rey el pecho izquierdo, que se creía producía más leche.

—¿Qué os ocurre, señor? Parecéis muy preocupado —dijo María.

Estaba ante ella, apoyado en su alta espada, con los mechones blanquinegros caídos sobre las mejillas, rellenando con su barriga la cota de armas como un grueso arcángel bondadoso encargado de la difícil vigilancia de un niño.

—Es tan débil nuestro pequeño señor, tan débil... —susurró él en tono de tristeza.

—No, señor, se está recuperando. Ved, casi ha alcanzado al mío. Todas esas medicinas que tomo me producen palpitaciones, pero parece que le hacen bien.[1]

Hugo de Bouville acercó la mano y acarició la cabecita en la que se formaba una rubia pelusa.

—No es un rey como los demás... —murmuró.

El viejo servidor de Felipe el Hermoso no sabía cómo expresar lo que sentía. Por lejos que se remontara en sus recuerdos e incluso en los de su padre, la monarquía, el reino, Francia, todo lo que había sido la razón de sus funciones y el objeto de su preocupación se confundía en una larga y sólida cadena de reyes adultos, fuertes, que exigían respeto y dispensaban honores.

Durante veinte años había acercado el sillón a un monarca ante quien temblaba la cristiandad. Nunca hubiese imaginado que la cadena se vería reducida con tanta rapidez a aquel bebé rosado con la barbilla manchada de leche, a aquel eslabón que podría partirse con dos dedos.

—Es verdad que ha engordado —dijo—; sin la señal que le dejaron los hierros y que ya se va borrando, apenas se distingue del vuestro.

—¡Oh, no, señor! —dijo María—. El mío pesa más. ¿No es verdad, Juan II, que pesas más? —Enrojeció de pronto, y explicó—: Como los dos bebés tienen el mismo nombre, al mío lo llamo Juan II. Tal vez no debería hacerlo.

Hugo de Bouville, por cortesía involuntaria acarició la cabeza del segundo bebé. Al hacerlo rozó los senos de María. Ésta interpretó mal el gesto y la obstinada mirada del hidalgo, y se ruborizó. «¿Cuándo dejaré de sonrojarme por cualquier cosa? —se decía—. Dar de mamar no es deshonesto ni provocativo.»

En realidad, Hugo comparaba a los dos bebés.

En ese momento entró la señora de Bouville con la ropa para vestir al rey. Su marido la llevó a un rincón y le dijo:

—Creo que he encontrado la solución.

Se hablaron en voz baja unos instantes. La señora de Bouville movía la cabeza con aire reflexivo; por dos veces miró en dirección a María.

—Pídeselo tú —dijo por fin—. A mí no me tiene mucho afecto.

Bouville se acercó a la joven.

—María, hija mía, vais a prestar un gran servicio a nuestro pequeño rey, a quien os veo tan apegada —dijo—. Nuestros barones vienen para que les sea presentado. Pero, dados los ataques que padeció durante el bautizo, tememos que el frío le sea fatal. Pensad en el efecto que produciría si empezara a retorcerse otra vez. Pronto dirían todos que tiene poca vida, como propagan sus enemigos. Nosotros los barones somos gente aguerrida, y queremos que el rey dé pruebas de robustez incluso en la más tierna edad. Vuestro niño, me lo decíais hace un momento, está más gordo y tiene mejor aspecto. Quisiéramos presentarlo en lugar del rey.

María, un poco inquieta, miró a la señora de Bouville, quien se apresuró a decir:

—No es cosa mía. Es idea de mi esposo.

—¿No es pecado, señor, hacer esto? —preguntó María confusa.

—¿Pecado, hija mía? Proteger al rey es una virtud. Y no sería la primera vez que se presentara al pueblo un niño fuerte en lugar de un heredero enclenque —afirmó Hugo de Bouville, mintiendo para lograr su propósito.

—¿No se darán cuenta?

—¿Cómo van a darse cuenta? —exclamó la señora de Bouville—. Los dos son rubios; a esa edad todos los niños se parecen, y cambian de un día para otro. ¿Quién conoce de verdad al rey? El señor de Joinville, que no ve nada; el regente, que no ve mucho, y el condestable, que es más entendido en caballeros que en recién nacidos.

—¿No se extrañará la condesa de Artois de no ver la señal de los hierros?

—¿Cómo va a verla bajo el bonete y la corona?

—Además, el día no es muy claro. Casi será necesario encender cirios —intervino Hugo de Bouville, señalando la ventana y la triste luz de noviembre.

María no opuso más resistencia. En el fondo, la idea la halagaba, y en el señor de Bouville sólo veía buenas intenciones. Sentía placer en vestir de rey a su hijo, en rodearlo de seda, en ponerle el pequeño manto azul sembrado de flores de lis doradas y el bonete al que habían cosido una corona pequeña, prendas todas del ajuar preparado antes del nacimiento.

—¡Qué hermoso va a estar mi Juanito! —decía María—. ¡Una corona, Dios mío! Tendrás que devolverla a tu rey, ¿sabes? Tendrás que devolvérsela. —Movía a su hijo como si fuera un muñeco ante la cuna de Juan I—. Ved, señor, ved a vuestro hermano de leche, a vuestro pequeño servidor que va a ocupar vuestro lugar para que no os resfriéis.

Y pensaba: «¡Cuando le cuente a Guccio todo esto! Cuando le diga que su hijo es hermano de leche del rey y que ha sido presentado a los barones...! ¡Qué extraña es nuestra vida! Pero yo no la cambiaría por ninguna otra. ¡Qué bien hice en enamorarme de él, de mi lombardo! —Su alegría se vio truncada por un largo gemido llegado de la habitación contigua—. Dios mío, la reina... Me olvidaba de la reina...»

Entró un escudero a anunciar la llegada del regente y de los barones. La señora de Bouville tomó al hijo de María en brazos.

—Lo llevo a la habitación del rey —dijo— y os lo devolveré después de la ceremonia, cuando se vaya la corte. No os mováis de aquí hasta que yo vuelva. Y si, a pesar de la guardia que vamos a poner, entra alguien, vos afirmad que el niño que tenéis es el vuestro.

NOTAS

1. Cuando un recién nacido presentaba síntomas de enfermedad, no le administraban las medicinas a él sino a su nodriza.

4

«Mis señores, ved al rey»

Los barones, que apenas cabían en la gran sala, hablaban, tosían, se revolvían y comenzaban a impacientarse por tan larga espera de pie. Los acompañantes habían invadido los corredores, para no perderse el espectáculo; en las salidas se arracimaban las cabezas.

El senescal de Joinville, a quien no habían hecho levantar hasta el último minuto para ahorrarle esfuerzos, se hallaba ante la puerta de la habitación del rey en compañía de Hugo de Bouville.

—Vos lo anunciaréis, señor senescal —dijo el señor de Bouville—. Sois el más antiguo compañero de san Luis y a vos corresponde el honor.

Enfermo de ansiedad, con la cara sudorosa, Hugo de Bouville pensaba: «Yo no podría... anunciarlo. La voz me traicionaría.»

Vio aparecer, en un extremo del oscuro corredor, a la condesa Mahaut de Artois. Gigantesca, más voluminosa aún con la corona y el pesado manto de ceremonia. Nunca le había parecido tan alta y aterradora. Se precipitó a la habitación y dijo a su mujer:

—Ha llegado el momento.

La señora de Bouville se acercó a la condesa, cuyos pasos resonaban en las losas, y le entregó el ligero fardo.

El lugar estaba oscuro; Mahaut no miró al niño de cerca. Solamente se dio cuenta de que había aumentado de peso desde el día del bautizo.

—¡Eh, nuestro pequeño rey progresa! —exclamó—. Os felicito, amiga mía.

225

—Lo cuidamos mucho, señora; no queremos incurrir en los reproches de su madrina —respondió la señora de Bouville con su mejor tono.

«Hay que decidirse —pensó Mahaut—; el niño está progresando demasiado.»

La luz que entraba por una ventana le dejó ver la cara del antiguo chambelán.

—¿Por qué sudáis tanto, señor Hugo? —le dijo—. El día no es caluroso.

—Son esos fuegos que he hecho encender... El regente no me ha dado tiempo para caldear el ambiente con anticipación.

Se midieron con la mirada y pasaron ambos un mal momento.

—Adelante, pues —dijo Mahaut, abriendo paso.

Bouville ofreció su brazo al anciano senescal, y los dos curadores se encaminaron muy despacio hacia la gran sala. Mahaut los seguía a unos pasos. Era un momento propicio y tal vez no tuviera otro. El paso lento del senescal le daba tiempo. Cierto es que había escuderos y doncellas pegados a las paredes, y que todos, desde la penumbra, tenían puestos los ojos en el niño, pero ¿quién sospecharía de un gesto tan breve y natural?

—¡Vamos! Presentémonos bien —dijo Mahaut al bebé coronado que llevaba en brazos—. Hagamos honor al reino y no babeemos. —Sacó el pañuelo de su escarcela y limpió rápidamente los labios mojados del pequeño. El conde de Bouville movió la cabeza, pero el gesto ya estaba hecho, y Mahaut, disimulando el pañuelo en el hueco de la mano, fingió arreglar el precioso manto del niño—. Estamos dispuestos —dijo.

Se abrieron las puertas de la sala y se hizo el silencio. Pero el senescal no veía a la gente que tenía ante sí.

—Anunciad, señor, anunciad —le susurró Bouville.

—¿Qué debo anunciar? —preguntó Joinville.

—¡Al rey, vamos! ¡Al rey!

—El rey... —murmuró el señor de Joinville—. Es el quinto al que sirvo, ¿sabéis?

—Cierto, cierto, pero anunciadlo —repitió nerviosamente Hugo de Bouville.

Mahaut, detrás de ellos, enjugó por segunda vez, para mayor seguridad, la boca del niño.

El señor de Joinville, tras aclararse la garganta con algunos carraspeos, se decidió a pronunciar con voz grave y bastante clara:

—¡Mis señores, ved al rey! ¡Ved al rey, mis señores!

—¡Viva el rey! —respondieron los barones, dejando escapar el grito que retenían desde el entierro de Luis X el Obstinado.

Mahaut fue directamente al regente y a los miembros de la familia real que lo rodeaban.

—Sí, es agraciado, tiene buen aspecto, está gordo... —comentaban los barones a su paso.

—¿Quién decía que era enclenque y que no duraría? —murmuró Carlos de Valois a su hijo Felipe.

—¡Vamos! La estirpe de Francia es siempre aguerrida —dijo Carlos de la Marche imitando a su tío.

El hijo del lombardo se comportaba bien, incluso demasiado bien para los deseos de Mahaut. «¿No podría gritar y retorcerse un poco?», pensaba. Y, disimuladamente, intentaba pellizcarle a través del manto. Pero los pañales eran gruesos y el niño sólo emitía un ronroneo bastante alegre. Parecía gustarle el espectáculo que se ofrecía a sus ojos azules, completamente abiertos. «¡El pequeño bribón! Dentro de unos minutos se pondrá a cantar. Esta noche ya cantará menos... a no ser que el polvo de Beatriz se haya desvanecido...»

Del fondo de la sala se elevaron gritos:

—¡No lo vemos; queremos admirarlo!

—Tomad, Felipe —dijo Mahaut a su yerno entregándole el bebé—; vos que tenéis los brazos más largos, enseñad el rey a sus vasallos.

Tomó el regente al pequeño Juan por el torso y lo levantó por encima de la cabeza para que todos lo pudieran contemplar a gusto. De repente, Felipe notó que le corría por las manos un líquido viscoso y caliente. El niño, atacado por el hipo, vomitaba la leche que había mamado media hora antes y que había adquirido un color verdoso mezclada con bilis; su cara cobró el mismo color y luego pasó a un tono oscuro, indefinible, inquietante, mientras echaba la cabeza hacia atrás. Una gran exclamación de angustia y decepción se elevó de la multitud de los barones.

—¡Señor, señor —exclamó Mahaut—, le vuelven los ataques!

—Tomadlo —dijo con viveza Felipe, devolviéndole el niño como si fuera un objeto peligroso.

—¡Lo sabía! —dijo una voz.

Era Hugo de Bouville. Estaba rojo y su mirada colérica iba de la condesa al regente.

—Sí, teníais razón, Bouville —dijo este último—; era demasiado pronto para presentar a este niño enfermo.

—Lo sabía... —repitió Hugo de Bouville.

Pero su mujer le tiró de la manga para evitar que no cometiera una tontería irreparable. Sus miradas se encontraron y Hugo se calmó. «¿Qué he estado a punto de hacer? Estoy loco —pensaba—, tenemos al rey verdadero.»

Aun cuando lo había preparado todo para desviar el crimen sobre otra cabeza, no había previsto nada para el caso de que éste se cometiera verdaderamente.

También Mahaut se quedó asombrada. No esperaba que el veneno produjera tan rápido efecto.

—¡Calmaos, calmaos! —exclamó, intentando sonar tranquilizadora—. También el otro día creímos que se moría y luego ya veis cómo se recuperó. Son cosas propias de los niños, desagradables, pero que duran poco. ¡La comadrona! ¡Que vayan a buscar a la comadrona! —agregó, arriesgándose, para demostrar su buena voluntad.

El regente mantenía las manos sucias apartadas del cuerpo; las miraba con miedo y disgusto y no osaba tocar nada. El bebé presentaba un color azulado y se ahogaba. En el desorden y confusión que siguieron, nadie supo bien lo que hacía, ni cómo ocurrieron las cosas. La señora de Bouville se lanzó hacia la habitación de la reina pero, llegada a la puerta, se detuvo bruscamente. «Si llamo a la comadrona verá que no tiene la señal de los hierros y se dará cuenta del cambio —pensó—. ¡Sobre todo que no le quiten el bonete, que no se lo quiten!» Y volvió corriendo mientras la asistencia se dirigía a la habitación del rey.

Ya no era necesaria la presencia de ninguna comadrona. Envuelto aún en su manto bordado de flores de lis, con su corona de muñeco ladeada sobre la frente, los ojos amoratados, los pañales mojados y las entrañas corroídas, yacía el niño sobre el inmenso lecho cubierto de seda. El bebé que acababan de presentar a todos como el rey de Francia había dejado de existir.

5

Un lombardo en Saint-Denis

Y ahora, ¿qué harían?, se preguntaban los señores de Bouville. Estaban atrapados en su propia trampa.

El regente no prolongó mucho su estancia en Vincennes. Reunió a los miembros de la familia real y les rogó que lo escoltaran hasta París para celebrar consejo inmediatamente. En el momento en que iniciaba su partida, Hugo de Bouville tuvo un arranque de valor.

—¡Mi señor...! —exclamó, tomando por la brida la montura del regente.

—Sí, sí, Bouville —lo interrumpió Felipe—, os agradezco que participéis de nuestro pesar. Creedme que nada os reprochamos. Es la ley de la humana naturaleza. Os haré llegar mis órdenes para los funerales.

Y picando al caballo, partió al galope del puente levadizo. A semejante marcha, los que lo acompañaban poco podían dedicarse a reflexionar.

Lo siguieron la mayoría de los barones. Sólo quedaron unos pocos, los menos importantes, los desocupados, que se reunieron, en pequeños grupos, a comentar el suceso.

—Ves —decía Hugo de Bouville a su mujer—, tendría que haber hablado entonces. ¿Por qué me detuviste?

Estaban de pie, cerca de una ventana, hablando en voz baja, temerosos incluso de compartir sus pensamientos.

—¿Y la nodriza? —prosiguió Bouville.

—Vigilada. La he llevado a mi habitación, he cerrado con llave y dos hombres guardan la puerta.

—¿No sospecha nada?

—No.

—Bien, habrá que decírselo.

—Esperemos a que se hayan ido todos.

—¡Debería haber hablado! —repitió Bouville.

Le remordía la conciencia por no haber seguido el primer impulso. «Si hubiera gritado la verdad ante todos los barones, si les hubiera presentado la prueba en ese momento...», se decía. Para ello requería otro carácter, ser un hombre del temple del condestable, por ejemplo, y sobre todo no obedecer a su mujer cuando le tiraba de la manga...

—¿Cómo íbamos a suponer que Mahaut daría tan bien el golpe y que el niño moriría a la vista de todos?

—En el fondo —murmuró Bouville—, lo mejor hubiera sido presentar al verdadero y dejar que se cumpliera el destino.

—¡Ah, ya te lo había dicho!

—Sí, lo confieso, la idea fue mía... Y era mala.

Porque ahora, ¿quién les creería? ¿Cómo y a quién iban a confesar que habían engañado a la asamblea de los barones poniendo una corona sobre la cabeza de un hijo de nodriza? Su acto constituía un sacrilegio.

—¿Sabéis a qué nos arriesgamos si no guardamos silencio? —dijo la señora de Bouville—. A que Mahaut nos haga envenenar.

—Estoy convencido de que ella ha actuado de acuerdo con el regente. Cuando se limpió el vómito del niño de las manos, tiró el trapo al fuego. Lo vi... —Su mayor preocupación ahora era su propia seguridad—. ¿Y el aseo del niño? —continuó Bouville.

—Lo he hecho yo misma con una de mis mujeres, mientras tú acompañabas al regente —respondió la señora de Bouville—. Ahora lo vigilan cuatro escuderos. Por ese lado no hay que temer.

—¿Y la reina?

He prohibido a todos que le hablen, para no agravar su estado, que, por otra parte, parece nublar su entendimiento. Y he ordenado a las comadronas que no se aparten de su lecho.

Poco después llegó de París el chambelán Guillermo de Seriz para comunicar a Bouville que el regente acababa de hacerse reconocer como rey por los tíos, hermanos y pares presentes. El consejo había sido breve.

—En cuanto a los funerales por su sobrino —dijo el chambelán—, nuestro señor Felipe ha decidido que se hagan cuanto antes, a fin de no afligir al pueblo durante demasiado tiempo con esta nueva desgracia. No se expondrá el cuerpo. Como hoy es viernes y no se puede inhumar en domingo, el cadáver será llevado a Saint-Denis mañana. El embalsamador ya está en camino. Os dejo, señor, porque el rey me ha ordenado que regrese enseguida.

Bouville lo dejó marchar sin más comentarios. «El rey... el rey...», pensaba.

El conde de Poitiers era rey; un pequeño lombardo iba a ser llevado a Saint-Denis... y Juan I vivía.

Bouville fue a reunirse con su mujer.

—Han reconocido a Felipe —le dijo—. ¿Qué va a ser de nosotros con este rey en las manos?

—Hay que hacerlo desaparecer.

—¡Ah, no! —exclamó Bouville, indignado.

—¡No se trata de eso! ¡Estás perdiendo el juicio, Hugo! —replicó la señora de Bouville—. Quiero decir que es necesario ocultarlo.

—Pero nunca podrá reinar.

—Al menos vivirá. Y tal vez un día... ¡Quién sabe!

—¿Y dónde? ¿A quién confiarlo sin despertar sospechas? En primer lugar, necesita el cuidado de una madre.

—La nodriza... Sólo la nodriza puede sernos de utilidad —dijo la señora de Bouville—. Vamos a hablar con ella.

Estuvieron inspirados al esperar la partida de los últimos barones antes de confesar a María de Cressay que su hijo había muerto, porque el alarido de ésta atravesó las paredes de la mansión. A quienes lo oyeron les dijeron que lo había proferido la reina. Incluso Clemencia, en medio de su inconsciencia, se incorporó en el lecho y preguntó:

—¿Qué ocurre?

Hasta el anciano senescal de Joinville despertó de su sopor y se estremeció.

—Están matando a alguien —dijo—. He oído un grito como si degollaran a una persona.

Mientras tanto, María repetía incansablemente:

—¡Quiero verlo! ¡Quiero verlo! ¡Quiero verlo!

Hugo de Bouville y su mujer se vieron obligados a asirla con todas sus fuerzas para impedir que se lanzara, fuera de sí, a buscarlo por el castillo.

Pasaron dos horas intentando calmarla, consolarla y, sobre todo, justificarse repitiendo cien veces explicaciones que ella no entendía.

El conde de Bouville le aseguraba que no había querido aquello, que era la obra criminal de la condesa Mahaut... Las palabras se grababan inconscientemente en la memoria de María, de donde surgirían más tarde; pero, por el momento, carecían de significado.

Dejó de llorar por un instante, miró fijamente hacia delante y luego, de repente, empezó a aullar como un perro apaleado.

Los señores de Bouville creyeron que perdería la razón. Agotaron todos los argumentos; gracias a aquel sacrifico involuntario María había salvado al verdadero rey de Francia, al descendiente de una ilustre estirpe...

—Sois joven —decía la señora de Bouville—, tendréis otros hijos. ¿Qué mujer no ha perdido en su vida al menos un hijo de pecho?

Y le citaba los gemelos de Blanca de Castilla, que habían nacido muertos, y todos los pequeños fallecidos de la familia real desde hacía tres generaciones. Entre los Anjou, los Courtenay, los Borgoña, los Châtillon, los propios Bouville, ¡cuántas madres enlutadas que, sin embargo, acabaron siendo felices, rodeadas de una numerosa prole! De los doce o quince hijos que una mujer traía al mundo era corriente que sólo sobreviviera la mitad.

—Sin embargo, os comprendo —continuaba la señora de Bouville—. Es más duro tratándose del primero.

—¡No, no lo comprendéis! —gritaba María entre sollozos—. ¡A ése... a ése no podré reemplazarlo jamás!

El bebé que acababan de matar era hijo del amor, nacido de un deseo más violento y de una fe más fuerte que todas las leyes del mundo y todas sus obligaciones; era el sueño por el que había pagado el precio de dos meses de ultrajes y cuatro de convento, el regalo perfecto que se disponía a ofrecer al hombre que había elegido, la milagrosa planta en la que había esperado que florecieran, cada día de su vida, sus amores movidos y maravillosos.

—¡No, no podéis comprender! —gemía—. A vos no os han expulsado de vuestra familia por un hijo. ¡No, no tendré otro!

Cuando se empieza a describir la desgracia, a exponerla en términos inteligibles, es que ya se ha aceptado.

Al desgarro, al abatimiento casi físico, sucede lentamente la segunda fase del dolor: la contemplación descarnada.

—¡Lo sabía, sabía que me esperaba una desgracia cuando no quería venir! —exclamó María. La señora de Bouville no se atrevía a contestar—. ¿Qué dirá Guccio cuando lo sepa? ¿Cómo voy a explicárselo?

—¡No debe saberlo nunca, hija mía! —exclamó la señora de Bouville—. Nadie debe saber que el rey vive, porque quienes han fallado el golpe no vacilarán en intentarlo por segunda vez. Vos misma os halláis en peligro, ya que estabais de acuerdo con nosotros. Es preciso que guardéis el secreto hasta que se os autorice a revelarlo. —Y susurró a su marido—: Vete a buscar los Evangelios.

Cuando Bouville volvió con el grueso libro que sacó de la capilla, consiguieron que María pusiera la mano sobre él y jurara guardar silencio absoluto, incluso en confesión, sobre el drama que acababa de desarrollarse. Sólo Bouville o su mujer podrían levantar el juramento prestado.

En el estado en que se encontraba, María aceptó jurar todo lo que le pedían. Bouville le prometió una pensión. Pero, ¡qué le importaba el dinero!

—Y ahora es preciso que cuidéis al rey de Francia, hija mía, y digáis que es vuestro hijo —agregó la señora de Bouville.

María se rebeló. No quería volver a tocar al niño por quien habían asesinado al suyo. No quería seguir en Vincennes; quería huir a cualquier parte y morir.

—Estad segura de que moriréis pronto si abrís a boca. Mahaut no tardará en haceros envenenar o apuñalar.

—Os prometo que nada diré. ¡Pero dejadme, dejadme partir!

—Partiréis, partiréis. Pero no dejéis morir a este niño. Bien veis que tiene hambre. Dadle de mamar al menos hoy —dijo la señora de Bouville poniéndole en brazos al hijo de la reina.

Cuando María lo apretó contra el pecho, su llanto se redobló.

—Cuidad de él, será como vuestro —insistía la señora de Bouville—. Y cuando llegue el momento de que ocupe el trono, vos recibiréis grandes honores. Seréis su segunda madre.

No eran los hipotéticos honores prometidos por la mujer del curador lo que podía convencer a María, sino la presencia de aquella pequeña vida que tenía en sus brazos y a la que iba a transferir, inconscientemente, sus impulsos maternales.

Posó los labios sobre la cabeza del niño y, con ademán mecánico, abrió su corpiño murmurando:

—No, no puedo dejarte morir, mi pequeño Juan, mi pequeño Juan...

Los señores de Bouville suspiraron de alivio. Habían ganado, al menos provisionalmente.

—No ha de estar mañana aquí cuando vengan a llevarse a su hijo —dijo la señora de Bouville en voz muy baja a su marido.

Al día siguiente, María, postrada y dejando que la señora de Bouville tomara todas las decisiones, fue llevada con el niño al convento de las clarisas.

La señora de Bouville explicó a la madre abadesa que la muerte del rey había debilitado la mente de María y que no debía tener en cuenta las locuras que pudiera hacer o decir.

—Nos asustó su estado, daba alaridos y no reconocía ni a su propio hijo.

La señora de Bouville exigió que la joven no recibiera ninguna visita, ni de hermanas ni novicias del convento, y que la dejaran en la más absoluta calma.

—Si alguien pregunta por ella, no lo dejéis entrar y avisadme enseguida.

El mismo día fueron llevados a Vincennes dos paños de oro con flores de lis, dos paños de Turquía bordados con las armas de Francia y nueve metros y medio de seda negra, para el entierro del primer rey de Francia llamado Juan.

Fue, efectivamente, a un niño llamado Juan a quien colocaron en una caja tan pequeña que no creyeron necesario transportarla en un coche fúnebre, sino simplemente en la albarda de una mula.

El maestro Godofredo de Fleury, tesorero de palacio, anotó en el registro el coste de las exequias, que as-

237

cendió a ciento once libras, diecisiete sueldos y ocho denarios. Fue el sábado 20 de noviembre de 1316.

No hubo largo cortejo, ni ceremonia en Notre-Dame. Se dirigieron a Saint-Denis, donde inmediatamente después de la misa se practicó la inhumación. Al pie de la estatua yaciente de Luis X, todavía blanca y con la piedra recién tallada, habían abierto una estrecha fosa; allí depositaron, entre los huesos de los soberanos de Francia, al hijo de María de Cressay, señorita de Île-de-France y de Guccio Baglioni, mercader de Siena.

Adam Héron, primer chambelán de la casa real, se acercó al borde de la pequeña tumba y, mirando a su dueño Felipe de Poitiers, exclamó:

—¡El rey ha muerto! ¡Viva el rey!

Había empezado el reinado de Felipe V el Largo; Juana de Borgoña se convertía en reina de Francia y triunfaba Mahaut de Artois.

Solamente tres personas en el reino sabían que vivía el verdadero rey. Una de ellas había jurado sobre los Evangelios guardar el secreto, y las otras dos temblaban sólo de pensar que dicho secreto fuera revelado.

6

Francia en manos firmes

Para conquistar el trono, Felipe V había utilizado, dentro de las instituciones monárquicas, un viejo recurso que en el lenguaje moderno se llama golpe de Estado.

Investido de las principales funciones reales y gracias a la autoridad de su persona y al apoyo de sus entusiastas partidarios, había hecho ratificar por la asamblea de julio un reglamento sucesorio que sería favorable para él en un futuro, pero sólo al cabo de mucho tiempo y tras el cumplimiento de las cláusulas previas. Con la desaparición del pequeño rey, viendo el momento propicio, inmediatamente y contraviniendo la norma que él mismo había establecido, Felipe se apropió de la corona sin respetar plazos ni condiciones previas.

Un poder obtenido en semejantes condiciones forzosamente tenía que verse amenazado, por lo menos al principio.

Ocupado en consolidar su posición, apenas tuvo tiempo Felipe de saborear su victoria ni de recrearse en su sueño realizado. La cumbre que acababa de ocupar era demasiado estrecha.

Las rumores corrían por todo el reino; las sospechas se propagaban. La mano dura del rey era bastante conocida y, quienes corrían peligro de verse alcanzados por ella, se unieron alrededor del duque de Borgoña.

Éste corrió a París para impugnar la designación de su futuro suegro. Exigió que se convocara el Consejo de los Pares y que se reconociera a Juana de Navarra como reina de Francia.

Felipe, para asegurarse la regencia, había sacrificado el condado de Borgoña; para conservar el trono, ofreció escindir las coronas de Francia y de Navarra, recientemente unidas, y dejar el pequeño reino pirenaico a la dudosa hija de su hermano.

Pero si Juana era considerada digna de reinar en Navarra, ¿por qué no igualmente en Francia? Así lo entendía el duque Eudes y por eso rehusó la proposición. Habría pues que recurrir a la fuerza.

Eudes partió al galope hacia Dijon, desde donde divulgó, en nombre de su sobrina, una llamada a todos los señores del Artois y de Picardía, de Brie y de Champaña, invitándolos a desobedecer al usurpador.

Se puso en contacto con el mismo fin con el rey Eduardo II de Inglaterra, quien, a pesar de los esfuerzos de su mujer Isabel, se apresuró a añadir leña al fuego tomando partido por los borgoñones. En toda escisión que surgía en el reino de Francia veía el rey inglés la posibilidad de emancipar Guyena.

«¿Para esto llegué a denunciar el adulterio de mis cuñadas?», pensaba la reina Isabel.

Al verse amenazado por el norte, el este y el suroeste, cualquier otro menos Felipe el Largo probablemente hubiera soltado la presa. Pero el nuevo rey sabía que disponía de varios meses de plazo. El invierno no era época para batallas; sus enemigos tendrían que esperar hasta la primavera para poner en pie de guerra sus ejércitos. Lo que más le urgía a Felipe era hacerse coronar para adquirir la indeleble dignidad de la consagración.

En un principio quiso fijar la ceremonia para la Epifanía; el día de Reyes le parecía de buen augurio. Le hicieron ver que los burgueses de Reims no tendrían tiempo de prepararlo todo y concedió un aplazamiento de tres días. La corte saldría de París el 1 de enero y la consagración se efectuaría el día 9, domingo.

Desde Luis VIII, primer rey no elegido en vida de su

predecesor, nunca se había visto a un heredero del trono ir a Reims con tanta precipitación.

Pero la consagración religiosa le parecía insuficiente a Felipe; quería añadirle algo que impresionara de otra manera al pueblo.

Frecuentemente había meditado acerca de las enseñanzas de Egidio Colonna, preceptor de Felipe el Hermoso, hombre que había formado el pensamiento del Rey de Hierro y cuyo tratado sobre los principios de la realeza contenía frases como ésta: «En honor a la verdad, sería preferible que el rey fuera elegido; sólo los apetitos corruptos de los hombres y su manera de actuar hacen preferible la herencia a la elección.»

—Quiero ser rey con el consentimiento de mis súbditos —dijo Felipe el Largo—; sólo así me sentiré verdaderamente digno de gobernarlos. Y puesto que me falta el apoyo de algunos grandes, concederé la palabra a los humildes.

Su padre le había enseñado el camino al convocar, en momentos difíciles de su reinado, asambleas en las que todas las clases, todos los «estados» del reino tenían representación. Decidió que se celebrarían dos asambleas de esta clase, más nutridas todavía que las precedentes, una en París para los que hablaban la lengua de oil, otra en Bourges para los languedocianos, dentro de las semanas siguientes a la consagración. Y pronunció las palabras «Estados Generales».

Se encargó a los legistas la preparación de los textos que se presentarían a la aprobación de los estados, de forma que Felipe constara como escogido y designado por el pueblo entero. Adoptaron, naturalmente, los argumentos del condestable... El reino era demasiado noble para caer en manos de mujer. Se apoyaron, peregrinamente, en el hecho de que entre el venerado san Luis y la señora Juana de Navarra existían tres sucesores intermedios, mientras que entre san Luis y Felipe sólo había dos. Lo que con toda razón hizo exclamar a Carlos de Valois: «En ese caso, ¿por qué no yo, a quien sólo mi padre me separa de san Luis?»

Y luego en fin, los consejeros del Parlamento, aguijoneados por Miles de Noyers, exhumaron, con bastante desconfianza, el viejo código de costumbres de los francos salios, anterior a la conversión de Clovis al cristianismo. Este código no contenía nada relativo a la transmisión del poder real. Era una recopilación bastante tosca de jurisprudencia civil y criminal, poco inteligible además, ya que tenía más de ocho siglos. Estipulaba brevemente que las tierras de una herencia debían repartirse a partes iguales entre los herederos varones. Sólo eso.

No fue preciso más para que algunos doctores en derecho secular construyeran sobre ello su demostración. La corona de Francia sólo podía pasar a los varones puesto que implicaba posesión de tierras. Y la mejor prueba de que el código sálico se había aplicado desde su origen era el hecho de que desde un principio sólo habían reinado hombres. De esta manera, Juana de Navarra podía quedar eliminada sin tener que recurrir a la acusación de bastardía, imposible de probar.

Los doctores eran maestros en sus galimatías. A nadie se le ocurrió objetar que la dinastía merovingia no procedía de los salios, sino de los sicambros y de los brúcteros, y en aquel momento nadie fue a consultar aquella famosa ley sálica, que se inventó pretendiendo referirse a ella y que iba a hacer fortuna en la historia después de haber arruinado el reino con una guerra de cien años.

Ciertamente, el adulterio de Margarita de Borgoña costaría bien caro a Francia.

Sin embargo, por el momento, el poder central no se dormía. Felipe reorganizaba ya la administración, convocaba a consejo a los grandes burgueses y creaba su cuerpo de caballeros para recompensar a los que le habían servido sin tregua desde su época de Lyon.[1]

Recompró a Carlos de Valois la casa de la moneda de Le Mans, y otras diez más repartidas por toda Francia. En adelante, la moneda que circularía por el reino de Francia sería acuñada sólo por el rey.

Recordando las ideas de Juan XXII cuando éste no era más que el cardenal Duèze, Felipe preparó una reforma del sistema de multas y de derechos de cancillería. Los notarios entregarían todos los sábados al Tesoro las sumas recaudadas y el registro de las actas quedaría sujeto a las tarifas decretadas por la Cámara de Cuentas.

Lo mismo hizo con las aduanas, los prebostazgos, las capitanías de las ciudades y las oficinas de recaudación. Los abusos y malversaciones, corrientes desde la muerte del Rey de Hierro, fueron duramente reprimidos. En todas las capas de la sociedad, en toda actividad nacional, en los tribunales de justicia, en los puertos, en los mercados y ferias se dejó sentir que Francia estaba de nuevo en manos firmes... ¡Unas manos de veinticinco años!

La fidelidad no se consigue sin dádivas. Felipe pagó su afianzamiento con gran generosidad.

El viejo senescal de Joinville se había hecho llevar a su castillo de Wassy, donde había declarado que quería morir. Sabía que su fin estaba próximo. Su hijo Ansel, que no había dejado a Felipe desde los últimos días de Lyon, dijo un día a este último:

—Mi padre me ha asegurado que en Vincennes pasaron cosas extrañas cuando murió el pequeño rey, y han llegado a sus oídos inquietantes rumores.

—Lo sé, lo sé —respondió Felipe—. También a mí me parecieron sorprendentes ciertos hechos ocurridos aquellos días. ¿Queréis que os dé mi opinión, Ansel? No puedo hablar mal de Hugo de Bouville porque no tengo pruebas, pero me pregunto si su capacidad no era muy inferior a la tarea que se le encomendó. ¡Mostraba tanta agitación, escuchaba tanta palabra vana! Su desordenada prudencia ha dado lugar a suposiciones... De todas maneras, ya es demasiado tarde... —Hizo una pausa, y agregó—: Ansel, he ordenado que el Tesoro os entregue una donación de cuatro mil libras en prueba de mi gratitud por la ayuda que siempre me habéis prestado. Y si, tal como creo, el día de la consagración mi primo el duque de Borgoña no se encuentra en Reims para anudar mis espuelas, os encargaréis vos de ello. Sois caballero suficientemente noble para hacerlo.

Para remachar las bocas, siempre ha sido el oro el mejor metal; pero Felipe sabía que con ciertos hombres es necesario trabajar un poco la soldadura.

Quedaba por arreglar el asunto de Roberto de Artois. Felipe se felicitaba de haber tenido en prisión a su peligroso primo durante los últimos acontecimientos. Pero no podía tenerlo indefinidamente en el Châtelet. Generalmente una coronación va acompañada de actos de clemencia y concesiones de gracia. Ante los apremios de Carlos de Valois, Felipe fingió comportarse como buen príncipe.

—Lo haré por complaceros, tío —dijo Felipe—; será puesto en libertad... —Dejó la frase en suspenso como si estuviera calculando—. A los tres días de mi salida para Reims —agregó—, y no podrá alejarse de París más de veinte leguas.

NOTAS

1. Los *chevaliers poursuivants*, caballeros pretendientes, creación de Felipe V al principio de su reinado, eran nombrados por el rey para acompañarlo y aconsejarle; debían permanecer junto a él en todos los desplazamientos, aunque no todos a la vez.

Entre ellos había parientes próximos del monarca como

los condes de Valois, de Evreux, de La Marche y de Clermont; grandes señores como los condes de Forez, de Boulogne, de Saboya, de Saint-Pol, de Sully, de Harcourt y de Comminges; funcionarios de alto rango de la corona como el condestable, los mariscales, el jefe de los ballesteros y otros personajes, miembros del consejo privado o «consejo de gobierno», legistas, administradores del Tesoro, burgueses ennoblecidos y amigos personales del rey. Entre ellos cabe destacar los nombres de Miles de Noyers, Giraud Guette, Guy Florent, Guillermo Flotte, Guillermo Courteheuse, Martín des Essarts y Ansel de Joinville. Estos caballeros fueron un precedente de los hidalgos *de la Chambre* instituidos por Enrique III, que subsistieron hasta el reinado de Carlos X.

7

¡Cuántos sueños truncados!

En su subida al trono, Felipe el Largo no había pasado sólo sobre dos cadáveres; dejaba también tras de sí otros dos destinos arruinados, a dos mujeres destruidas, una de ellas reina y la otra desconocida.

Al día siguiente de las exequias fúnebres del falso Juan I en Saint-Denis, la señora Clemencia de Hungría, de quien todos creían que iba a entregar el alma, recuperó poco a poco los sentidos. Alguno de los remedios que le daban había resultado eficaz; la fiebre y la infección abandonaban aquel cuerpo para dejar paso a otras penas. Las primeras palabras que pronunció la reina fueron para pedir por su hijo, a quien apenas había visto. Recordaba apenas la imagen de un cuerpecito desnudo al que friccionaban con agua de rosas y ponían en la cuna.

Cuando le notificaron, con mil cuidados, que no se lo podían mostrar enseguida, murmuró:

—Ha muerto, ¿verdad? Lo sabía. Lo presentía en medio de la fiebre... También debía ocurrir eso...

No tuvo la reacción aterradora que todos temían. Quedó postrada, pero sin lágrimas; su rostro tenía la expresión de trágica ironía que adoptan ciertas personas después de un incendio, ante las humeantes cenizas de su casa. Abrió los labios como si fuera a reír y por un momento creyeron que había enloquecido.

La desgracia se había encarnizado con ella; había zonas muertas en su alma, y aunque el destino redoblara sus golpes no podría causarle ya más sufrimiento.

Hugo de Bouville, ante ella, se veía condenado a representar el falso papel de consolador. Con cada palabra de afecto que le dirigía la reina el remordimiento lo atormentaba. «Su hijo vive y no puedo decírselo. ¡Y pensar que está en mi mano darle una alegría tan grande...!»

Por piedad, e incluso por simple honradez, estuvo cien veces a punto de hablar. Pero la señora de Bouville, que conocía la ternura de su corazón, no lo dejaba a solas con la reina.

Al menos pudo desahogarse a medias acusando a Mahaut, la verdadera culpable.

La reina se encogió de hombros. ¿Qué le importaba la mano de la que se habían servido las fuerzas del mal para abatirse sobre ella?

—He sido piadosa y buena, o al menos eso creo —decía—. Me he esforzado en cumplir los mandamientos de la religión y en corregir a quienes me eran queridos. Nunca le he deseado mal a nadie. Y Dios me ha castigado más que a ninguna de sus criaturas... Por otra parte, veo triunfar en todo a los malos.

No se rebelaba ni blasfemaba; simplemente atestiguaba un monumental error.

Sus padres habían muerto de peste cuando ella contaba apenas dos años. Mientras todas las princesas de su familia se casaban o se comprometían antes de alcanzar la edad núbil, ella había tenido que esperar hasta los veintidós años. El partido inesperado que se le presentó parecía el mejor del mundo. Había acudido a aquel matrimonio con el rey de Francia deslumbrada, rendida de amor exaltado y llena de las mejores intenciones. Aun antes de llegar a su nuevo país había estado a punto de perecer en el mar. Al cabo de unas semanas descubría que se había casado con un asesino y que sucedía a una reina estrangulada. A los diez meses quedaba viuda y encinta. Alejada enseguida del poder, la tenían secuestrada con el pretexto de protegerla, y acababa de luchar durante ocho días entre la vida y la muerte para saber, apenas salida de aquel infierno, que su hijo había muerto, envenenado sin duda, como su marido.

—La gente de mi país cree en la mala suerte. Tienen razón. Yo tengo mala suerte —dijo—. No debo emprender nada más ni fiarme de nadie, ni del mismo Dios.

Amor, caridad, esperanza... Había agotado todas las reservas de virtud que poseía al mismo tiempo que perdía la fe.

Durante su enfermedad había sufrido tales torturas y experimentado tan de cerca la agonía, que encontrarse viva, respirar sin dificultad, alimentarse, posar la mirada en las paredes, muebles y rostros, le parecía sorprendente y le procuraba las únicas emociones de que era capaz su alma semidestruida.

A medida que avanzaba su lenta convalecencia y recobraba su legendaria belleza, la reina Clemencia comenzó a adquirir gustos de mujer madura y caprichosa. Parecía que, bajo aquella admirable apariencia, bajo aquellos cabellos de oro, aquel rostro de retablo, aquel noble pecho, aquellos miembros perfectos que día a día recuperaban su poder de seducción, habían transcurrido de golpe cuarenta años. Con un cuerpo suntuoso, una vieja viuda reclamaba a la vida sus últimas alegrías. Las reclamaría durante once años.

Frugal hasta entonces, tanto por religiosidad como por indiferencia, la reina se mostró de pronto curiosamente ávida de manjares raros y costosos. Colmada por Luis X de joyas que ella misma había desdeñado al recibirlas, se exaltaba ahora ante sus cofres, apasionada, contando las piedras, calculando su valor y apreciando la talla o el brillo. De pronto, decidió transformar las monturas y convocó a sus orfebres a interminables reuniones. Pasaba también largas horas con las lenceras, hacía comprar las más caras telas de Oriente y encargaba enormes cantidades de perfumes exóticos.

Aunque en sus apariciones públicas vestía el blanco atuendo de las viudas, en sus habitaciones los íntimos se sorprendían, e incluso se turbaban, al verla junto a la chimenea envuelta en velos de excesiva transparencia.

Su generosidad de antaño perduraba ahora en forma de absurdas larguezas. Entre los mercaderes se corrió la voz de que no se les discutiría el precio. La codicia se apoderaba del personal. La reina estaba indudablemente bien servida. En las cocinas se disputaban el honor de prepararle su manjar preferido porque, por un postre bien presentado, por una leche de avellanas, por un plato nuevo en el que el romero y las especias habían sido macerados en jugo de granada, la reina abría la mano llena de monedas.

No tardó en querer oír voces agradables que le cantaran y que le contaran cuentos, endechas y novelas. Su fría mirada sólo quería posarse en rostros jóvenes. Cualquier trovador de buena apariencia y voz cálida que la hubiera distraído una hora, y cuya mirada se hubiese turbado al entrever el cuerpo de la reina bajo los velos de Chipre, recibía lo suficiente como para divertirse en las tabernas durante un mes.

El señor de Bouville estaba alarmado de aquella prodigalidad; pero él mismo no había podido negarse a ser uno de los beneficiarios.

El 1 de enero, que era el día de las felicitaciones y regalos aunque el año oficial empezaba por Pascua, la reina Clemencia entregó a Bouville un saquito bordado que contenía trescientas libras de oro. El antiguo chambelán exclamó:

—¡No, señora, por favor, no lo merezco!

Pero no se puede rehusar el obsequio de una reina, aunque se sepa que se está arruinando.[1]

Aquel mismo día 1 de enero, Hugo de Bouville recibió la visita de Tolomei. El banquero encontró al antiguo chambelán asombrosamente delgado y pálido. Bouville flotaba en su ropa; tenía las mejillas hundidas, la mirada inquieta y le fallaba la concentración.

«Este hombre —pensó Tolomei— está minado por una enfermedad secreta y no me sorprendería que dentro de poco se encontrara a las puertas de la muerte. Tengo que darme prisa para solucionar el asunto de Guccio.»

Tolomei conocía bien las costumbres. Con motivo del Año Nuevo llevaba una pieza de la tela a la señora de Bouville.

—Para agradecerle —dijo— todo lo que ha hecho por esa joven que acaba de dar un hijo a mi sobrino...

Bouville quiso rechazar también este obsequio.

—Aceptadlo, aceptadlo —insistió Tolomei—. Quisiera, por otra parte, hablaros un poco de este asunto. Mi sobrino va a regresar de Aviñón, donde nuestro Santo Padre... —Hugo de Bouville se persignó— lo ha retenido trabajando en las cuentas de su tesorería. Ahora viene a buscar a su mujer y a su hijo...

Hugo de Bouville se quedó helado.

—Un momento, maese, un momento —dijo—. Hay un mensajero que me está esperando y debo darle una contestación urgente. Hacedme el favor de esperar.

Y con la pieza de tela bajo el brazo desapareció a recabar consejo de su mujer.

—El marido vuelve —dijo.

—¿Qué marido? —preguntó la señora de Bouville.

—¡El marido de la nodriza!

—¡Si no estaba casada!

—¡Lo está! ¡Hay que creerlo! Tolomei está aquí. Toma, te ha traído esto.

—¿Qué quiere?

—Que la joven salga del convento.

—¿Cuándo?

—No lo sé todavía. Pronto.

—Entonces, deja que lo piense. No prometas nada y vuelve a verme.

Bouville se presentó de nuevo ante su visitante.

—¿Decíais... maese Tolomei?

—Os decía que llega mi sobrino para sacar del convento, donde tuvisteis la bondad de darles refugio, a su mujer y a su hijo. Ahora ya no tienen nada que temer. Guccio trae recomendación del Santo Padre y creo que se establecerá en Aviñón, al menos por un tiempo... Me hubiera gustado tenerlos conmigo. ¿Sabéis que todavía no he visto a ese sobrino-nieto que me ha nacido? Estaba de viaje, en visita a mis sucursales, y sólo supe la novedad por una jubilosa carta de su joven madre. Anteayer, en cuanto regresé, quise ir a verla, pero en el convento de las clarisas no quisieron abrirme.

—Es que las clarisas se rigen por una regla muy severa —dijo Hugo de Bouville—. Y además, a petición vuestra, dimos órdenes tajantes.

—No habrá ocurrido nada malo, ¿verdad?

—No, maese, nada que yo sepa. Os hubiera informado enseguida —respondió Bouville, que estaba sobre ascuas—. ¿Cuándo llega vuestro sobrino?

—Lo espero para dentro de dos o tres días.

Hugo de Bouville lo miró con una expresión de pánico en su cara.

—Os ruego de nuevo que me perdonéis —dijo—; ahora recuerdo de repente que la reina me ha pedido una cosa y no se la he llevado. Enseguida vuelvo.

Se marchó de nuevo.

«Seguramente anda mal de la cabeza —pensó Tolomei—.¡Pues sí que da gusto hablar con un hombre que desaparece a cada momento! ¡Con tal de que no se olvide de que estoy aquí!»

Se sentó sobre un cofre y pasó un buen rato lustrando la piel que adornaba su manga.

—Aquí estoy —dijo Bouville levantando un tapiz—. ¿Qué me decíais de vuestro sobrino? Ya sabéis que lo tengo en gran estima. Fue un gentil compañero en nuestros viajes a Nápoles. ¡Nápoles! —repitió enterneciéndose—. ¡Si yo lo hubiera sabido! ¡Pobre reina!

Se dejó caer en el cofre, al lado de Tolomei, y se enjugó con las manos las lágrimas que le arrancaban los recuerdos.

«¡Vamos! ¡Ahora se me echa a llorar!», pensó el banquero. Luego en voz alta dijo:

—No he querido mencionaros todas esas desgracias; presiento lo mucho que os afligen. Me he acordado mucho de vos...

—¡Ah, Tolomei, si supierais! Ha sido peor de lo que podéis imaginaros; el demonio se ha mezclado en todo esto...

Se oyó una tos seca detrás de los tapices y Hugo de Bouville se detuvo de golpe sobre la pendiente de las peligrosas confidencias.

«¡Vaya, nos escuchan!», pensó Tolomei, quien se apresuró a añadir:

—En fin, al menos nos queda un consuelo en esta aflicción: tenemos un buen rey.

—Cierto, cierto —respondió el conde de Bouville sin gran entusiasmo.

—Temía —prosiguió el banquero, esforzándose en alejar a su interlocutor del sospechoso tapiz—, temía que el nuevo rey nos tratara mal a nosotros los lombardos. Pues nada de eso. Incluso parece que, en ciertas senescalías, ha confiado el cobro de impuestos a gente de nuestras compañías... Por lo que se refiere a mi sobrino, que os aseguro que ha trabajado bien, debo decirlo, me gustaría que sus afanes se vieran recompensados encontrando a su hermosa mujer y a su heredero instalados en mi casa. Ya he hecho preparar la habitación de esos gentiles esposos. Se habla mal de los jóvenes de nuestro tiempo. No se los cree capaces de sinceridad ni de amor fiel. Éstos se quieren de verdad, os lo aseguro. Basta leer sus cartas. Si el matrimonio no se celebró según todas las reglas, ¿qué importa?; volveremos a celebrarlo y os pediré, si ello no os ofende, que seáis testigo.

—Será un gran honor, maese —respondió Hugo de Bouville mirando el tapiz como si buscara una araña—. Pero está la familia.

—¿Qué familia?

—La familia de la nodriza.

—¿La nodriza? —repitió Tolomei, que no comprendía nada.

Por segunda vez se oyó la tos detrás del tapiz. A Hugo de Bouville se le demudó el rostro y tartamudeó:

—Es que... quería decir... sí, quise informaros enseguida, pero, con tanto trabajo se me olvidó. ¡Ah, sí! Ahora es preciso que os lo diga... Vuestra... A la mujer de vuestro sobrino, puesto que según me aseguráis están casados, le rogamos... Bien, estábamos sin nodriza y, cediendo a los ruegos de mi mujer, nos hizo el favor, el gran favor de amamantar al pequeño rey... el poco tiempo que vivió.

—¿Entonces, vino aquí; la hicisteis salir del convento?

—¡Y en él está de nuevo! Hubiera querido decíroslo... pero el tiempo urgía. Además, ¡todo sucedió con tanta rapidez!

—Señor, no os avergoncéis por ello. Habéis obrado bien. ¡Esa hermosa María! ¿Así que amamantó al rey? Es una noticia sorprendente y muy honrosa. La pena es que no haya podido seguir criándolo —dijo Tolomei, que lamentaba ya haber perdido la ventaja que podría haber sacado de la situación—. Entonces. ¿Os sería fácil hacerla salir de nuevo?

—¡No! Para que salga definitivamente es necesario el consentimiento de los suyos. ¿Habéis vuelto a ver a su familia?

—Jamás. Sus hermanos, que la trajeron con tanto alboroto, parece que se quedaron muy tranquilos al desembarazarse de ella, y no han vuelto a aparecer.

—¿Dónde viven?

—En su casa de Cressay.

—¿Cressay? ¿Dónde está eso?

—Cerca de Neauphle, donde tengo una sucursal.

—Cressay... Neauphle... muy bien.

—Permitidme que os diga, mi señor, que sois un hombre extraño —dijo Tolomei—. Os confío una joven, os explico su caso, vais a buscarla para que críe al hijo de la reina, vive aquí ocho, diez días...

—Cinco —precisó Bouville.

—Cinco días —prosiguió Tolomei—, y no sabéis de dónde procede y casi ni cómo se llama.

—Sí, lo sé —repuso Bouville, ruborizándose—, pero a veces se me va la memoria.

No podía ir por tercera vez en busca de su mujer. ¿Por qué no venía a ayudarle en lugar de permanecer escondida detrás de los tapices para interrumpirle en cuanto iba a decir una tontería? Tenía sus motivos, sin duda.

—Tolomei es el único hombre al que temo en este asunto —le había dicho a su esposo—. Si te ve solo, como eres bobo, desconfiará menos y yo podré solucionar mejor las cosas.

«Tiene razón, me estoy convirtiendo en un bobo —se decía Bouville—. Sin embargo, en otro tiempo sabía cómo hablar a los reyes y llevar sus asuntos. Negocié el matrimonio de la señora Clemencia. Tuve que ocuparme del cónclave y usar mi astucia con Duèze...»

Este último pensamiento lo salvó.

—¿Decís que vuestro sobrino trae una carta del Santo Padre? —prosiguió—. Bien, eso lo arregla todo. Guccio es quien ha de ir a buscar a su mujer presentando esa carta. Así nos ponemos a salvo y no habrá para nosotros ni reproches ni pleitos. ¡El Santo Padre! ¡Qué más se puede pedir...! Regresa dentro de dos o tres días, ¿verdad? Deseemos que todo salga a pedir de boca. Y muchas gracias por vuestra hermosa tela; estoy seguro de que a mi buena esposa le gustará mucho. Hasta la vista, Tolomei; sigo a vuestra disposición.

Se sentía más agotado que si hubiera tomado parte en una carga de caballería.

«O me miente por alguna razón que ignoro —pensó Tolomei al salir de Vincennes—, o bien vuelve a la infancia. En fin, esperemos a Guccio.»

La señora de Bouville no perdió el tiempo. Hizo enganchar su litera y se dirigió a toda prisa al barrio de Saint-Marcel. Se encerró con María de Cressay. Después de haber causado la muerte de su hijo, venía ahora a exigirle que renunciara a su amor.

—Jurasteis sobre el Evangelio guardar el secreto —decía la señora de Bouville—. ¿Pero seréis capaz de guardarlo con ese hombre? ¿Podréis vivir con vuestro esposo? —Ahora otorgaba a Guccio esta condición—. ¿Le haréis creer que es padre de un niño que no le pertenece? ¡Es pecado ocultar algo tan grave al cónyuge! Y cuando podamos hacer triunfar la verdad y vengan a buscar al rey para que acceda al trono, ¿qué le diréis entonces? Sois una muchacha demasiado honrada y vuestra sangre es demasiado noble para cometer semejante villanía.

Centenares de veces en sus horas de soledad María se había planteado esas preguntas. No pensaba en otra cosa, y eso la enloquecía. ¡Conocía bien la respuesta! Sabía que en cuanto estuviera de nuevo en brazos de Guccio le sería imposible fingir, no porque fuera pecado, como decía la señora de Bouville, sino porque el amor le impediría cometer la atrocidad de una mentira semejante.

—Guccio me comprenderá, me perdonará. Creerá que todo ha pasado contra mi voluntad, y me ayudará a llevar esta carga. Guccio no dirá nada, señora. ¡Puedo jurarlo por él y por mí!

—Sólo se puede jurar por uno mismo, hija mía. Además, es un lombardo. Sería incapaz de callar, querría sacar provecho del secreto.

—¡Señora, lo estáis insultando!

—No, no lo insulto, amiga mía; conozco el mundo. Habéis jurado no hablar ni siquiera en confesión. Es al rey de Francia a quien tenéis bajo vuestra custodia, y vuestro juramento os será levantado a su debido tiempo.

—¡Por favor, señora, llevaos al rey y dejadme en libertad!

—No soy yo quien os lo ha entregado, sino la voluntad de Dios. ¡Tenéis un depósito sagrado! ¿Hubierais traicionado a Nuestro Señor Jesucristo si os hubieran encargado su custodia durante la matanza de los inocentes? Este niño debe vivir. Es necesario que mi esposo os tenga a los dos bajo su vigilancia, que sepa en todo momento dónde encontraros, y que no os marchéis a Aviñón, como parece que se proyecta.

—Conseguiré de Guccio que nos instalemos donde queráis; os aseguro que no hablará.

—¡No hablará porque no lo volveréis a ver!

La lucha, interrumpida sólo por la lactancia del pequeño rey, duró toda la tarde. Las dos mujeres se batían como fieras que hubieran caído en una trampa. Pero la señora de Bouville tenía las uñas y los dientes muy afilados.

—Entonces, ¿qué pensáis hacer conmigo? ¿Vais a encerrarme aquí para toda la vida? —gimió María.

«Eso querría yo —pensaba la señora de Bouville—; pero el otro va a llegar con la carta del Papa...»

—¿Y si vuestra familia consintiera en acogeros? —propuso—. Creo que el señor Hugo conseguiría convencer a vuestros hermanos.

Volver a Cressay, vivir con la hostilidad de la familia y en compañía de un hijo considerado como fruto del pecado, siendo como era el más digno de todos los niños de Francia... Renunciar a todo, callar, envejecer no pudiendo hacer otra cosa que contemplar la monstruosa fatalidad y el desesperante fracaso de un amor que no hubiera debido alterarse por nada. ¡Cuántos sueños truncados!

María se encolerizó; volvió a encontrar la fuerza que la había lanzado, contra la ley y su familia, en brazos del hombre elegido. De repente, se negó a aceptar.

—¡Volveré a ver a Guccio, seré suya, viviré con él! —exclamó.

La señora de Bouville tamborileó despacio en el brazo de su asiento.

—No volveréis a verlo —respondió—, porque si se acerca a este convento, o a cualquier otro lugar en que podamos encerraros, y os habla aunque sólo sea un momento, nunca más volverá a hacerlo. Ya sabéis que mi esposo es hombre enérgico y temible cuando se trata de salvaguardar al rey. Si tanto deseáis ver a Guccio, lo veréis; pero con un puñal clavado en la espalda.

María se desplomó.

—Ya es bastante con el niño, para que matéis también al padre —murmuró.

—El rey sólo os tiene a vos —dijo la señora de Bouville.

—No creía que en la corte de Francia valiera tan poco la vida de la gente. ¡Vaya corte que respeta el reino! Tengo que deciros, señora, que os odio.

—Sois injusta, María. Mi tarea es pesada y yo os defiendo contra vos misma. Escribiréis lo que os voy a dictar.

Vencida, desamparada, ardiéndole las sienes y enrojecidos los ojos por el llanto, trazó María penosamente las frases que jamás hubiera creído poder escribir. La carta sería llevada a casa de Tolomei para que éste la entregara a su sobrino.

María declaraba sentir gran vergüenza y horror por el pecado que había cometido; quería consagrarse al hijo de ese pecado, no volver a caer en los extravíos de la carne, y despreciaba a quien la había seducido. Prohibía a Guccio que fuera a buscarla, dondequiera que ella se hallara.

Para terminar, quiso añadir: «Os juro que no tendré

258

en mi vida otro hombre que vos, ni daré a nadie mi fe.»
La señora de Bouville se negó.

—No ha de creer que lo seguís queriendo. Vamos, firmad la carta.

María ni siquiera vio salir a la mujercita.

«¡Me odiará, me despreciará, y nunca sabrá que lo he hecho para salvarlo!», pensó al oír cerrarse la puerta del convento.

NOTAS

1. La súbita prodigalidad de la reina Clemencia a raíz de su trágico alumbramiento, que parece síntoma de un trastorno mental, se fue acentuando. El Papa Juan XXII, que había protegido siempre a Clemencia por ser princesa de Anjou, se vio obligado el mes de mayo siguiente a escribir a la joven viuda aconsejándole que viviera apartada, casta y humildemente; que fuera frugal en la mesa, modesta tanto en sus palabras como en el vestir, y que no se mostrara siempre en compañía de jóvenes. Al mismo tiempo escribió a Felipe V para fijar la viudedad de Clemencia, asunto que tuvo sus dificultades.

El Papa escribió varias veces más a Clemencia exhortándola a reducir sus excesivos gastos y rogándole que saldara sus deudas, en particular con los Bardi de Florencia. Finalmente, en 1318, Clemencia tuvo que retirarse por unos años al convento de Santa María de Nazaret, cerca de Aix-en-Provence. Pero antes de entrar la obligaron, para satisfacer las exigencias de sus acreedores, a depositar todas sus joyas como garantía.

8

Partidas

A la mañana siguiente produjo un gran revuelo la llegada a la mansión de Cressay de un jinete con la flor de lis bordada en la manga izquierda y las armas reales en el cuello de la casaca. Lo trataron con el mayor respeto y los hermanos Cressay, por una breve nota que requería urgentemente su presencia en Vincennes, creyeron que iban a darles el mando de alguna capitanía o que los habían nombrado senescales.

—No es de extrañar —dijo la señora Eliabel—; al fin se han acordado de nuestros méritos y de los servicios que hemos prestado al reino desde hace doscientos años. ¡Este nuevo rey parece que sabe dónde encontrar hombres valerosos! Vamos, hijos míos; poneos vuestras mejores galas y cabalgad deprisa. Hay un poco de justicia en el mundo, y ello nos consolará de la vergüenza que nos ha traído vuestra hermana.

Estaba mal recuperada de su enfermedad del verano. Se sentía torpe, había perdido la actividad de antaño y sólo se mostraba autoritaria importunando a la sirvienta. Había dejado a sus hijos la dirección de su pequeña hacienda, que no por eso iba mejor.

Los dos hermanos se pusieron en camino llenos de ambiciosas esperanzas. El caballo de Pedro respiraba tan agitadamente al llegar a Vincennes que parecía que aquél sería su último viaje.

—Tengo que hablaros de un asunto grave, mis jóvenes señores —les dijo Hugo de Bouville al recibirlos.

Y les ofreció vino con especias y almendras garrapiñadas.

Los dos muchachos se sentaron en el borde del
asiento, como torpes lugareños, sin atreverse a llevarse a
los labios los vasos de plata.

—¡Ah!¡Ahora pasa la reina! —dijo Hugo de Bouville—. Aprovecha un momento de sol para tomar un
poco de aire.

Los dos hermanos, latiéndoles fuertemente el corazón, alargaron el cuello para distinguir, a través de las
verdosas vidrieras, una forma blanca, cubierta con una
gran capa, que caminaba despacio escoltada por varios
servidores. Luego se miraron, moviendo la cabeza. ¡Habían visto a la reina!

—Os quiero hablar de vuestra hermana —prosiguió
el señor de Bouville—. ¿Estaríais dispuestos a acogerla?
En primer lugar, habéis de saber que ha amamantado al
hijo de la reina. —Y les explicó, lo más brevemente posible, lo que era indispensable que supieran—. ¡Ah! Tengo
que daros también una buena noticia —continuó—. No
quiere volver a ver a aquel italiano que la embarazó. Ha
reconocido su falta, que una joven de sangre noble no
puede rebajarse a ser mujer de un lombardo, por muy
apuesto que sea. Porque hay que reconocer que es un ga-
lán muy agradable y de inteligencia despierta...

—Pero al fin y al cabo no es más que un lombardo
—cortó la señora de Bouville, que esta vez asistía a la entrevista—; un hombre sin conciencia y sin fe; bien lo ha
demostrado.

Hugo de Bouville bajó la cabeza.

«¡También a ti, mi amigo Guccio, mi gentil compañero de viaje, tengo que traicionarte! ¿He de acabar mis
días renegando de todos los que me han dado pruebas de
amistad?», pensaba. Se calló y dejó que su mujer llevara
la voz cantante.

Los dos hermanos estaban un poco despechados, sobre todo el mayor. Esperaban algo maravilloso, y sólo se trataba de su hermana. ¿Es que no les iba a ocurrir nada en su vida si no era a través de ella? Casi le tenían celos. ¡Nodriza del rey! ¡Y personajes tan elevados como un gran chambelán interesándose por su suerte! ¿Quién lo hubiera podido imaginar?

El parloteo de la señora de Bouville no les dejaba tiempo para reflexionar.

—Es deber del cristiano —decía la señora de Bouville— ayudar al pecador en su arrepentimiento. Comportaos como buenos hidalgos. ¡Quién sabe si la divina voluntad no dispuso que vuestra hermana diera a luz en este preciso momento, aunque el resultado no fuera feliz, ya que ha muerto el pequeño rey! Pero, en fin, ella aportó su ayuda.

La reina Clemencia, para testimoniar su agradecimiento, concedería al hijo de la nodriza una renta de cincuenta libras anuales de su viudedad. Además, le entregaría ahora, como regalo, la suma de trescientas libras de oro. Esa cantidad estaba allí, en una gran bolsa bordada.

Los dos hermanos no supieron ocultar su emoción. Era la fortuna que les caía del cielo, el medio de hacer arreglar el muro que circundaba su destartalada mansión, la seguridad de una mesa bien provista todo el año, la perspectiva, en fin, de comprarse armaduras y de equipar a algunos de sus siervos como escuderos, con el fin de poderse presentar convenientemente en las levas de las mesnadas. Se hablaría de ellos en los campos de batalla.

—Entendedme bien —precisó la señora de Bouville—; estas sumas se donan al niño. Si es maltratado o le ocurre alguna desgracia, la renta, naturalmente, será suprimida. Porque el haber sido hermano de leche del rey le confiere una distinción que debéis respetar.

—Desde luego, desde luego, acepto... Puesto que María se ha arrepentido —dijo con énfasis el hermano barbudo—, y ya que nos solicitan su perdón personas tan encumbradas como vos, señora... debemos abrirle los brazos. La protección que le dispensa la reina borra su pecado, y si en adelante cualquiera, sea noble o villano, intenta reírse de ella delante de mí, lo degüello.

—¿Y nuestra madre? —preguntó el menor.

—Estoy seguro de que la convenceré —respondió Juan—; desde la muerte de nuestro padre yo soy el jefe de la familia, no hay que olvidarlo.

—Vais a jurar sobre los Evangelios —prosiguió la señora de Bouville— que no prestaréis oídos a lo que vuestra hermana pueda contaros, ni divulgaréis nada de lo que haya visto durante su estancia aquí, ya que son asuntos de la corona que han de permanecer en secreto. Por otra parte, ella no ha visto nada. Ha dado de mamar y basta. Pero vuestra hermana es un poco extravagante y le gusta contar fábulas. ¡Bien lo sabéis...! Hugo, ve a buscar los Evangelios.

El libro sagrado por un lado y la bolsa de oro por otro, y la reina paseando por el jardín... Los hermanos de Cressay juraron guardar silencio acerca de todo lo concerniente a la muerte de Juan I, vigilar, alimentar y proteger al niño de su hermana, así como impedir que se le acercara el hombre que había seducido a ésta.

—¡Lo juramos de todo corazón! ¡Que no aparezca por nuestra casa! —exclamó el mayor.

El pequeño ponía menos convicción en la ingratitud. No dejaba de pensar. «En todo caso, de no ser por Guccio...»

—Por otra parte, nos informaremos para saber si sois fieles a vuestro juramento —dijo la señora de Bouville.

Se ofreció a acompañar inmediatamente a los dos hermanos al convento de las clarisas.

—Es molestaros demasiado, señora —dijo Juan de Cressay—; iremos solos.

—No, no. Es preciso que vaya. Sin una orden mía la madre abadesa no dejaría salir a María.

La cara del barbudo se ensombreció. Reflexionaba.

—¿Qué os ocurre? —preguntó la señora de Bouville—. ¿Veis algún inconveniente?

—Es que... antes quisiera comprar una mula para nuestra hermana.

Cuando María estaba encinta, la había hecho viajar a la grupa desde Neauphle a París; pero ahora que los enriquecía, quería que su vuelta se realizara con dignidad. La mula de la que se servía la señora Eliabel había muerto el mes anterior.

—Eso no tiene importancia —dijo la señora de Bouville—; os daremos una. Hugo, haz ensillar una mula.

Bouville acompañó a su mujer y a los hermanos de Cressay hasta el puente levadizo.

«Quisiera morir para dejar de mentir y temer», pensaba el hombre, pálido y tembloroso, mientras miraba el bosque marchito.

«¡París, al fin París!», se decía Guccio Baglioni al pasar por la puerta de Saint-Jacques. París estaba taciturna y fría, como siempre después de las fiestas de Año Nuevo; el ritmo de la vida parecía haberse detenido, mucho más aquel enero, por la partida de la corte.

Pero el joven viajero que regresaba después de seis meses de ausencia no veía la niebla que lamía los tejados, ni los pocos transeúntes ateridos de frío; para él, la ciudad estaba llena de sol y esperanza. «¡Al fin París!», se repetía como si fuera la más alegre canción del mundo; quería decir: «¡Al fin voy a reunirme con María!»

Guccio llevaba pelliza forrada y una capa para la lluvia de pelo de camello; en la cintura sentía el peso de una bolsa *à cul-de-vilain* llena de buenas libras acuñadas con la efigie del Papa;[1] llevaba por tocado un sombrero de fieltro rojo recogido por detrás y que le caía sobre la frente. No podía pedirse más elegancia. Tampoco se podían sentir más deseos de vivir que los que él experimentaba.

Descabalgó en el patio de la calle Lombards y, adelantando la pierna que continuaba un poco rígida desde el accidente de Marsella, corrió a echarse en brazos de Tolomei.

—¡Mi querido, mi buen tío! ¿Habéis visto a mi hijo? ¿Cómo está? Y María, ¿cómo ha soportado el parto? ¿Qué os ha dicho? ¿Cuándo me espera?

Tolomei, sin decir una sola palabra, le tendió la carta de María de Cressay. Guccio la leyó dos, tres veces... En la frase: «Sabed que siento gran aversión por mi pecado y que no quiero volver a ver a quien es causa de mi vergüenza. Quiero redimirme de esta deshonra...», exclamó:

—¡No es verdad, esto no es posible! ¡Ella no ha podido escribir esto!

—¿No es su letra? —preguntó Tolomei.

—Sí.

El banquero puso la mano en el hombro de su sobrino.

—De haber podido, te lo hubiera advertido a tiempo —dijo—; pero recibí esta carta anteayer, después de ver a Bouville...

Guccio, con la mirada ardiente y fija, los dientes apretados, no le escuchaba. Pidió la dirección del convento.

—¿El barrio de Saint-Marcel? ¡Allá voy!

Pidió su caballo, al que apenas había acabado de cepillar; volvió a atravesar la ciudad sin ver nada, y llamó a la puerta de las clarisas. Le dijeron que la joven de Cressay había partido la víspera, en compañía de dos hidalgos, uno de los cuales llevaba barba. Por más que mostró la carta del Papa, que echó pestes y armó escándalo, no sacó nada más.

—¡La abadesa! ¡Quiero ver a la madre abadesa! —gritaba.

—Los hombres no pueden entrar en la clausura.

Acabaron por amenazarlo con ir a buscar a la ronda.

Desalentado, pálido y demudado el semblante, volvió Guccio a la calle Lombards.

—¡Se la han llevado sus hermanos, los bribones de sus hermanos! —le dijo a Tolomei—. ¡Ah! ¡He estado fuera demasiado tiempo! ¡La fe que me juró no ha durado ni seis meses! Las damas de la nobleza, según dicen, aguardan diez años a que su caballero regrese de la Cruzada. ¡Pero a un lombardo no se le espera! ¡Repasad los términos de su carta! No hay más que desprecios e insultos. Podían haberla obligado a no verme más, pero no abofetearme de ese modo... ¡En fin, tío! Tenemos una fortuna de decenas de miles de florines; los más altos barones vienen a implorarnos que les paguemos sus deudas; el mismo Papa me ha tenido como consejero y confidente durante el cónclave, ¡y esos andrajosos del campo me escupen en la frente desde lo alto de su destartalado castillo, que se vendría abajo de un empujón! Basta que se le presenten esos dos sarnosos para que su hermana reniegue de mí. ¡Qué engaño vive quien cree que una hija no es de la misma pasta que sus padres!

El pesar de Guccio se estaba convirtiendo rápidamente en cólera, y su resentido orgullo lo ayudaba para no caer en la desesperación. Había terminado de amar, pero no de sufrir

—No lo comprendo —decía, desolado, Tolomei—. Parecía tan enamorada, tan feliz de estar contigo... Nunca lo hubiera creído... Ahora veo por qué el señor de Bouville parecía tan turbado el otro día. Seguramente sabía algo. Y sin embargo las cartas que recibí de ella... No lo comprendo. ¿Quieres que vaya de nuevo a ver a Hugo de Bouville?

—¡No quiero nada, no quiero nada más! —gritó Guccio—. Ya he importunado bastante a los grandes de la tierra por culpa de esa mentirosa perra... Incluso al

Papa, a quien solicité protección para ella... ¿Enamorada dices? A ti te hacía carantoñas cuando se veía rechazada por los suyos y no veía más ayuda que la nuestra. Y estábamos más que casados, porque le faltó tiempo para entregarse, pero no sin recibir antes la bendición del sacerdote. Has dicho que estuvo cinco días junto a la reina Clemencia, sirviendo de nodriza. Se le han debido de subir los humos a la cabeza. También yo estuve junto a la reina, y la ayudé de otra manera. La salvé en medio de su tempestad...

No coordinaba; divagaba furioso y caminando por la estancia, había recorrido ya su buen cuarto de legua.

—Tal vez si fuera a hablar con la reina...

—¡Ni con la reina, ni con nadie! Que se vuelva a su fangosa aldea, donde te hundes en el estiércol hasta los tobillos. ¡Sin duda le han encontrado un marido, un buen marido a semejanza de sus andrajosos hermanos! ¡Algún caballero velludo y maloliente que le dará otros hijos! ¡Vendría ahora a arrodillarse a mis pies y no querría yo saber nada de ella!

—Creo que si viniera, hablarías de otro modo —dijo suavemente Tolomei.

Guccio palideció y se tapó los ojos con la palma de la mano. «María. Mi hermosa María...» La veía en la habitación de Neauphle; la veía muy cerca; distinguía la luminosidad de sus ojos azules. ¿Cómo habían podido aquellos ojos disimular semejante traición?

—Voy a partir, tío.

—¿Adónde? ¿Vuelves a Aviñón?

—¡Buen papel haría allí! Anuncié que volvería con mi esposa, a la que adorné con todas las virtudes. El Padre Santo sería el primero que me preguntaría...

—Boccacio me dijo el otro día que los Peruzzi pensaban arrendar el cobro de los impuestos de la senescalía de Carcasona.

—¡No! Ni a Carcasona, ni a Aviñón.

—Ni a París, naturalmente... —dijo Tolomei, con pesar.

A todo hombre, por egoísta que haya sido, le llega un momento, al atardecer de su vida, en que se siente cansado de trabajar únicamente para sí mismo. El banquero, después de haber esperado la presencia en su casa de una bonita sobrina para formar una familia feliz, veía de pronto desvanecerse sus esperanzas y dibujarse, en su lugar, la perspectiva de una larga vejez solitaria.

—Quiero marcharme —dijo Guccio—; no quiero saber nada más de esta Francia que engorda a costa nuestra y nos desprecia porque somos italianos. ¿Qué he conseguido en Francia?, te pregunto. Una pierna rígida, cuatro meses de hospital, seis semanas en una iglesia, y para acabar... ¡esto! Ya debía haber comprendido que no me convenía este país.

»¡Acuérdate! El día siguiente a mi llegada estuve a punto de hacer caer en la calle al rey Felipe el Hermoso. ¡No era un buen presagio! Y eso sin hablar de mis travesías por el mar, dos veces casi no lo cuento, ni del tiempo que pasé, porque creía estar enamorado, en aquel sucio villorrio de Neauphle cambiando moneda a los villanos...

—Al menos te quedan buenos recuerdos —dijo Tolomei.

—¡Bah! A mi edad no se necesitan recuerdos. Quiero volver a mi Siena, donde no faltan hermosas muchachas, las más bellas del mundo, según me dicen cada vez que declaro que soy sienés. En todo caso, menos bribonas que las de aquí. Mi padre me envió a tu lado para que aprendiera; creo que he aprendido bastante.

Tolomei abrió su ojo izquierdo; veía borroso de aquel lado.

—Tal vez tengas razón —dijo—. La pena se te pasará antes si estás lejos; pero no te lamentes de nada, Guccio; no has hecho mal aprendizaje: vivir, recorrer los caminos, conocer las miserias del pueblo y descubrir las debilidades de los grandes. Te has acercado a las cuatro cortes que dominan Europa: las de París, Londres, Nápoles y Aviñón. ¡No mucha gente ha tenido ocasión de estar encerrado en el cónclave! Te has iniciado en los negocios y tendrás tu parte, lo que supone una bonita suma. El amor te ha hecho cometer algunas tonterías, y como todos los que han viajado mucho, dejas un bastardo en el camino. Y sólo tienes veinte años. ¿Cuándo quieres partir?

—Mañana, tío Spinello, mañana, si os parece bien... ¡Pero volveré! —agregó Guccio con furia.

—¡Claro! ¡Así lo espero, hijo mío! ¡Espero que no dejes morir a tu viejo tío sin volverlo a ver!

—Un día regresaré y me llevaré a mi hijo. Porque después de todo, es tan mío como de los Cressay. ¿Por qué voy a dejárselo? ¿Para que lo eduquen en su cuadra, como a un perro de mala raza? Se lo quitaré, óyelo, y será el castigo de María. Ya sabes lo que se dice en nuestro país: «Venganza de toscano.»

Un gran alboroto proveniente del piso bajo le hizo callar. La casa, de vigas de madera, temblaba desde sus cimientos, como si una docena de carromatos hubiera penetrado en el patio. Las puertas vibraban.

Tío y sobrino se dirigieron a la escalera de caracol llena de un ruido como de carga.

—¡Banquero! —tronó una voz—. ¿Dónde estás, banquero? ¡Necesito dinero!

Y el conde Roberto de Artois apareció en lo alto de los escalones.

—¡Mírame bien, amigo banquero, acabo de salir de prisión! —exclamó—. ¿No lo creéis? Mi dulce, mi meloso, mi tuerto primo... El rey quiero decir, porque parece que lo es, se ha acordado por fin de que me pudría en el calabozo donde me había metido, y me ha sacado de nuevo al aire libre. ¡Qué amable el muchacho!

—Sed bienvenido, mi señor —dijo Tolomei sin entusiasmo alguno. Y se inclinó por encima de la escalera, dudando todavía de que aquel huracán pudiera producirlo un solo hombre.

Bajando la cabeza para no darse con el dintel de la puerta, Roberto de Artois entró en el gabinete del banquero y se fue directo a un espejo.

—¡Vaya cara de muerto! —dijo llevándose las manos a las mejillas—. Hay que confesar que uno se debilita. Siete semanas, imagínate, viendo la luz por entre los gruesos barrotes de una lumbrera. Dos veces al día una bazofia que, incluso antes de comerla ya daba cólico. Por suerte, mi Lormet me hacía pasar buenos platos de los suyos; de lo contrario, no viviría a estas horas. Y el dormir no era mejor que la pitanza. Por consideración a mi sangre real me concedieron una cama. ¡Pero tuve que romper la madera para poder estirar los pies! Paciencia; todo le será tenido en cuenta a mi querido primo.

La verdad era que Roberto no había adelgazado un gramo y que la reclusión había debilitado bien poco su fuerte naturaleza. Si su color era menos vivo, sus ojos color de pedernal, brillaban por el contrario con mayor malignidad que antes.

—¡Hermosa libertad me han regalado! Quedáis libre, mi señor —continuó el gigante, remedando al capitán del Châtelet—. Pero... pero no os podéis alejar más de veinte leguas de París, la guardia del rey debe de conocer vuestra residencia y la capitanía de Evreux ha de ser advertida si vais a vuestras tierras. Dicho de otro modo: quédate aquí, Roberto, paseando por las calles bajo la mirada de la ronda, o bien vete a enmohecer a Conches. ¡Pero no pongas los pies en el Artois ni en Reims! ¡Sobre todo, no queremos verte en la consagración! ¡Podrías entonar algún salmo que no sería del agrado de algunos oídos! Ha elegido bien el día para soltarme; ni demasiado tarde, ni demasiado pronto. Se ha marchado toda la corte; nadie en palacio, nadie en la casa de Valois... ¡Mi primo me ha dejado abandonado! Y aquí me tenéis, en una ciudad muerta, sin una moneda en la bolsa para cenar esta noche y encontrar a una muchacha con quien poner en práctica mis artes amatorias. Porque son siete semanas, ¿comprendes, banquero...? No, tú no puedes comprenderlo; eso ha dejado de preocuparte... He hecho demasiado el bellaco en el Artois para resignarme ahora a estar en calma durante tanto tiempo, y se están incubando allá abajo un gran número de críos que nunca sabrán que descienden de Felipe Augusto.

»He comprobado una cosa bien rara, que esas ratas de doctores y filósofos deberían meditar: ¿por qué hay un miembro en el hombre al que, cuanto más trabajo se le da, más quiere?

Soltó una carcajada, haciendo crujir el asiento de encina en el que se había acomodado, y de repente, pareció darse cuenta de la presencia de Guccio.

—Y a vos, mi amiguito, ¿cómo os van vuestros amores? —preguntó; lo que en su boca era igual que decir «buenos días».

—¡Mis amores! ¡Para qué hablar, mi señor! —respondió Guccio, descontento de aquella violencia que interrumpía la suya.

Tolomei, con una mueca, quiso indicar al conde de Artois que el tema no era el más propicio.

—¿Pues qué? —exclamó el conde de Artois con su acostumbrada delicadeza—. ¿Os ha abandonado una hermosa? ¡Dadme ahora su dirección para correr hacia ella! ¡Vamos, no pongáis esa cara! Todas las mujeres son rameras.

—Cierto, mi señor. ¡Todas!

—Entonces... ¡Divirtámonos al menos con las que no lo ocultan! Necesito dinero, banquero. Cien libras. Y me llevo a cenar a tu sobrino para quitarle de la cabeza esas sombrías ideas. ¡Cien libras! Sí, ya sé que os debo mucho y decís que nunca os pagaré. Estáis equivocado. Dentro de poco veréis a Roberto de Artois más poderoso que nunca.

»Felipe puede encasquetarse la corona hasta la nariz; no tardaré en hacerla saltar. Porque te voy a decir una cosa que vale más que cien libras, y que servirá de garantía a lo que me prestes... ¿Cómo se castiga el regicidio? ¿Horca, degüello, descuartizamiento? Pronto asistiréis a un agradable espectáculo: mi gorda tía Mahaut, en cueros como una ramera, descuartizada por cuatro caballos y sus tripas mezcladas con el polvo. ¡Y su yerno le hará compañía! Es una lástima que no se le pueda dar suplicio dos veces. Porque los muy perversos han cometido dos asesinatos. Durante mi estancia en el Châtelet no he querido decir nada, para evitar que una buena noche vinieran a sangrarme como a un cerdo. Sin embargo, he estado al corriente de todo. Lormet... siempre Lormet. ¡Ah, qué buen muchacho!... Escuchadme.

Después de siete semanas de obligado mutismo, el terrible charlatán se desquitaba, y sólo se detenía para tomar aliento y poder seguir hablando.

—Escuchadme bien —prosiguió—. Primero Luis confisca a Mahaut sus posesiones del Artois, donde se encolerizan mis partidarios; enseguida Mahaut lo hace envenenar. Luego para cubrirse, Mahaut empuja a Felipe a la regencia en contra de Carlos de Valois, que hubiera apoyado mis derechos. En tercer lugar Felipe hace aceptar su reglamento de sucesión, que excluye a las mujeres de la corona de Francia, pero no de la herencia de los feudos, fijaos bien. En cuarto lugar, una vez confirmado como regente, Felipe puede levantar un ejército para desalojarme del Artois, que estaba a punto de volver a mis manos por entero. Como no estoy loco, decido entregarme yo mismo. Pero la reina Clemencia va a dar a luz; quiere tener las manos libres y me encarcela. La reina alumbra a un hijo. ¡Minucias! Se cierra Vincennes, oculta el niño a los barones, les dice que no puede durar, se pone de acuerdo con una comadrona o nodriza a la que asusta o soborna, y mata al segundo rey. Después de esto, va a hacerse consagrar a Reims. Así es, amigos míos, como se obtiene una corona. Todo ello por no devolverme un condado.

Al oír la palabra «nodriza», Tolomei y Guccio intercambiaron una rápida mirada de inquietud.

—Son cosas que sospecha todo el mundo —concluyó el conde de Artois—, pero que, al no haber pruebas, nadie se atreve a proclamar. ¡Solamente yo tengo pruebas! Traeré una cierta dama que proporcionó el veneno. Y luego habrá que hacer cantar un poco, con los instrumentos de hierro, a esa Beatriz de Hirson que ha hecho de alcahueta del diablo en ese bonito juego. Es hora de que le pongamos fin. Si no, nos matarán a todos.

—Cincuenta libras, mi señor; puedo entregaros cincuenta libras.

—¡Avaro!

—Es todo lo que tengo.

—Sea. Me debes, pues, otras cincuenta. Mahaut te pagará todo con intereses.

—Guccio —dijo Tolomei—, ven a ayudarme a contar las cincuenta libras para el conde.

—Y se retiró con su sobrino a una pieza contigua.

—Tío —murmuró Guccio—, ¿creéis que es verdad lo que acaba de decir?

—No lo sé, hijo mío, no lo sé; pero me parece que haces bien en marcharte. Nada bueno puede resultar de andar metido en un asunto que huele tan mal. La extraña reacción de Hugo de Bouville, la repentina fuga de María... No se puede, desde luego, hacer caso de las invectivas de ese alocado, pero con frecuencia me he dado cuenta de que, cuando habla de fechorías, como es un maestro en ellas, las huele de lejos. Recuerda el adulterio de las princesas; es él quien lo descubrió, y nos lo había anunciado. Tu María... —dijo el banquero, moviendo su gordezuela mano con gesto de duda—, tal vez es menos inocente y sincera de lo que habíamos creído. Desde luego, hay un misterio en todo esto.

—Después de su traicionera carta, se puede creer todo —dijo Guccio, cuyo pensamiento divagaba.

—No creas nada, no busques nada. Márchate. Es un buen consejo.

Cuando Roberto de Artois recibió las cincuenta libras se empeñó en que Guccio compartiera con él la pequeña fiesta que iba a ofrecerse para celebrar su liberación. Necesitaba un compañero; se hubiera emborrachado con su caballo antes de quedarse solo.

Tanto insistió que Tolomei acabó por susurrarle a su sobrino:

—Ve, si no, se va a molestar. Pero no dejes suelta la lengua.

Guccio terminó su desesperada jornada en una taberna cuyo dueño pagaba a los oficiales de la ronda para que pasaran por alto sus tapujos del burdel. Por otra parte, de todo lo que se decía allí se informaba a la guardia.

Roberto de Artois estaba de inmejorable humor; insaciable en la bebida, prodigioso de apetito, alborotador, indecente y desbordante de afecto hacia su joven compañero; levantaba las faldas a las muchachas para mostrar a todos el verdadero rostro de su tía Mahaut.

Guccio, con ganas de emularlo, no resistió mucho tiempo el vino. Con los ojos brillantes, los cabellos en desorden y el gesto indeciso, gritó:

—También yo sé cosas... ¡Ah, si quisiera hablar!

—¡Habla, habla pues!

A Guccio le quedaba un poco de prudencia en medio de su embriaguez.

—El Papa... —dijo—. Sé mucho del Papa.

De pronto se echó a llorar de manera incontenible

sobre el hombro de una ramera, a la que luego abofeteó porque veía en ella la imagen de la traición femenina.

—¡Pero volveré... y me lo llevaré!

—¿A quién? ¿Al Papa?

—¡No, al niño!

La velada era cada vez más confusa, las miradas más turbias y las muchachas proporcionadas por el tabernero estaban ya casi sin ropa cuando Lormet se acercó a Roberto de Artois y le dijo al oído:

—Fuera hay un hombre que nos espía.

—¡Mátalo! —respondió el gigante con indiferencia.

—Bien, mi señor.

De esta manera la señora de Bouville perdió a uno de sus criados, que había enviado a seguir los pasos del joven italiano.

Guccio no sabría nunca que el sacrificio de María le había evitado probablemente acabar panza arriba en las aguas del Sena.

Revolcándose en un lecho dudoso, sobre los senos de la muchacha a la que había abofeteado y que se mostraba compasiva con la pena del joven, Guccio continuó insultando a María y creyó vengarse de ella maltratando un cuerpo mercenario.

—Tienes razón. Tampoco yo creo en las mujeres; todas son unas embusteras —decía la ramera, de cuyos rasgos Guccio no se volvería a acordar.

Al día siguiente, con el sombrero hundido hasta los ojos, cansado, asqueado de cuerpo y alma, emprendía Guccio el camino de Italia. Llevaba una bonita fortuna en forma de letra de cambio firmada por su tío: sus beneficios en los asuntos que había atendido durante dos años.

El mismo día, el rey Felipe V, su mujer Juana y la condesa Mahaut, con toda la servidumbre, llegaban a Reims.

Las puertas de la mansión de Cressay se habían cerrado ya tras la hermosa María, que viviría allí, inconsolablemente, un eterno invierno.

El verdadero rey de Francia iba a crecer allá como un bastardillo. Daría sus primeros pasos en el fangoso patio, entre patos; iría a tumbarse en la pradera de lirios amarillos, junto al Mauldre, aquella pradera donde María, cada vez que pasara, reviviría sus fugaces y trágicos amores. Ella mantendría su juramento, todos sus juramentos, hacia Guccio y hacia el reino; guardaría su secreto, todos sus secretos hasta su lecho de muerte. Algún día, su confesión conmovería Europa.

NOTAS

1. Se llamaban bolsas *à cul-de-vilain* unas muy anchas de cuerpo y estrechas de cuello. Las hacían primorosamente decoradas y los señores llevaban en ellas frecuentemente su sello, además de dinero.

9

La víspera de la consagración

Las puertas de Reims, coronadas con los blasones reales, habían sido pintadas de nuevo. Las calles estaban engalanadas con llamativas colgaduras, tapices y sedas, los mismos que había dieciocho meses antes para la consagración de Luis X. Junto al palacio arzobispal acababan de levantar a toda prisa tres grandes salas de carpintería: una para el comedor del rey, otra para la reina, y la tercera para los altos cargos, con el fin de agasajar a toda la corte.

Los burgueses de Reims, que estaban obligados a los gastos de la consagración, encontraban la carga un poco pesada.

—Si a los reyes les da por morir tan deprisa —decían—, pronto comeremos sólo una vez al año, y eso si vendemos la camisa. ¡Caro nos está costando que Clovis se hiciera bautizar aquí y que Hugo Capeto escogiera este sitio para recibir la corona! Si cualquier ciudad del reino nos quiere comprar la ampolla sagrada, enseguida cerraremos el trato.

Al problema financiero se añadía la dificultad de reunir, en pleno invierno, el avituallamiento apropiado para tantas bocas. Los burgueses tenían que reunir ochenta y dos bueyes, doscientos cuarenta carneros, cuatrocientos veinticuatro terneros, setenta y ocho cerdos, ochocientos conejos y liebres, ochocientos capones, mil ochocientos gansos, más de diez mil gallinas y cuarenta mil huevos; por no hablar de los barriles de esturiones que habían de traer de Malinas, de los cuatro mil cangrejos pescados en agua fría, de los salmones, lucios, pencas y carpas, y de las tres mil quinientas anguilas destinadas a la elaboración de quinientos pasteles. Había dos mil quesos disponibles, y se esperaba que los trescientos toneles de vino, que afortunadamente se cosechaba en el país, bastaran para calmar la sed de tantos gaznates resecos que iban a hincharse a comer allí durante tres días o más.

Los chambelanes, que habían llegado con anticipación para organizar los festejos, planteaban peregrinas exigencias. ¿No habían decidido que se presentaran, en un solo servicio, trescientas garzas asadas? Aquellos oficiales se parecían mucho a su dueño, aquel rey impaciente que ordenaba la celebración de su consagración una semana antes, como si se tratara de una misa de dos ochavos por una pierna rota.

Hacía días que los pasteleros estaban dedicados a montar sus castillos de mazapán pintados con los colores de Francia.

¡Y la mostaza! ¡No habían recibido la mostaza! Hacían falta treinta y un sextarios. Además, los invitados no iban a comer en la mano. Había sido una equivocación vender a bajo precio las cincuenta mil escudillas de madera de la consagración anterior; hubiera sido mejor lavarlas y guardarlas. Los cuatro mil cántaros habían sido rotos o robados.

Las lenceras repulgaban a toda prisa dos mil setecientas anas de manteles, y se podía calcular el gasto total en cerca de diez mil libras.

A decir verdad, los habitantes de Reims no perderían nada, ya que la consagración atraía a gran número de mercaderes lombardos y judíos que pagarían un impuesto sobre sus ventas.

La coronación, como todas las ceremonias reales, se desarrollaba en un ambiente de verbena. En esos días se ofrecía al pueblo un ininterrumpido espectáculo, y acudía mucha gente de lugares distantes a presenciarlo. Las mujeres se ponían vestidos nuevos y las elegantes exhibían su joyería; bordados, ricas telas y pieles se vendían con facilidad. Los listos hacían fortuna y los tenderos que se daban un poco de prisa en servir a la clientela podían conseguir en una semana los beneficios de cinco años.

El nuevo rey se alojaba en el palacio arzobispal, ante el que estaba permanentemente plantada la muchedumbre para ver aparecer a los soberanos o para embelesarse ante el carruaje de la reina, tapizado de escarlata.

La reina Juana, rodeada de las damas de su séquito, presidía, con emoción de mujer feliz, el acto de deshacer los doce baúles y los cuatro cofres, más el de los zapatos y el de las especias. Sin duda alguna, su vestuario era el más rico que jamás haya poseído una dama francesa. Le habían preparado un vestido para cada día, y casi para cada hora, de aquel viaje triunfal.

La reina hizo su solemne entrada en la ciudad con una capa de paño dorado forrada de armiño, mientras a lo largo de las calles ofrecían a los reales esposos representaciones, misterios y otras diversiones. En la cena de la víspera de la consagración, que iba a tener lugar inmediatamente, la reina aparecería con un vestido violeta rematado de marta cibelina. La mañana de la coronación luciría un vestido de paño dorado de Turquía, un manto escarlata y una cota roja; en la comida, un vestido bordado con las armas de Francia y, en la cena, otro de paño dorado y dos mantos diferentes de armiño.

Al día siguiente llevaría una *robe* de terciopelo verde,[1] y luego otra de camocán azulado con esclavina de petigrís.

Nunca se presentaría en público con la misma vestimenta ni con las mismas joyas.

Estas maravillas estaban expuestas en un aposento

cuya decoración había sido igualmente traída de París: tapices de seda blanca bordados con mil trescientos veintiún papagayos de oro y, en el centro, las armas de los condes de Borgoña con un león en campo de gules; el cielo del lecho, la colcha y los cojines estaban adornados con siete mil tréboles de plata. Cubrían el suelo alfombras con las armas de Francia y el condado de Borgoña.

Juana entró varias veces en la habitación de Felipe para que admirara la belleza de una tela o la perfección de un trabajo.

—¡Qué feliz me hacéis, mi querido, mi buen amado señor! —exclamaba.

Aunque era poco inclinada a las efusiones, no podía impedir que se le humedecieran los ojos. Su suerte deslumbraba, sobre todo cuando recordaba los días no muy lejanos pasados en prisión, en Dourdan... «¡Qué prodigioso cambio de fortuna en menos de un año y medio! —Pensaba en Margarita, ya muerta, y en su hermana Blanca de Borgoña, encerrada todavía en Château-Gaillard...—. ¡Con lo que le gusta el boato a la pobre Blanca!», pensaba mientras se probaba una pretina de oro con incrustaciones de rubíes y esmeraldas.

Felipe estaba preocupado, y el entusiasmo de su mujer más bien lo entristecía; examinaba las cuentas con su tesorero.

—Me alegro, amiga mía, de que os complazca todo esto —acabó por decir—. Ya veis, obro siguiendo el ejemplo de mi padre, quien, como vos sabéis, restringía mucho sus gastos personales pero no regateaba cuando se trataba de la majestad real. Exhibid bien esos hermosos vestidos, ya que son tanto para vos como para el pueblo que os los da con su trabajo, y llevadlos con cuidado, pues tardaréis en tener otros semejantes. Después de la consagración, será preciso restringir los gastos.

—Felipe —preguntó Juana—, ¿no haréis nada en este día por mi hermana Blanca?

282

—Ya lo he hecho, ya lo he hecho. Ahora recibe trato de princesa a condición de que no salga de las murallas que la rodean. Es necesario que haya diferencias entre ella que pecó, y vos, Juana, que fuisteis pura y acusada falsamente.

Pronunció estas últimas palabras dirigiendo a su mujer una mirada en que se adivinaba más la preocupación por el honor real que por la seguridad de su amor.

—Además —agregó—, en este momento no me resulta agradable pensar en su marido. Mi hermano se porta mal conmigo.

Juana comprendió que era inútil insistir y que no debía mencionar otra vez el tema. Se retiró, y Felipe volvió al estudio de las largas hojas llenas de cifras que le presentaba Godofredo de Fleury.

Los gastos no se limitaban a los atuendos del rey y de la reina, para los que Felipe había recibido algunos regalos; Mahaut, por ejemplo, le había ofrecido el paño jaspeado para los vestidos de las princesitas y del pequeño Luis Felipe.

Pero el rey había tenido que vestir de nuevo a sus cincuenta y cuatro sargentos de armas y a Pedro de Galard, jefe de los ballesteros. Los chambelanes Adam Héron, Roberto de Gamaches y Guillermo de Seriz habían recibido cada uno diez anas de paño de Douai para confeccionar imponentes vestiduras. Los monteros Enrique de Meudon, Furant de la Fouaillie y Juan Malgeneste tuvieron un nuevo equipo, e igualmente todos los arqueros. Y como después de la consagración iban a ser armados veinte caballeros, tuvo que dar veinte trajes más. Estos presentes constituían las acostumbradas gratificaciones, y la tradición exigía también que el rey donase al relicario de Saint-Denis una flor de lis de oro constelada de esmeraldas y rubíes.

—¿Cuánto en total? —preguntó Felipe.

—Ocho mil quinientas cuarenta y ocho libras, trece

sueldos y once dineros, señor —respondió el tesorero—. Tal vez podríamos pedir una contribución por vuestra jubilosa subida al trono.

—Mi llegada al trono será más jubilosa si no impongo nuevas tasas. Haremos frente a ello de otra manera —dijo el rey.

En ese momento anunciaron al conde de Valois. Felipe levantó las manos.

—He aquí lo que nos habíamos olvidado de incluir en las sumas. ¡Ya veréis, Godofredo, ya veréis! Mi tío me va a costar más caro que diez consagraciones. Viene a obligarme a tomar una determinación. Ahora dejadme a solas con él.

¡Ah! ¡El conde de Valois estaba espléndido! Bordado, recargado, duplicado su volumen por las pieles que recubrían un vestido recamado de piedras preciosas. Si los habitantes de Reims no hubieran sabido que el nuevo soberano era joven y delgado, habrían tomado a Carlos por el mismo rey.

—Mi querido sobrino —comenzó—, estoy apenado... muy apenado por vos. Vuestro cuñado de Inglaterra no viene.

—Hace mucho tiempo, tío, que los reyes del otro lado de la Mancha no asisten a nuestras consagraciones —respondió Felipe.

—Cierto, pero se hacen representar por algún pariente o gran señor de la corte que ocupa su lugar de duque de Guyena. Sin embargo, Eduardo no ha enviado a nadie; con ello confirma que no os reconoce. El conde de Flandes, a quien creíais haber atraído con vuestro tratado de septiembre, tampoco está aquí, ni el duque de Bretaña.

—Lo sé, tío, lo sé.

—Y no hablemos del duque de Borgoña; es seguro que no aparecerá. Por el contrario, su madre, nuestra tía Inés, acaba de llegar hace poco, y creo que no precisamente para prestaros su apoyo.

—Lo sé, tío, lo sé —repitió Felipe.

Esta imprevista visita de la única hija de san Luis inquietaba a Felipe más de lo que aparentaba. Al principio creyó que la duquesa Inés venía a negociar. Pero ella no se daba prisa en definirse, y él estaba decidido a no dar el primer paso. «¡Si el pueblo que me aclama cuando aparezco ante él supiera las hostilidades y amenazas que me rodean!», se decía.

—De los pares laicos que debían sostener mañana vuestra corona —continuó Valois—, no ha venido ninguno.[2]

—Sí, tío; os olvidáis de la condesa de Artois... y de vos mismo.

Carlos de Valois se encogió de hombros violentamente.

—¡La condesa de Artois! —exclamó—. Una mujer sosteniendo la corona, cuando vos mismo, Felipe, vos mismo habéis logrado vuestros derechos gracias a la exclusión de las mujeres.

—Sostener la corona no es ceñírsela —dijo Felipe.

—Es necesario que Mahaut os haya ayudado a ser rey para que la encumbréis de tal manera. Vais a hacer que la gente dé más crédito a las mentiras que circulan. No quiero revolver lo pasado; pero, en fin, Felipe, ¿no es Roberto quien debería figurar por el Artois?

Felipe fingió no prestar atención a las últimas palabras de su tío.

—De todas formas los pares eclesiásticos están ahí.

—Están, están... —dijo el conde de Valois moviendo sus anillos—. Por el momento no son más que cinco de los seis. ¿Y qué creéis que van a hacer esos pares eclesiásticos cuando vean que, por parte del reino, se levanta una sola mano —¡y qué mano! —para coronaros?

—Tío, ¿vos no contáis para nada?

Ahora le tocó a Carlos de Valois hacer caso omiso de la pregunta.

—Vuestro propio hermano os muestra resquemor —dijo.

—Es que, sin duda —repuso Felipe suavemente—, Carlos desconoce, mi querido tío, nuestro mutuo acuerdo, y tal vez cree ayudaros sirviéndome mal... Pero tranquilizaos; ha anunciado que mañana estará presente.

—¿Por qué no le conferís enseguida la dignidad de par? Vuestro padre lo hizo conmigo, y vuestro hermano Luis con vos. Así me sentiría menos solo para ayudaros.

«O menos solo para traicionarme», pensó Felipe, que le espetó:

—¿Habéis venido a abogar por Roberto, por Carlos, o bien deseáis hablar por vos mismo?

El conde de Valois hizo una pausa, se acomodó bien en el asiento y miró el diamante que brillaba en su índice.

«¿Cincuenta... o cien mil? —se preguntaba Felipe—. Los otros no me importan; pero éste me es necesario, y él lo sabe. Si se niega y promueve escándalo, corro el peligro de tener que aplazar mi consagración.»

—Sobrino —dijo finalmente Valois—, ya veis que no he puesto mala cara, y he hecho grandes gastos en vestidos y todo lo demás para honraros. Pero al comprobar que los otros pares estarán ausentes, creo que debo retirarme. ¿Qué dirían si me vieran solo a vuestro lado? Sencillamente que me habéis comprado.

—Lo lamentaré mucho, tío, lo lamentaré mucho. Qué le vamos a hacer, no puedo obligaros a lo que no os place. Tal vez ha llegado el momento de renunciar a esa costumbre que obliga a los pares a levantar la mano junto a la corona...

—¡Sobrino, sobrino! —exclamó Carlos de Valois.

—Y si es preciso el consentimiento para ser elegido —agregó Felipe—, solicitarlo no a seis grandes barones, sino al pueblo, tío, que proporciona hombres para el ejército y fondos para el Tesoro. Éste será el papel de los estados que voy a convocar.

Valois no se pudo contener y, saltando de su asiento, empezó a gritar:

—¡Blasfemáis, Felipe, no sabéis lo que estáis diciendo! ¿Se ha visto alguna vez a un monarca elegido por sus súbditos? ¡Hermoso cuento el de vuestros estados! Procede directamente de la cabeza de Marigny, que había nacido del pueblo, y tan perjudicial fue para vuestro padre. Os digo que si se comienza así, antes de cincuenta años el pueblo nos dejará de lado y elegirá rey a cualquier burgués, a cualquier doctor del Parlamento o a cualquier tendero enriquecido con sus latrocinios. No, sobrino, no; esta vez estoy decidido; no sostendré la corona de un rey que no lo es por sí mismo y que, encima, quiere ponerla en manos de los villanos.

Caminaba a grandes pasos rojo de ira.

«¿Cincuenta mil... o cien mil? —seguía preguntándose Felipe—. ¿Qué cantidad se necesita para darle la estocada?»

—Sea, tío, no sostengáis nada —dijo—; pero entonces, permitidme que llame ahora mismo a mi tesorero.

—¿Para qué?

—He de modificar la lista de las donaciones que, para celebrar mi jubilosa coronación, iba a firmar mañana, a la cabeza de la cual os encontrabais vos... con cien mil libras.

La estocada dio en el blanco. Carlos de Valois se quedó asombrado, con los brazos abiertos.

Felipe comprendió que había ganado y, a pesar de lo costosa que resultaba aquella victoria, tuvo que esforzarse para no sonreír al ver la cara que ponía su tío. Éste, por otra parte, no tardó mucho en salir del aprieto. Lo habían interrumpido en una explosión de cólera; siguió encolerizado. La cólera era para él un medio de intentar embrollar el razonamiento ajeno cuando el suyo se debilitaba.

—Todo el mal proviene de Eudes —empezó a perorar—. ¡Repruebo su actitud y se lo gritaré a la cara! ¿Qué necesidad tenían el conde de Flandes y el duque de Bretaña de tomar partido por él y rehusar vuestra convocatoria? ¡Cuando el rey ordena sostener su corona, hay que venir! ¿No estoy yo aquí? Esos barones exageran sus derechos. Así es como la autoridad corre el peligro de ir a parar a los pequeños vasallos y a los burgueses. En cuanto a Eduardo de Inglaterra, ¿qué se puede esperar de un hombre que se comporta como una mujer? Estaré, pues, a vuestro lado para darles una lección. Y desde ahora acepto, en nombre de la justicia, sobrino, lo que pensáis darme. Porque es justo que quienes son fieles al rey sean tratados de distinto modo que los que lo traicionan. Vos gobernáis bien. ¿Cuándo... cuándo vais a firmar esa donación con la que manifestáis vuestra estima?

—Ahora, tío, si lo deseáis... pero con fecha de mañana —respondió el rey Felipe V.

Por tercera vez, y siempre por medio del dinero, había puesto el bozal al conde de Valois.

—Ya es hora de que me coronen —dijo Felipe a su tesorero—; porque si tengo que discutir de nuevo, habré de vender mi reino.

Y como Fleury se asombraba de la enormidad de la suma prometida, agregó:

—Tranquilizaos, tranquilizaos, Godofredo; todavía no he señalado cuándo le será entregada esa suma. La cobrará sólo en pequeñas cantidades... Pero podrá tomar prestado sobre ella... Ahora, vamos a cenar.

El ceremonial exigía que, después de la cena, el rey, rodeado por sus oficiales y el cabildo, fuese a la catedral para recogerse en oración. La iglesia estaba ya preparada, con los tapices colgados, los centenares de cirios en su lugar y levantado el gran estrado en el coro. El rezo de Felipe fue breve, pero se quedó bastante tiempo informándose por última vez del desarrollo de los ritos y de los gestos que debía hacer. Comprobó el cierre de las puertas laterales, revisó las medidas de seguridad, y preguntó qué lugar ocuparía cada cual.

—Los pares laicos, los miembros de la familia real y los altos funcionarios estarán en el estrado —le explicaron—. El condestable, a vuestro lado; el canciller, junto a la reina. Este trono, frente al vuestro, es el del arzobispo de Reims, y los asientos dispuestos alrededor del altar mayor son para los pares eclesiásticos.

Felipe recorría el estrado a paso lento, y desdobló con la punta del pie el extremo levantado de una de las alfombras.

«¡Qué extraño es esto! —se decía—. Estuve aquí, en este mismo sitio, el año pasado, para asistir a la consagración de mi hermano... y no me fijé en todos estos detalles.»

Se sentó un momento, pero no en el trono real, ya que un temor supersticioso le impedía ocuparlo todavía. «Mañana... seré rey de verdad.»

Pensaba en su padre, en la sucesión de antepasados que lo habían precedido en aquella iglesia; pensaba en su hermano, eliminado por un crimen del que se sentía inocente pero cuyas consecuencias aprovechaba; pensaba en otro crimen, el del niño, que tampoco había ordenado pero del que era cómplice silencioso... Pensaba en la muerte, en su propia muerte y en los millones de súbditos suyos, en los millones de padres e hijos, de hermanos que gobernaría.

«¿Son todos ellos, como yo, criminales si se les presenta la ocasión, inocentes sólo en apariencia y dispuestos a obrar mal para satisfacer su ambición? Sin embargo, cuando estaba en Lyon, sólo tenía deseos de justicia, ¿estoy seguro de esto...? ¿Es tan detestable la naturaleza humana? ¿O es la realeza la que nos vuelve así? ¿El tributo que se debe pagar para reinar es verse uno mismo tan impuro y sucio? ¿Por qué nos ha hecho Dios mortales, ya que lo que nos hace detestables es la muerte, tanto por el miedo que le tenemos como por el uso que hacemos de ella...? Tal vez intenten matarme esta noche.»

Veía grandes sombras, moviéndose sobre los muros, entre los pilares. No sentía arrepentimiento, sino falta de alegría.

«He aquí lo que se llama orar. Por eso nos aconsejan acudir a la iglesia la noche antes de la consagración.»

Se juzgaba tal como era: un mal hombre dotado para ser rey.

Como no tenía sueño, se quedó allí un buen rato, meditando sobre sí mismo, sobre el destino humano, sobre el origen de nuestros actos, y planteándose las únicas grandes preguntas de la vida, las que no tienen respuesta.

—¿Cuánto durará la ceremonia? —preguntó.

—Dos hora largas, señor.

—Bien, entonces es preciso que nos esforcemos en dormir. Debemos estar preparados para mañana.

Pero cuando volvió al palacio arzobispal, entró en la habitación de la reina y se sentó al borde del lecho. Habló a su mujer de cosas sin interés: de los asientos de la catedral, de su preocupación por los vestidos de sus hijas...

Juana estaba ya medio dormida. Hacía esfuerzos para mantenerse atenta; adivinaba en su marido una tensión nerviosa y una especie de angustia contra las que buscaba protección.

—Amigo mío —preguntó—, ¿quieres dormir conmigo?

Él pareció vacilar.

—No puedo; no he avisado al chambelán —dijo.

—Sois rey, Felipe —dijo Juana sonriendo—, podéis dar a vuestro chambelán las órdenes que gustéis.

Felipe tardó un tiempo en decidirse. Aquel joven que sabía, con las armas o con el dinero, meter en cintura a sus más poderosos vasallos, se sentía turbado ante la

perspectiva de tener que informar a uno de sus servidores de que, por un deseo imprevisto, iba a compartir el
lecho de su mujer.

Finalmente llamó a una de las camareras que dormían en la pieza contigua y le ordenó comunicar a Adam
Héron que no le esperase, y que no se acostara esa noche
tras su puerta.

Luego, entre los tapices con dibujos de papagayos
y los tréboles de plata del cielo del lecho, se desnudó y se
deslizó entre las sábanas. Y aquella gran angustia de la
que no podían defenderle todas las tropas del condestable, porque era angustia de hombre y no de rey, se fue
apagando al entrar en contacto con el cuerpo de su mujer, junto a sus piernas firmes, su vientre dócil y su cálido
pecho.

—Amiga mía —murmuró Felipe, con los labios junto a los cabellos de Juana—; amiga mía, respóndeme:
¿me engañaste alguna vez? Respóndeme sin miedo, porque, aunque me hayas traicionado, estás perdonada.

Juana abrazó los costados huesudos y firmes de Felipe.

—Nunca, Felipe, nunca, te lo juro —respondió—.
Estuve tentada de hacerlo, te lo confieso, pero nunca
cedí.

—Gracias, amiga mía —susurró Felipe—. Ahora
nada falta a mi realeza.

No le faltaba nada a su realeza porque era igual que
todos los hombres de su reino: necesitaba una mujer
que fuera completamente suya.

NOTAS

1. Se entendía por *robe*, en su acepción de ajuar, un equipo completo compuesto de varias piezas llamadas *garnements*, todas de la misma tela. La *robe* de ceremonia estaba compuesta por dos sobrevestas, una abierta y otra cerrada, una mantilla, una garnacha, una caperuza y un manto de lujo.

2. Después de la elección de Hugo Capeto, los seis más altos señores del reino, tres duques y tres condes, designados para colocar la corona al elegido en su consagración, fueron los duques de Borgoña, de Normandía y de Guyena, y los condes de Champaña, de Flandes y de Tolosa. Eran considerados pares del rey, es decir, iguales a él. Paralelamente había seis pares de eclesiásticos de los cuales tres eran duques arzobispos y tres condes obispos.

10

Las campanas de Reims

Horas más tarde, tendido en una lujosa litera de gala con las armas de Francia, Felipe, con un traje de terciopelo rojo hasta los pies y las manos juntas a la altura del pecho, esperaba la llegada de los obispos que debían acompañarlo a la catedral.

El primer chambelán, Adam Héron, vestido suntuosamente también, permanecía en pie junto a la litera. La oscura mañana de enero extendía por la habitación su lechosa claridad.

Llamaron a la puerta.

—¿Por quién preguntáis? —dijo el chambelán.

—Por el rey.

—¿Quién lo llama?

—Su hermano.

Felipe y Adam Héron se miraron sorprendidos y contrariados.

—Bien. Que entre —dijo Felipe, incorporándose ligeramente.

—Disponéis de muy poco tiempo, señor... —comentó el chambelán.

El rey le indicó que la entrevista no duraría mucho.

El hermoso Carlos de la Marche llevaba indumentaria de viaje. Acababa de llegar a Reims y sólo se había detenido un instante en el alojamiento del conde de Valois. Su rostro y andares denotaban la mayor irritación.

A pesar de su cólera, ver a su hermano vestido de púrpura y en hierática postura, lo impresionó. Se detuvo un momento y abrió desmesuradamente los ojos. «¡Cómo le gustaría estar en mi lugar!», pensó Felipe.

—Por fin habéis llegado, mi buen hermano —dijo luego—. Os agradezco que hayáis comprendido cuál es nuestro deber y desmintáis así lo que propagan las malas lenguas, o sea, que no estaríais presente en el acto de mi coronación. Os lo agradezco. Ahora, corred a vestiros, ya que así no os podéis presentar. Vais a llegar tarde.

—Hermano —respondió Carlos de la Marche—, antes debo deciros cosas importantes.

—¿Cosas importantes o cosas que os importan? Lo importante ahora es no hacer esperar al clero. Dentro de un instante van a venir los obispos a recogerme.

—¡Pues que esperen! —exclamó Carlos—. Todos encuentran ocasión para hablaros y sacar provecho. Parece que sólo a mí no me tenéis en cuenta. ¡Pero esta vez vais a escucharme!

—Entonces hablemos, Carlos —dijo Felipe sentándose en el borde de la litera—, pero os advierto que hemos de ser breves. —El conde de la Marche movió la cabeza como diciendo—: «Veremos, veremos.» Tomó asiento y se esforzó en adoptar una postura de hombre importante.

«¡Pobre Carlos! —pensó Felipe—. Quiere imitar las maneras de nuestro tío Carlos de Valois, pero le falta madera.»

—Felipe —prosiguió Carlos de la Marche—, os he pedido muchas veces que me confirierais la dignidad de par y aumentarais mi herencia, así como también mis ingresos. ¿Os lo he pedido, si o no?

—Ávida familia —murmuró Felipe.

—Y siempre os habéis hecho el sordo. Ahora os lo pido por última vez. He venido a Reims, pero no asistiré a vuestra coronación mas que sentado entre los pares. Si no, me marcho.

Felipe lo miró durante un instante sin decir nada, y

bajo aquella mirada Carlos se sintió empequeñecer, hundirse, perder toda la seguridad en sí mismo y toda la importancia.

Frente a su padre Felipe el Hermoso, el joven príncipe había tenido la misma conciencia de su propia insignificancia.

—Un momento, hermano —dijo Felipe. Y, levantándose, fue a hablar con Adam Héron, que estaba en un rincón de la estancia.

—Adam —le preguntó en voz baja—, ¿han regresado los barones que fueron a buscar la sagrada ampolla de la abadía de Saint-Remy?

—Sí, señor, ya están en la catedral con el clero de la abadía.

—Bien. Entonces, cerrad las puertas de la ciudad... como en Lyon —dijo. Y con la mano hizo tres gestos apenas perceptibles que significaban: rastrillos, barras, llaves.

—¿El día de la consagración, señor? —murmuró, asombrado, Héron.

—Justamente el día de la consagración. Y hacedlo con presteza.

Cuando salió el chambelán, Felipe volvió junto a la cama.

—¿Qué me pedís, hermano?

—La dignidad de par, Felipe.

—¡Ah, sí! La dignidad de par. Pues bien, hermano, os la concederé de buen grado; pero no enseguida, ya que habéis manifestado demasiado claramente vuestro deseo. Si cediera ahora dirían que no obro por voluntad, sino por imposición, y todos se creerían autorizados a comportarse como vos. Sabed que no se crearán nuevas dotaciones ni se acrecentarán las existentes antes de promulgar una ordenanza que declare inalienable cualquier parte del patrimonio real.[1]

—¡Pero vos ya no necesitáis la dignidad de par de

Poiters! ¿Por qué no me la dais? ¡Convenid en que mi parte es insuficiente!

—¿Insuficiente? —exclamó Felipe, que empezaba a encolerizarse—. Sois hijo y hermano de rey; ¿creéis de verdad que es insuficiente esa parte para un hombre de vuestro cerebro y de vuestros méritos?

—¿Mis méritos? —dijo Carlos.

—Sí, vuestros méritos, que son escasos. Es preciso decíroslo a la cara, Carlos: sois corto, lo habéis sido siempre y no mejoráis con la edad. Cuando erais niño parecíais tan bobo a todos y de inteligencia tan poco desarrollada que hasta nuestra madre, ¡santa mujer!, os llamaba el Ganso.

»Acordaos, Carlos. El Ganso. Lo erais y lo seguís siendo.

»Nuestro padre os hacía sentar frecuentemente en su consejo. ¿Qué aprendisteis de él? Mirabais pasar las moscas mientras se debatían los asuntos del reino, y no recuerdo de vos una sola palabra que no hiciera encogerse de hombros a nuestro padre o al señor Enguerrando. ¿Creéis pues que deseo haceros más poderoso por el bonito apoyo que me prestaríais, cuando desde hace seis meses no dejáis de intrigar contra mí? Obrando de otra manera lo hubierais conseguido todo. ¿Os creéis fuerte y pensáis que vamos a doblegarnos ante vos? Nadie ha olvidado el ridículo papel que hicisteis en Maubuisson cuando os pusisteis a balar: «¡Blanca, Blanca!», y a llorar vuestro ultraje delante de toda la corte.

—¡Felipe! ¿Y sois vos quien me dice eso? —exclamó Carlos de la Marche, levantándose, con el rostro descompuesto—. Sois vos, cuya mujer...

—¡Ni una palabra contra Juana, ni una palabra contra la reina! —cortó Felipe con la mano levantada—. Ya sé que para perjudicarme, o para sentiros menos solo en vuestro infortunio, seguís divulgando vuestras mentiras.

—Habéis exculpado a Juana porque deseabais conservar Borgoña, porque habéis antepuesto, como siempre, vuestros intereses a vuestro honor. Pero tampoco a mí ha dejado de servirme mi infiel esposa.

—¿Qué queréis decir?

—¡Quiero decir lo que digo! —replicó Carlos de la Marche—. Y os repito a la cara que si queréis verme en la consagración he de ocupar un asiento de par, o me voy.

Adam Héron entró en la habitación y notificó al rey con un movimiento de cabeza que se habían transmitido sus órdenes. Felipe le dio las gracias de la misma manera.

—Marchaos, pues, hermano —dijo—. Hoy sólo necesito a una persona: el arzobispo de Reims. ¿Sois vos arzobispo? Entonces marchaos; marchaos, si os place.

—Pero, ¿por qué Felipe? —exclamó Carlos—. ¿Por qué nuestro tío el conde de Valois obtiene siempre lo que quiere y yo nunca?

Por la puerta entreabierta se oían los cantos de la procesión, que iba acercándose.

«¡Y pensar que, si me muriera, sería regente este imbécil!», se decía Felipe. Puso la mano sobre el hombro de su hermano.

—Cuando hayáis perjudicado al reino tantos años como nuestro tío, podréis exigir el mismo trato. Pero, gracias a Dios, vos sois menos diligente en la tontería.

Le señaló la puerta con la mirada y el conde de La Marche salió, pálido, rabioso e impotente, tropezando con los miembros del clero que entraban.

Felipe volvió a la litera y se tendió con las manos cruzadas y los ojos cerrados.

Golpearon de nuevo la puerta, esta vez los obispos con sus báculos.

—¿Por quién preguntáis? —dijo Adam Héron.

—Preguntamos por el rey —respondió una voz grave.

—¿Quién lo requiere?

—Los pares obispos.

Se abrieron las hojas de la puerta y entraron los obispos de Langres y de Beauvais, con la mitra en la cabeza y el relicario al cuello. Se acercaron a la litera, ayudaron al rey a levantarse, le ofrecieron agua bendita mientras Felipe se arrodillaba en un cojín de seda y dijeron la oración.

Luego Adam Héron puso en los hombros de Felipe un manto de terciopelo escarlata semejante a su vestido y, de repente, se suscitó una disputa por cuestión de precedencia.

Normalmente, el duque arzobispo de Laon debía colocarse a la derecha del rey. Ahora bien, en aquel momento la sede de Laon estaba vacante. Al obispo de Langres, Guillermo de Durfort, se le consideraba más apto para cubrir esta ausencia. Sin embargo, Felipe indicó al obispo de Beauvais que se pusiera a su derecha. Tenía dos motivos para ello: por una parte, el obispo de Langres había acogido con demasiada facilidad en su diócesis a los antiguos templarios, dándoles puestos de clérigos; por otra parte, el obispo de Beauvais era un Marigny, el tercer hermano, prelado muy hábil dispuesto siempre a servir al poder a condición de sacar honores y provecho. ¿No lo había demostrado, menos de dos años antes, sentándose en el tribunal encargado de condenar a su hermano mayor Enguerrando? Felipe no lo apreciaba; pero sabía que necesitaba tenerlo a su favor.

—Yo soy obispo duque; a mí me corresponde estar a la diestra —decía Guillermo de Durfort.

—La sede de Beauvais es más antigua que la de Langres —respondía Marigny.

Sus rostros empezaban a enrojecer bajo las mitras.

—Monseñores, el rey decide —dijo Felipe.

Durfort obedeció y cambió de lugar.

«Un descontento más», pensó Felipe.

Descendieron así, entre cruces, cirios y humo de incienso, hasta la calle, donde toda la corte, con la reina a la cabeza, formaba ya el cortejo, e iniciaron la marcha hacia la catedral.

Al paso del rey se elevaba un inmenso clamor. Felipe estaba bastante pálido y entornaba sus ojos de miope. Le parecía que el suelo de Reims se había hecho de pronto extrañamente duro; tenía la impresión de caminar sobre mármol.

En la puerta de la catedral se detuvieron para rezar de nuevo; luego, en medio del estruendo de los órganos, avanzó Felipe por la nave hacia el altar, hacia el gran estrado, hacia el trono donde finalmente se sentó. Su primer gesto fue para señalar a la reina el asiento preparado a la derecha del suyo.

La iglesia estaba repleta. Felipe no veía más que un mar de coronas, de pechos y hombros bordados de joyas, y de casullas que brillaban con los cirios. Un firmamento humano se extendía a sus pies.

Dirigió la mirada hacia los lugares más próximos, volviendo la cabeza a derecha e izquierda para distinguir a las personas que ocupaban el estrado. Allí estaban Carlos de Valois y Mahaut, monumental, cubierta de brocados y terciopelos, que le sonrió. Luis de Evreux se hallaba un poco más allá. Pero Felipe no veía a Carlos de la Marche ni tampoco a Felipe de Valois, a quien también su padre parecía buscar con la mirada.

El arzobispo de Reims, Roberto de Courtenay, entorpecido por los ornamentos sacerdotales, se levantó de su trono situado frente al asiento real. Felipe lo imitó y fue a postrarse ante el altar.

Mientras duró el tedeum, Felipe se estuvo preguntando: «¿Estarán bien cerradas las puertas? ¿Habrán cumplido fielmente mis órdenes? Mi hermano no es hombre para quedarse en una habitación mientras me coronan. ¿Y por qué no ha venido Felipe de Valois? ¿Qué me estarán preparando? Hubiera debido dejar fuera a Galard para que pudiera mandar mejor a sus ballesteros.»

Mientras el rey se inquietaba, su hermano menor chapoteaba en un fangal.

Al salir, furioso, de la habitación real, Carlos de la Marche se había dirigido precipitadamente a la residencia de los Valois. No encontró a su tío, que había salido ya hacia la catedral, sino sólo a Felipe de Valois, que estaba terminando de vestirse, al que contó, casi sin aliento, lo que calificaba de «felonía» de su hermano.

Muy bien avenidos, puesto que eran de gustos y naturaleza semejantes, los dos primos se dedicaban a calentarse mutuamente los cascos.

—Si es así, tampoco yo asistiré a la ceremonia. Me voy contigo —declaró Felipe de Valois, orgulloso de afirmar su independencia del rey, de la corte y de su padre.

Dicho esto, reunieron sus escoltas y se dirigieron orgullosamente hacia una de las puertas de la cuidad. Su soberbia tuvo que inclinarse ante los sargentos de armas.

—Nadie puede entrar ni salir, orden del rey.

—¿Ni siquiera los príncipes de Francia?

—Ni los príncipes, orden del rey.

—¡Ah, quiere obligarnos! —exclamó Felipe de Valois, que tomaba ahora el asunto como personal—. ¡Pues bien, saldremos de todos modos!

—¿Cómo quieres salir si están cerradas las puertas?

—Finjamos retirarnos a mi casa y déjame actuar.

Lo que siguió parecía una calaverada de muchachos. Los escuderos del joven conde de Valois fueron enviados a buscar escaleras de mano que apoyaron enseguida contra los muros de un callejón sin salida, en un lugar en que parecían no estar vigilados.

Los dos príncipes se pusieron a escalar sin sospechar que, al otro lado, se extendían los pantanos del Vesle. Por medio de cuerdas descendieron. Carlos de la Marche perdió pie y cayó en el agua fangosa y helada, y se habría ahogado si su primo, que era más alto y más fuerte, no lo

hubiera pescado a tiempo. Luego se adentraron, ciegamente, en los fangales. No cabía ya renunciar; lo mismo
era avanzar que retroceder. Se jugaban la vida, y durante
tres largas horas estuvieron luchando para salir de aquel
lodazal. Los pocos escuderos que los habían seguido
chapoteaban alrededor de ellos y no se guardaban de
maldecirlos en voz alta.

—Si conseguimos salir de aquí —gritaba Carlos de
la Marche para darse ánimos—, sé bien adónde ir, lo sé
bien. ¡A Château-Gaillard!

El joven Felipe de Valois, chorreando sudor a pesar
del frío, puso cara de asombro entre las cañas podridas.

—¿Te sigue interesando Blanca? —preguntó.

—No me interesa, pero puede decirme muchas cosas. Es la única que nos puede aclarar si la hija de Luis es
bastarda, y si Felipe es un cornudo como yo. Con su declaración podría avergonzar a mi hermano y obligarle a
entregar la corona a la hija de Luis.

El tañido de las campanas de Reims, echadas al vuelo, llegó hasta ellos.

—¡Y pensar que están tocando por él! —exclamó
Carlos de la Marche, con la mitad del cuerpo en el barro
y señalando con las manos la ciudad...

En la catedral, los chambelanes acababan de desnu-
dar al rey. Felipe el Largo, de pie ante el altar, no llevaba
ya más que dos camisas superpuestas: una de tela fina, la
otra de seda blanca, abiertas en el pecho y bajo los sobacos. El rey, antes de ser investido de los atributos de la
majestad, se presentaba ante sus súbditos como un hombre casi desnudo y tembloroso.

Los atributos de la consagración estaban colocados
en el altar, custodiados por el abad de Saint-Denis, que
los había traído. Adam Héron tomó de manos del abad
las calzas, unos calzoncillos largos de seda bordados de
flores de lis, y ayudó al rey a ponérselos, así como el cal-
zado, igualmente de tela bordada. Luego, Ansel de Join-

ville, en ausencia del duque de Borgoña, ató las espuelas de oro a los pies del rey y se las quitó de nuevo. El arzobispo bendijo la gran espada que, según decían, era la de Carlomagno y, poniéndola en el tahalí, la colocó en la cintura del rey, recitando: «*Accipe hunc gladium cum Dei benedictione...*»

—Señor condestable, acercaos, acercaos —dijo el rey.

Gaucher de Châtillon se acercó, y Felipe, deshaciéndose del tahalí, le entregó la espada.

En toda la historia de las consagraciones, nunca un condestable había merecido tanto sostener para su soberano la insignia del poder militar. Este gesto representaba para ambos algo más que la simple ejecución de un rito. Intercambiaron una larga mirada. El símbolo se confundía con la realidad.

Con la punta de una aguja de oro, el arzobispo tomó de la sagrada ampolla que le tendía el abad de Saint-Remy una gota del aceite que decían era enviado desde el cielo y, con el dedo, lo mezcló con el crisma preparado en una patena. Luego el arzobispo ungió a Felipe tocándole la cabeza, el pecho, en la espalda y los sobacos. Adam Héron ató los cierres de las camisas que más tarde quemarían, porque habían sido tocadas ligeramente por la santa unción.

Luego pusieron al rey las prendas que estaban sobre el altar: primero la cota del satén rojo bordada con hilo de plata; luego la túnica de raso azul bordada con perlas y llena de flores doradas de lis; por encima, la dalmática de igual tejido y, por último, un gran manto abrochado al hombro derecho con una fíbula de oro. Felipe sentía cada vez más peso sobre sus hombros; el arzobispo hizo la unción de las manos, deslizó en el dedo de Felipe el anillo real, le puso el pesado cetro de oro en la mano derecha y la mano de justicia en la izquierda. Después de una genuflexión ante el tabernáculo, el prelado levantó al fin la corona, mientras el gran chambelán comenzaba a llamar a los pares presentes: «Magnífico y poderoso señor, el conde...»

En ese preciso instante una voz clara, imperiosa, llenó toda la nave:

—¡Deteneos, arzobispo! ¡No coronéis a este usurpador! ¡Os lo ordena la hija de san Luis!

La asistencia se estremeció. Todas las cabezas se volvieron hacia el lugar de donde había salido la voz. En el estrado se miraron ansiosamente. Las filas de la muchedumbre se apartaron.

Rodeada de algunos señores, una mujer alta de rostro todavía hermoso, firme barbilla, ojos claros y coléricos, con la estrecha diadema y el velo de las viudas sobre sus cabellos casi blancos, se acercaba al coro.

A su paso susurraban: «¡Es la duquesa Inés! ¡Es ella!»

Estiraban el cuello para verla. Se admiraban de que tuviera aún tan bella presencia y tan firme paso. Como era hija de san Luis, se la habían imaginado como perteneciente a los años pasados; la suponían ancestral, vacilante sombra en algún castillo de Borgoña. De repente aparecía tal como era, una mujer de cincuenta años llena todavía de vida y de autoridad.

—Deteneos, arzobispo —repitió cuando estuvo a unos pasos del altar—. Y vosotros todos, escuchad... ¡Leed, Mello! —agregó dirigiéndose a su consejero, que la acompañaba.

Guillermo de Mello desplegó un gran pergamino y leyó:

—Nos, la muy noble dama Inés de Francia, duquesa de Borgoña, hija de nuestro señor el rey san Luis, en nombre nuestro y de nuestro hijo, el muy noble y poderoso duque Eudes, nos dirigimos a vosotros, barones y señores aquí presentes, y a los que están por el reino, para prohibir que se reconozca como rey al conde de Poitiers, que no es heredero legítimo de la corona, y pedir que se aplace la consagración hasta que hayan sido reconocidos los derechos de la señora Juana de Francia y de Navarra, hija y heredera del difunto rey y de nuestra hija.

La angustia aumentaba en el estrado, y comenzaban a surgir peligrosos murmullos del fondo de la iglesia. La muchedumbre permanecía en silencio.

El arzobispo parecía embarazado con la corona; no sabía si colocarla de nuevo en el altar o proseguir la ceremonia.

Felipe estaba inmóvil, sin nada en la cabeza, impotente, soportando el peso de veinte kilos de oro y brocados y, en sus manos, los símbolos del poder y de la justicia. Nunca se había sentido tan indefenso, tan amenazado, tan solo. Un guante de hierro le oprimía el pecho. Su calma era asombrosa. Hacer un gesto, abrir la boca en aquel instante, entablar una discusión era desencadenar un tumulto y, sin duda, el fracaso. Permaneció rígido bajo el peso de sus ornamentos, como si la batalla se desarrollara muy por debajo de él.

Oyó susurrar a los pares eclesiásticos:

—¿Qué hacemos?

El prelado de Langres, que no olvidaba la vejación sufrida poco antes, era de la opinión de suspender la ceremonia.

—Retirémonos y discutamos —propuso otro.

—No podemos, el rey ha sido ungido ya. Es rey; coronadlo —replicó el obispo de Beauvais.

La condesa Mahaut se inclinó sobre su hija Juana y le murmuró:

—¡La muy bribona! ¡Ojalá reviente!

Con sus párpados de tortuga, el condestable hizo una señal a Adam Héron para que continuara citando a los pares.

—Magnífico y poderoso señor, el conde de Valois, par del rey —pronunció el chambelán.

Toda la atención se concentró en el tío del rey. Si

respondía a la llamada, Felipe habría ganado, porque Valois representaba la garantía de los pares laicos, del verdadero poder. Si no lo hacía, Felipe habría perdido.

Valois no se apresuraba, y el arzobispo esperaba su decisión.

Felipe hizo entonces un leve gesto: volvió la cabeza en dirección al sitio donde estaba su tío. La mirada que le dirigió valía cien mil libras. Borgoña nunca pagaría tanto. El ex emperador de Constantinopla se levantó, crispado el rostro, y fue a colocarse detrás de su sobrino. «Qué bien he hecho en mostrarme generoso con él», pensó Felipe.

—Noble y poderosa dama Mahaut, condesa de Artois, par del rey —llamó Adam Héron.

El arzobispo levantó el pesado círculo de oro rematado con una cruz en la parte frontal, y pronunció al fin: «*Coronet te Deus.*»

Uno de los pares laicos debía tomar la corona y sostenerla en alto encima de la cabeza del rey mientras los otros pares ponían simbólicamente sobre ella un dedo. Carlos de Valois adelantó las manos, pero Felipe, con un movimiento del cetro, lo detuvo.

—Tomad la corona vos, madre —dijo a Mahaut.

—Gracias, hijo mío —murmuró la giganta.

Con esta espectacular designación recibía la compensación por su doble regicidio. Ocupaba el lugar del primer par del reino y se le confirmaba aparatosamente la posesión del condado del Artois.

—¡Borgoña no se doblega! —exclamó la duquesa Inés.

Y, agrupando a su séquito, se dirigió hacia la salida mientras Mahaut y Carlos de Valois conducían lentamente a Felipe a su trono.

Cuando estuvo sentado, con los pies descansando sobre un cojín de seda, el arzobispo se quitó la mitra y besó al rey en la boca, diciendo: «*Vivat rex in æternum.*»

Los otros pares imitaron su gesto, repitiendo: «*Vivat rex in æternum.*»

Felipe se sentía fatigado. Acababa de ganar la última batalla después de siete meses de constantes luchas, para conseguir el poder supremo que ya nadie le podría disputar.

Las campanas repicaban ensordecedoras proclamando su triunfo; fuera, el pueblo gritaba deseándole glorias y una larga vida.

Todos sus adversarios habían sido domeñados. Tenía un hijo para asegurar su descendencia y una esposa feliz para compartir sus penas y alegrías. El reino de Francia le pertenecía.

«¡Qué cansado estoy! ¡Qué cansado!», se decía Felipe.

Nada parecía faltarle realmente a aquel rey de veintitrés años que se había impuesto por su tenacidad, que había aceptado los beneficios del crimen y que poseía todas las características de un gran monarca.

Se iniciaba la época de los escarmientos.

NOTAS

1. Cinco siglos más tarde, en su discurso del 21 de marzo de 1817 ante la Cámara de los Pares, relativo a una ley de finanzas, Chateaubriand se apoyó es esta ordenanza de Felipe el Largo, promulgada en 1318, por la cual el patrimonio de la corona había sido declarado inalienable.

LISTA BIOGRÁFICA

Árbol genealógico

Lista biográfica

MAHAUT DE ARTOIS (?-27 de noviembre de 1329)

Hija de Roberto II de Artois. Condesa de Borgoña por su matrimonio en 1291 con el conde palatino Otón IV (fallecido en 1303). Condesa-par de Artois por decisión real en 1309. Madre de Juana de Borgoña, esposa de Felipe de Poitiers, futuro Felipe V, y de Blanca de Borgoña, esposa de Carlos de Francia, futuro Carlos IV.

ROBERTO III DE ARTOIS (1287-1342)

Hijo de Felipe de Artois y nieto de Roberto II de Artois. Conde de Beaumont-le-Roger y señor de Conches (1309). Se casó en 1318 con Juana de Valois, hija de Carlos de Valois y de Catalina de Courtenay. Par del reino por su condado de Beaumont-le-Roger (1328). Desterrado del reino en 1332, se refugió en la corte de Eduardo III de Inglaterra. Fue herido mortalmente en Vannes. Está enterrado en San Pablo de Londres.

ARNALDO DE AUCH (?-1320)

Obispo de Poitiers (1306). Nombrado cardenal-obispo de Albano por Clemente V el 24 de diciembre de 1312. Fallecido en Aviñón.

FELIPE DE AUNAY (?-1314)

Hijo de Gualterio de Aunay, señor de Moucy-le-Neuf, del Mesnil y de Grand Moulin. Escudero del conde de Valois. Fue acusado de adulterio con Margarita de Borgoña, esposa de Luis de Navarra, futuro Luis X el Obstinado, por los sucesos de la torre de Nesle y ejecutado en Pontoise junto a su hermano Gualterio, amante de Blanca de Borgoña.

BAGLIONI, GUCCIO (c. 1295-1340)

Banquero sienés emparentado con la familia de los Tolomei. En 1315 tenía una sucursal de banca en Neauphle-le-Vieux. Se casó en secreto con María de Cressay. Tuvieron un hijo, Giannino (1316), cambiado en la cuna con Juan I el Póstumo. Murió en Campania.

BEATRIZ DE HUNGRÍA (c. 1294-?)

Hija de Carlos Martel de Anjou. Hermana de Carlos Roberto, rey de Hungría, y de Clemencia, reina de Francia. Esposa del delfín de Vienne, Juan II de La Tour du Pin, y madre de Guigues VIII y de Humberto II, últimos delfines de Vienne.

JUAN DE BEAUMONT (?-1318)

Señor de Clichy y de Courcelles-la-Garenne. Sucedió en 1315 a Miles de Noyers en el cargo de mariscal de Francia.

MIGUEL DEL BEC-CRESPIN (?-1318)

Jefe del barrio de San Quintín en Vermandois. Nombrado cardenal por Clemente V el 24 de diciembre de 1312.

BOCCACCIO DA CHELLINO

Banquero florentino, viajero de la compañía de los Bardi. De una amante francesa tuvo un hijo ilegítimo (1313) que llegó a ser el ilustre poeta Boccaccio, autor del *Decamerón*.

BONIFACIO VIII (c. 1215-11 de octubre de 1303)

Canónigo de Todi, abogado consistorial y notario apostólico. Cardenal en 1281. Fue elegido Papa el 24 de diciembre de 1294, tras la abdicación de Celestino V. Murió en Roma un mes después de ser víctima del «atentado» de Anagni.

LUIS DE BORBÓN (c. 1275-1342)

Señor y, posteriormente, duque de Borbón. Era el primogénito del conde Roberto de Clermont (1256-1318) y de Beatriz, hija de Juan, señor de Borbón. Nieto de san Luis. Gran custodio del Tesoro de Francia a partir de 1312. Nombrado duque y par en septiembre de 1327.

INÉS DE FRANCIA (c. 1268-c. 1325)

Última de los once hijos de san Luis. Duquesa de Borgoña por su matrimonio en 1273 con Roberto II de Borgoña (fallecido en 1306). Madre de Hugo V y de Eudes IV, duques de Borgoña; de Margarita, esposa de Luis X el Obstinado, rey de Navarra y después de Francia, y de Juana la Coja, esposa de Felipe VI de Valois.

BLANCA DE BORGOÑA (c. 1296-1326)

Última hija de Otón IV, conde palatino de Borgoña, y de Mahaut de Artois. Casada en 1307 con Carlos de Francia, tercer hijo de Felipe el Hermoso. Acusada de adulterio (1314), juntamente con Margarita de Borgoña, fue encerrada en Château-Gaillard, luego en el castillo de Gournay, cerca de Coutances. Tras la anulación de su matrimonio (1322), tomó los hábitos en la abadía de Maubuisson.

EUDES IV DE BORGOÑA (c. 1294-1350)

Hijo de Roberto II, duque de Borgoña, y de Inés de

Francia, hija de san Luis. Sucedió en mayo de 1315 a su hermano Hugo V. Hermano de Margarita, esposa de Luis X el Obstinado, de Juana, esposa de Felipe de Valois, futuro Felipe VI, de María, esposa del conde de Bar, y de Blanca, esposa del conde Eduardo de Saboya. Se casó el 18 de junio de 1318 con Juana, la primogénita de Felipe V (que falleció en 1347).

HUGO III DE BOUVILLE (?-1331)

Hijo de Hugo II de Bouville y de María de Chambly. Chambelán de Felipe el Hermoso. Se casó en 1293 con Margarita des Barres, de la cual tuvo un hijo, Carlos, que fue chambelán de Carlos V y gobernador del delfinado.

CAETANI, FRANCESCO (?-marzo de 1317)

Sobrino de Bonifacio VIII y nombrado cardenal por este mismo en 1295. Implicado en un intento de hechizamiento del rey de Francia (1316). Murió en Aviñón.

CARLOS IV DE FRANCIA (1294-1 de febrero de 1328)

Tercer hijo de Felipe IV el Hermoso y de Juana de Champaña. Conde de La Marche (1315). Sucedió, con el nombre de Carlos IV, a su hermano Felipe V (1322). Se casó sucesivamente con Blanca de Borgoña (1307), María de Luxemburgo (1322) y Juana de Evreux (1325). Murió en Vincennes, sin heredero varón. Último rey del linaje de los Capetos.

GAUCHER DE CHÂTILLON (c. 1250-1329)

Conde de Porcien. Condestable de Champaña (1284), luego de Francia y, posteriormente, de Courtrai (1302). Hijo de Gaucher IV y de Isabeau de Villehardouin. Aseguró la victoria de Mons-en-

Pévèle. Hizo coronar a Luis el Obstinado como rey de Navarra en Pamplona (1307). Ejecutor testamentario de Luis X, Felipe V y Carlos IV. Participó en la batalla de Cassel (1328) y murió al año siguiente, habiendo ocupado el cargo de condestable de Francia durante el reinado de cinco monarcas. Se casó con Isabel de Dreux, Melisenda de Vergy e Isabeau de Rumigny sucesivamente.

GUY DE CHÂTILLON (?- abril de 1317)

Conde de Saint-Pol. Hijo de Guy IV y de Mahaut de Brabante. Se casó con María de Bretaña (1292), hija del duque Juan II y de Beatriz de Inglaterra. Jefe de las bodegas (1296). Ejecutor testamentario de Luis X y miembro del consejo de regencia. Padre de Mahaut, tercera esposa de Carlos de Valois.

CLEMENCIA DE HUNGRÍA (c. 1293-12 de octubre de 1328)

Reina de Francia. Hija de Carlos Martel de Anjou, rey titular de Hungría, y de Clemencia de Habsburgo. Sobrina de Carlos de Valois por parte de su primera esposa, Margarita de Anjou-Sicilia. Hermana de Carlos Roberto de Hungría y de Beatriz, esposa del delfín Juan II. Se casó con Luis el Obstinado, rey de Francia y Navarra, el 13 de agosto de 1315, y fue coronada junto a él en Reims. Quedó viuda en junio de 1316 y dio a luz un hijo en noviembre del mismo año, Juan I. Murió en el Temple.

CLEMENTE V (?-20 de abril de 1314)

Nació en Villandraut (Gironda). Hijo del caballero Arnaud-Garsias de Got. Arzobispo de Burdeos (1300). Elegido Papa (1305) para suceder a Benedicto XI. Coronado en Lyon. Fue el primero de los Papas de Aviñón.

ROBERTO DE CLERMONT (1256-1318)

Último hijo de san Luis y de Margarita de Provenza. Casado, aproximadamente en 1278, con Beatriz, hija única y heredera de Juan, señor de Borbón. Fue reconocido como señor de Borbón en el año 1283.

COLONNA, GIACOMO (?-14 de agosto de 1318)

Miembro de la célebre familia romana de los Colonna. Nombrado cardenal en 1278 por Nicolás III. Consejero principal de la corte romana bajo Nicolás IV. Excomulgado por Bonifacio VIII en 1297 y restablecido en su dignidad cardenalicia en 1306.

COLONNA, PIETRO (?-1326)

Sobrino del cardenal Giacomo Colonna. Nombrado cardenal por Nicolás IV en 1288. Excomulgado por Bonifacio VIII en 1297 y restablecido en su dignidad cardenalicia en 1306. Murió en Aviñón.

JEAN DE CORBEIL (?-1318)

Señor de Grez en Brie y de Jalemain. Mariscal de Francia desde 1308.

ROBERTO DE COURTENAY (?-1324)

Arzobispo de Reims desde 1299 hasta su muerte.

ELIABEL DE CRESSAY

Castellana de Cressay, cerca de Neauphle-le-Vieux, en el prebostazgo de Montfort-l'Amaury. Viuda del señor Juan de Cressay, caballero; madre de Juan, Pedro y María de Cressay.

MARÍA DE CRESSAY (c. 1298-1345)

Hija de Eliabel de Cressay y del caballero Juan de Cressay. Casada en secreto con Guccio Baglioni y madre, en 1316, de un niño cambiado en la cuna por Juan I el Póstumo, del cual era nodriza. Fue enterrada en el convento de los Agustinos, cerca de Cressay.

PEDRO Y JUAN DE CRESSAY

Hermanos de María de Cressay. Los dos fueron armados caballeros por Felipe VI de Valois tras la batalla de Crécy (1346).

DUÈZE, JACOBO; véase Juan XXII.

GUILLERMO DE DURFORT-DURAS (?-1330)

Obispo de Langres (1306) y luego de Rouen (1319) hasta su muerte.

EDUARDO II PLANTAGENET (1284-21 de septiembre de 1327)

Nació en Carnarvon. Hijo de Eduardo I y de Leonor de Castilla. Primer príncipe de Gales. Duque de Aquitania y conde de Ponthieu (1303). Fue armado caballero en Westminster (1306). Rey de Inglaterra en 1307. Se casó en Boulogne-sur-Mer, el 22 de enero de 1308 con Isabel de Francia, hija de Felipe el Hermoso. Fue coronado en Westminster el 25 de febrero 1308. Destronado (1326) por una revuelta de los barones dirigida por su esposa, fue encarcelado y murió asesinado en el castillo de Berkeley.

EVERARDO

Antiguo templario. Clérigo en Bar-sur-Aube. Implicado en 1316 en un caso de hechicería. Cómplice del cardenal Caetani en un intento de embrujar al rey de Francia.

LUIS DE EVREUX (1276-mayo de 1319)

Luis de Francia, conde de Evreux (1298), era hijo de

Felipe III el Atrevido y de María de Brabante. Hermanastro de Felipe el Hermoso y de Carlos de Valois. Se casó con Margarita de Artois, hermana de Roberto III de Artois, de la que tuvo dos hijos: Juana, tercera esposa de Carlos IV el Hermoso, y Felipe, consorte de Juana de Navarra.

FELIPE DE EVREUX

Hijo de Luis de Evreux. Se casó en 1318 con Juana de Francia, hija de Luis X el Obstinado y de Margarita de Borgoña, heredera de Navarra, que falleció en 1349. Padre de Carlos el Malo, rey de Navarra, y de Blanca, segunda esposa de Felipe VI de Valois, rey de Francia.

FELIPE IV EL HERMOSO (1268-29 de noviembre de 1314)

Nació en Fontainebleau. Hijo de Felipe III el Atrevido y de Isabel de Aragón. Se casó (1284) con Juana de Champaña, reina de Navarra. Padre de los reyes Luis X, Felipe V y Carlos IV, y de Isabel de Francia, reina de Inglaterra. Reconocido como rey en Perpignan (1285) y coronado en Reims (6 de febrero de 1286). Murió en Fontainebleau y fue enterrado en Saint-Denis.

FELIPE V EL LARGO (1291-3 de enero de 1322)

Hijo de Felipe IV el Hermoso y de Juana de Champaña. Hermano de los reyes Luis X y Carlos IV, y de Isabel de Inglaterra. Conde palatino de Borgoña, señor de Salins por su matrimonio (1307) con Juana de Borgoña. Conde usufructuario de Poitiers (1311). Par de Francia (1315). Regente tras la muerte de Luis X y más tarde rey a la muerte del hijo póstumo de éste (noviembre 1316). Muerto en Longchamp sin heredero varón. Enterrado en Saint-Denis.

FELIPE VI (1293-1350)

Primogénito de Carlos de Valois y de su primera esposa, Margarita de Anjou-Sicilia. Sobrino de Felipe IV el Hermoso y primo hermano de Luis X, Felipe V y Carlos IV. Fue regente del reino a la muerte de Carlos IV el Hermoso, y luego rey cuando nació la hija póstuma de este último (abril de 1328). Entronizado en Reims el 29 de mayo de 1328. Su subida al trono, a la que Inglaterra se negaba, fue el origen de la segunda guerra de los Cien Años. Se casó en primeras nupcias (1313) con Juana de Borgoña la Coja, hermana de Margarita, que falleció en 1348. Tomó por segunda esposa (1349) a Blanca de Navarra, nieta de Luis X y de Margarita.

ISABEL DE FÉRIENNES (?-1317)

Experta en magia. Testificó contra Mahaut durante el proceso instruido contra esta última tras la muerte de Luis X. Fue quemada viva, al igual que su hijo, tras la absolución de Mahaut, el 9 de octubre de 1317.

JUAN DE FIENNES

Barón de Ringry, señor de Ruminghen y castellano de Bourbourg. Cabecilla electo de la nobleza rebelde del Artois, fue uno de los últimos en capitular (1320). Se casó con Isabel, sexta hija de Guy de Dampierre, conde de Flandes, de la que tuvo un hijo, Roberto, condestable de Francia en 1356.

ROBERTO DE FLANDES (?-1322)

Conde de Nevers y de Flandes. Hijo de Guy de Dampierre, conde de Flandes (fallecido en 1305), y de Isabel de Luxemburgo. Se casó con Yolanda de Borgoña, condesa de Nevers. Padre de Luis de Nevers.

GODOFREDO DE FLEURY

Entró en funciones el 12 de julio de 1316. Fue el primer funcionario de palacio que llevó el título de superintendente de Hacienda. Felipe V lo hizo noble en 1320.

LUCA DE FLISCO (?-1336)

Consanguíneo del rey Jaime II de Aragón. Nombrado cardenal por Bonifacio VIII el 2 de marzo de 1300.

JUAN DE FOREZ (?-antes de 1333)

Juan I de Albon, conde de Forez, fue embajador de Felipe el Hermoso y de Luis X en la corte papal. Guardián del cónclave de Lyon de 1316. Se casó en 1295 con Alix de Vienne, hija de Humberto de La Tour du Pin, condesa de Nevers. Padre de Luis de Nevers.

ARNALDO DE FOUGÈRES (?-1317)

Arzobispo de Arles (1308). Nombrado cardenal por Clemente V el 19 de diciembre de 1305.

NICOLÁS DE FRÉAUVILLE (?-1323)

Dominico. Confesor de Felipe el Hermoso. Nombrado cardenal por Clemente V el 15 de diciembre de 1305.

FRÉDOL, BERENGUER (c. 1250-junio de 1323)

Conocido como Berenguer el Viejo. Obispo de Béziers (1309). Nombrado cardenal por Clemente V el 24 de diciembre de 1312.

PEDRO DE GALARD

Jefe de los ballesteros de Francia desde 1210. Gobernador de Flandes (1319).

GUIGUES (1310-1333)

El pequeño delfín de Vienne, futuro Guigues IV, hijo de Juan II de La Tour du Pin, delfín de Vienne y de Beatriz de Hungría. Sobrino de la reina Clemencia. Prometido en junio de 1316 a Isabel de Francia, tercera hija de Felipe V, con quien se casó en mayo de 1323. Murió sin herederos; lo sucedió su hermano.

HÉRON, ADAM

Bachiller y, posteriormente, chambelán de Felipe, conde de Poitiers, futuro Felipe V.

BEATRIZ DE HIRSON

Dama de compañía de la condesa Mahaut de Artois y sobrina de su canciller, Thierry de Hirson.

ISABEL DE FRANCIA (1292-23 de agosto de 1358)

Reina de Inglaterra. Hija de Felipe IV el Hermoso y de Juana de Champaña. Hermana de los reyes Luis X, Felipe V y Carlos IV. Se casó con Eduardo II de Inglaterra (1308). Dirigió (1325), con Roger Mortimer, la revuelta de los barones ingleses que condujo al derrocamiento de su marido. La Loba de Francia gobernó de 1326 a 1328 en nombre de su hijo Eduardo III. Desterrada de la corte (1330). Murió en el castillo de Hertford.

ISABEL DE FRANCIA (c. 1311- después de 1345)

Hija de Felipe V y de Juana de Borgoña. Prometida en junio de 1316 a Guigues, pequeño delfín de Vienne, futuro Guigues VIII, con quien se casó el 17 de mayo de 1323.

JUAN XXII (1244- diciembre de 1334)

Jacobo Duèze era hijo de un burgués de Cahors. Cursó estudios en esa localidad y en Montpellier.

Arcipreste de Saint-André de Cahors. Canónigo de Saint-Front de Périgueux y de Albi. Arcipreste de Sarlat. En 1289 viajó a Nápoles, donde no tardó en ser íntimo del rey Carlos II de Anjou, que lo nombró secretario de los consejos privados y luego canciller. Obispo de Fréjus (1300) y de Aviñón (1310). Secretario del concilio de Vienne (1311). Cardenal obispo de Porto (1312). Elegido Papa en agosto de 1316, adoptó el nombre de Juan XXII. Fue coronado en Lyon en septiembre de 1316. Murió en Aviñón.

JUAN II DE LA TOUR DU PIN (c. 1280-1319)
Hijo de Humberto I de La Tour du Pin, delfín de Vienne, a quien sucedió en 1307. Se casó con Beatriz de Hungría, de la que tuvo dos hijos, Guigues y Humberto, los últimos delfines de Vienne.

JUANA DE BORGOÑA (c. 1293-21 de enero de 1330)
Hija primogénita de Otón IV, conde palatino de Borgoña, y de Mahaut de Artois. Hermana de Blanca, esposa de Carlos de Francia, futuro Carlos IV. Condesa de Poitiers por su matrimonio en 1307 con Felipe, segundo hijo de Felipe el Hermoso. Acusada de complicidad en los adulterios de su hermana y de su cuñada (1314), fue encerrada en Dourdan, luego liberada en 1315. Madre de tres hijas: Juana, Margarita e Isabel, que se casaron respectivamente con el duque de Borgoña, el conde de Flandes y el delfín de Vienne.

JUANA DE FRANCIA, DUQUESA DE BORGOÑA (1308-1347)
Hija mayor de Felipe V y de Juana de Borgoña. Prometida en julio de 1316 a Eudes IV, duque de Borgoña, con quien se casó en junio de 1318.

JUANA DE FRANCIA, REINA DE NAVARRA (c. 1311-8 de octubre de 1349)

Reina de Navarra. Hija de Luis de Navarra, futuro Luis X el Obstinado, y de Margarita de Borgoña. Presunta bastarda. Eliminada de la sucesión del trono de Francia, heredó el de Navarra. Se casó en 1318 con Felipe, conde de Evreux. Madre de Carlos el Malo, rey de Navarra, y de Blanca, segunda mujer de Felipe VI de Valois, rey de Francia.

ANSEL DE JOINVILLE

Primogénito de Juan de Joinville. Senescal hereditario de Champaña. Miembro del gran consejo de Felipe V y mariscal de Francia.

JUAN DE JOINVILLE (1224-24 de diciembre de 1317)

Senescal hereditario de Champaña. Acompañó en la séptima Cruzada a Luis IX, con el cual estuvo también cautivo. A los ochenta años escribió su *Historia de san Luis*, que lo sitúa entre los grandes cronistas.

GUILLERMO DE LA MADELAINE

Preboste de París entre el 31 de marzo y finales de agosto de 1316.

GUILLERMO DE LONGIS (?- abril de 1319)

Canciller del rey Carlos II de Sicilia. Nombrado cardenal por Celestino V el 18 de septiembre de 1294. Fallecido en Aviñón.

LUIS X EL OBSTINADO (octubre de 1289-5 de junio de 1316)

Hijo de Felipe IV el Hermoso y de Juana de Champaña. Hermano de los reyes Felipe V y Carlos IV, y de Isabel, reina de Inglaterra. Rey de Navarra (1307). Rey de Francia (1314). Se casó (1305) con Margarita de Borgoña, de la cual tuvo una hija, Juana, nacida hacia 1311. Después del escándalo de la torre de Nesle y de la muerte de Margarita, se volvió a casar (agosto de 1315) con Clemencia de Hungría. Fue coronado en Reims (agosto de 1315). Murió en Vincennes. Su hijo, Juan el Póstumo, nació cinco meses después (noviembre de 1316).

GUILLERMO DE MANDAGOUT (?- septiembre de 1321)
Obispo de Embrun (1295) y de Aix (1311). Nombrado cardenal obispo de Palestrina por Clemente V el 24 de diciembre de 1312.

MARGARITA DE BORGOÑA (c. 1293-1315)
Hija de Roberto II, duque de Borgoña, y de Inés de Francia. Casada (1305) con Luis, rey de Navarra, primogénito de Felipe el Hermoso, futuro Luis X, del cual tuvo una hija, Juana. Acusada de adulterio (suceso de la torre de Nesle, 1314), fue encerrada en Château-Gaillard, donde murió asesinada.

ENGUERRANDO DE MARIGNY (c. 1265-30 de abril de 1315)
Nació en Lyons-la-Forêt. Se casó en primeras nupcias con Juana de Saint-Martin; en segundas, con Alips de Mons. Fue primero escudero del conde de Bouville y después pasó a la casa de la reina Juana, esposa de Felipe el Hermoso. Fue nombrado sucesivamente guardia en el castillo de Issoudun (1298), chambelán (1304), caballero y conde de Longueville, intendente de las finanzas y de la construcción, capitán del Louvre, coadjutor en el gobierno y rector del reino durante la última parte del reinado de Felipe el Hermoso. Tras la muerte de este último, fue acusado de malversación, condenado y ahorcado en Montfaucon. Rehabilitado en 1317 por Felipe V, su cadáver fue trasladado de la iglesia de los Cartujos a la colegiata de Ecouis, por él fundada.

JUAN DE MARIGNY (?-1350)

El pequeño de los hermanos Marigny. Canónigo de Notre-Dame y, posteriormente, obispo de Beauvais (1312). Canciller (1329). Lugarteniente del rey en Gascuña (1342). Arzobispo de Rouen (1347).

GUILLERMO DE MELLO (?- c. 1328)

Señor de Epoisses y de Givry. Consejero del duque de Borgoña.

NOUVEL, ARNALDO (?- agosto de 1317)

Abad de la abadía cisterciense de Fontfroide (Aude). Nombrado cardenal por Clemente V en 1310. Legado del Papa en Inglaterra.

MILES IV DE NOYERS (?-1350)

Señor de Vandoeuvre y mariscal de Francia (1303-1315). Negoció la paz de Flandes con Luis de Nevers en nombre de Luis X. Fue, sucesivamente, consejero de Felipe IV, Carlos IV y Felipe V. Tuvo un papel muy importante en estos tres reinados. Encargado de las bodegas de Francia (1336).

ORSINI, NAPOLEÓN (?- marzo de 1342)

Nombrado cardenal por Nicolás IV el 16 de mayo de 1288.

ARNALDO DE PELAGRUE (?- agosto de 1331)

Archidiácono de Chartres. Nombrado cardenal por Clemente V el 15 de diciembre de 1305.

NICOLÁS DE PRATO (?- abril de 1321)

Obispo de Spolete y, posteriormente, de Ostia (1303). Nombrado cardenal por Benedicto XI el 18 de diciembre de 1303. Fallecido en Aviñón.

RAÚL I DE PRESLES (?-1331)

Señor de Lizy-sur-Ourcq. Abogado. Secretario de Felipe el Hermoso (1311). Encarcelado a la muerte de éste y liberado al final del reinado de Luis X. Guardián del cónclave de Lyon en 1316. Ennoblecido por Felipe V, caballero del séquito de este rey y miembro de su consejo.

ROBERTO DE NÁPOLES (c. 1278-1344)

Tercer hijo de Carlos II de Anjou el Cojo y de María de Hungría. Duque de Calabria en 1296. Príncipe de Salerno (1304). Vicario general del reino de Sicilia (1296). Nombrado heredero del reino de Nápoles en 1297, accedió al trono en 1309. Fue coronado en Aviñón por el papa Clemente V. Príncipe erudito, poeta y astrólogo. Se casó en primeras nupcias con Violante de Aragón, que murió en 1302; más tarde se casó con Sancha, hija del rey de Mallorca (1304).

AMADEO V DE SABOYA, EL GRANDE (1249-octubre de 1323)

Segundo hijo de Tomás II de Saboya, conde de Maurienne (fallecido en 1259) y de su segunda esposa, Beatriz de Fiesque. Sucedió en 1283 a su tío Felipe. Se casó en primeras nupcias con Sibila de Baugé (que falleció en 1294), y volvió a casarse en 1304 con María de Brabante. En 1307, su hijo Eduardo se casó con Blanca de Borgoña, hermana de Margarita y de Eudes IV.

PEDRO DE SABOYA (?-1332)

Arzobispo de Lyon (1308). Se enemistó con Felipe el Hermoso, que lo mandó encarcelar en 1310. Consintió a la reunión de Lyon en 1312 y recuperó su silla arzobispal.

STEFANESCHI, JACOBO (?- 1 de junio de 1342)

Nombrado cardenal por Bonifacio VIII el 17 de diciembre de 1295.

ENRIQUE DE SULLY (?-c. 1336)

Hijo de Enrique III, señor de Sully (fallecido en 1285) y de Margarita de Beaumetz. Esposo de Juana de Vendôme. Encargado de las bodegas de Francia desde 1317.

TOLOMEI, SPINELLO

Jefe en Francia de la compañía sienesa de los Tolomei, fundada en el siglo XII por Tolomeo Tolomei y que se enriqueció rápidamente con el comercio internacional y el control de las minas de plata de Toscana. Todavía existe en Siena el palacio Tolomei.

MATEO DE TRYE

Señor de Fontenay y de Plainville-en-Vexin. Gran panetero (1298)·y, posteriormente, chambelán de Luis el Obstinado y gran chambelán de Francia desde 1314.

CARLOS DE VALOIS (12 de marzo de 1270-diciembre de 1325)

Hijo de Felipe III el Atrevido y de su primera mujer, Isabel de Aragón. Hermano de Felipe IV el Hermoso. Armado caballero a los catorce años. Investido rey de Aragón por el legado del Papa el mismo año. Jamás pudo ocupar el trono y renunció al título en 1295. Conde de Valois y de Aleuçon (1285). Conde de Anjou, del Maine y de Perche (marzo 1290) por su primer matrimonio con Margarita de Anjou-Sicilia; emperador titular de Constantinopla por su segundo matrimonio (enero 1301) con Catalina de Courtenay; nombrado conde de Romaña por el papa

Bonifacio VIII. Se casó en terceras nupcias con Mahaut de Châtillon-Saint-Pol. De sus tres matrimonios tuvo abundante descendencia; su primogénito fue Felipe VI, primer rey de la dinastía Valois. Luchó en Italia por cuenta del Papa en 1301, mandó dos expediciones en Aquitania (1297 y 1324) y fue candidato al Imperio alemán. Falleció en Nogent-le-Roi y fue enterrado en la iglesia de los Jacobinos de París.

Índice

TERCERA PARTE: DEL LUTO A LA CONSAGRACIÓN

LISTA BIOGRÁFICA